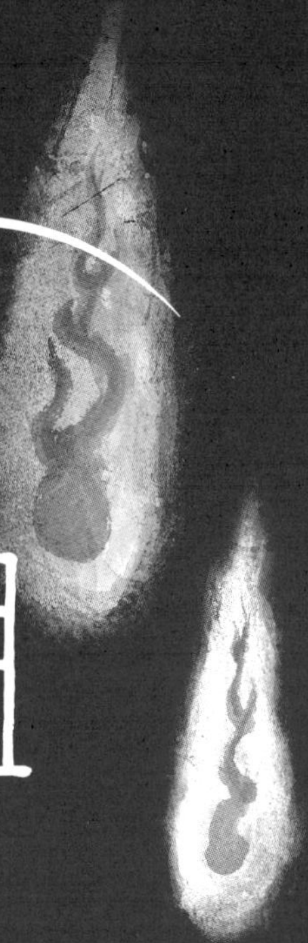

詛呪（じゅそ）

封印版

花輪和一

目次

柿子 4
魂魄 12
泡水 20
禊蟲 28
迷宮 36
作祟 46
巢窠 56
真實 66
昏暗 74
祓除 82
詛咒佛 90
蛆蟲佛 100
指甲情 110
洞 120

P物質 128
詛咒考 138
殖民地 148
地球 158
盂蘭盆蟲 168
芝族珠 176
靈動說 186
亡靈墓 196
自我確立煙火 208
針氈 222
羽肢蝨 232
螢 244
雨之貓塚 254
祕藏 264
怨念球 274
靈障國 284
犬猿弔唁 294
筆頭菜 302
日落 310
中文版後記／導讀 319

柿子

かき

這事很不可思議，但真有其事。
我有個朋友N在東京當自由接案撰稿人，這篇怪異譚畫的是他家族發生的真實故事。
地點在岡山縣，時間是N年紀還很小的昭和三〇年代。

唔喔喔喔喔喔！
某天，N的祖父受到一股盛怒驅策，天還沒亮就起床，以井水淨身，然後展開各種修行，例如奔跑於山野、淋瀑布。

連續苦修幾個月後，他最終獲得了特殊的力量。
念力、透視力，還有，在池子裡誦經便會有巨大的龍或觀世音菩薩自水中浮現
等著瞧吧，我一定會報仇雪恨的⋯⋯！

N的祖父將別人託付給他的高價懷錶，拿到隔壁泥瓦匠介紹的地方修理。
然而，修理的人遲遲沒有歸還懷錶，最後堅稱錶弄丟了，祖父還得賠償錶的主人，下場悽慘。
祖父打從心底痛恨鐘錶匠，矢志要報仇雪恨，於是不斷苦修，一心一意地對著鐘錶匠祈念。
也許是念力傳了過去，鐘錶匠猝死了。
N的祖父有六個小孩，老么在某一天……

爬樹採柿子，腳踩空了，結果脖子不知怎麼地卡在樹枝之間⋯
在那個天空蔚藍無際、遠處傳來伯勞鳥啼叫的安靜秋日，才讀國二的老么慘死了。
鐘錶匠的猝死是祖父的詛咒造成的嗎？還是單純的巧合呢？
也有人偷偷說他兒子意外身亡是詛咒反彈所致。
祖父失去最疼愛的兒子，內心頹喪，開始沉迷於喝酒，並對家人施暴。

根據祖母說法，我們有個叫八郎舅公的祖先，
可能是什麼因緣所致吧。
他砍了自己的出竅靈魂，因而死亡。
八郎舅公原本是士族，在明治九年廢刀令後還是隨時佩刀。
據說某天傍晚散步回家後，他告訴家人：「我剛剛砍了自己的出竅靈魂。」他的衣服被血染得通紅。
不久後，八郎舅公像是體內空氣全洩了出去，趴伏到晚餐飯菜上，就這麼死了。
ガタ

喀噠

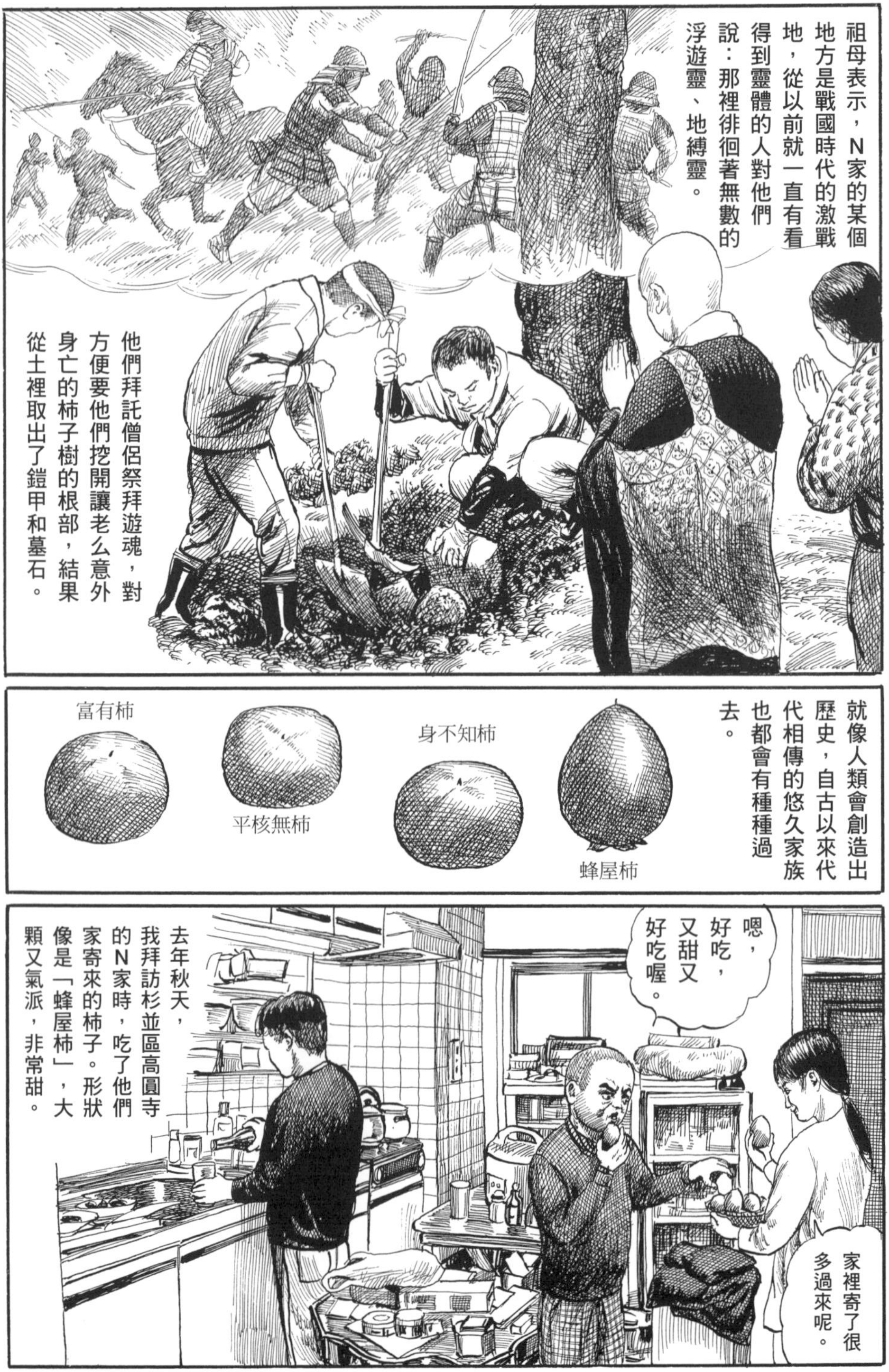
祖母表示，N家的某個地方是戰國時代的激戰地，從以前就一直有看得到靈體的人對他們說：那裡徘徊著無數的浮遊靈、地縛靈。
他們拜託僧侶祭拜遊魂，對方便要他們挖開讓老么意外身亡的柿子樹的根部，結果從土裡取出了鎧甲和墓石。
就像人類會創造出歷史，自古以來代代相傳的悠久家族也都會有種種過去。
蜂屋柿
身不知柿
平核無柿
富有柿
家裡寄了很多過來呢。
嗯，好吃，又甜又好吃喔。
去年秋天，我拜訪杉並區高圓寺的N家時，吃了他們家寄來的柿子。形狀像是「蜂屋柿」，大顆又氣派，非常甜。

魂魄

こんぱく

時間過得真快。不久前走路還搖搖晃晃的孫女，已經亭亭玉立了…
已到了穿那件打掛※的年紀了…

※武家婦人的禮服，富裕的商人家會作為結婚禮服穿著。

青春年華只有短暫一瞬間。
孫女啊，穿上那件打掛，盡心盡力地度過妳的青春年華吧，莫留下悔恨。
奶奶啊，爺爺看到妳年輕時候穿這件打掛的模樣，對妳一見鍾情對吧。
嗯，是啊。
多虧那件打掛，我才度過了幸福的少女時代呀。
那是我從母親那裡繼承的，而我母親是從我祖母那裡繼承的。
一代一代母女相傳，據說繼承者都度過了平凡但幸福的人生。

我的祖母和母親都已不在人世了…但這件打掛還在。
真是不可思議啊。
這應該是沒沒無聞的職人投注心血染出來的吧。
希望這件打掛蘊含的幸福可以永遠持續下去啊。
咻——
花朵的生命很短暫。
這件打掛藏著我青春少女時代的許多快樂回憶，能親手將它交給孫女，是值得感恩之事啊。
喀噠
打掛！

咻～～
啪噠啪噠
バタバタ
沙沙沙

沙沙沙
啊啊！

奶奶，妳看到了嗎？那是什麼呀？
魂魄吧。打掛蘊藏的靈魂脫離它了，它總算壽終正寢啦。
它至今一直發揮著功能，簡直盡忠過頭了。
那應該是一些「念」吧，來自祈求著衣者獲得幸福、投注心血染出打掛的無名職人的魂魄，以及穿過它的代代祖先的喜悅。
這麼一來，打掛應該會突然褪色、脫線吧。不過，我的孫女就能夠靠自己的力量盡心盡力地活下去了。這是值得感恩之事呀。

沁水

しんすい

那個老人想抓水裡的什麼東西啊？

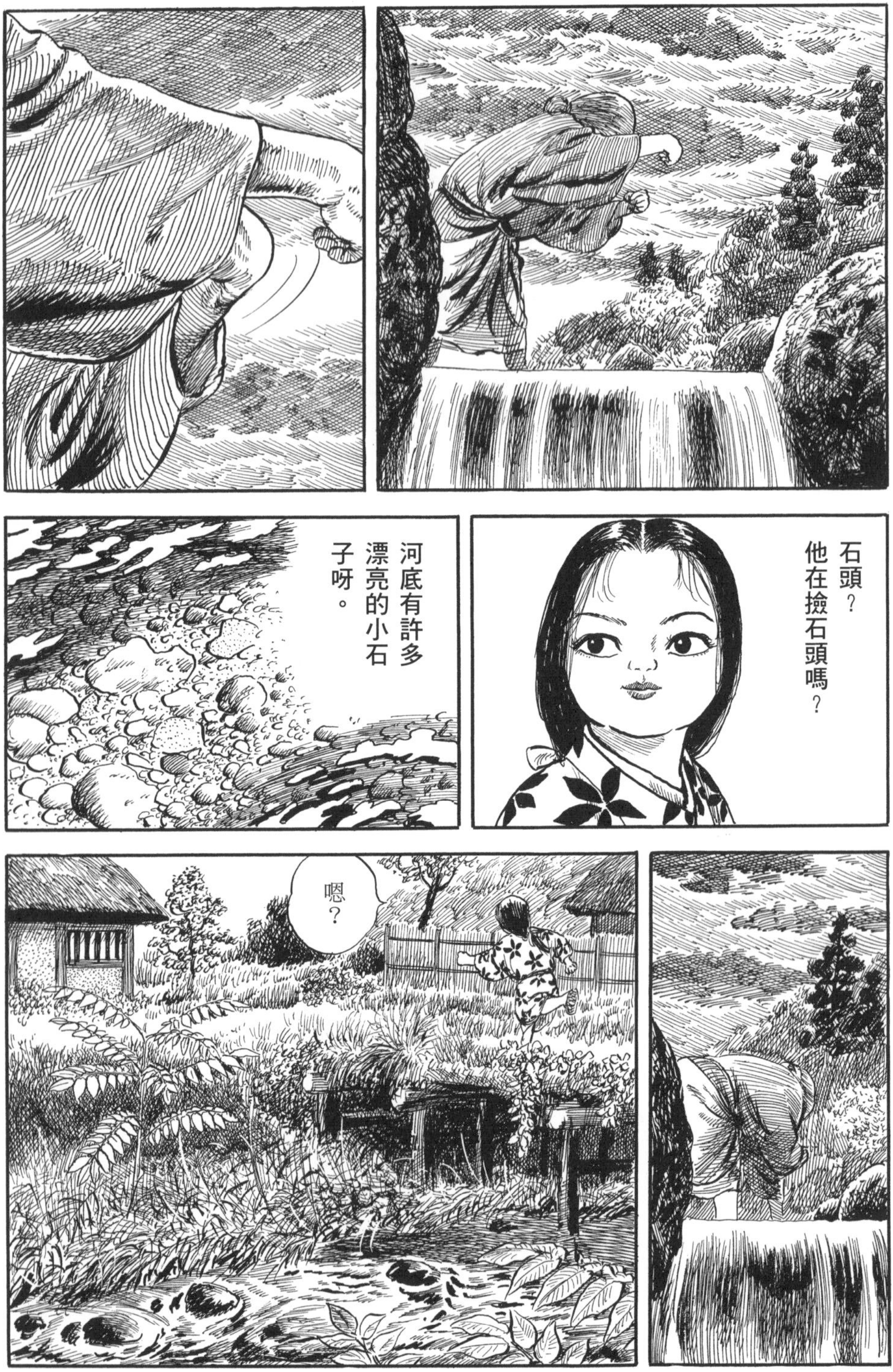
石頭？
他在撿石頭嗎？
河底有許多漂亮的小石子呀。
嗯？

石頭！
為什麼？
為什麼有這麼多石頭跑進來啊？
真怪耶，我可沒撿什麼石頭。
啪啦
啪啦
真的很怪耶。
—隔天—

啊，是昨天那個人。
是水，他汲水放進袖兜裡。為何？為什麼？
嚇！
滴答
滴答

我的袖兒流出水了…
滴答滴答
為…為何？
不要啊！
咿！
咻～～～咻～～～
怎麼會發生這種事？為什麼？那個人到底是何方神聖？
當晚。
ゴォーゴー
ゴォオオ
咻～～～

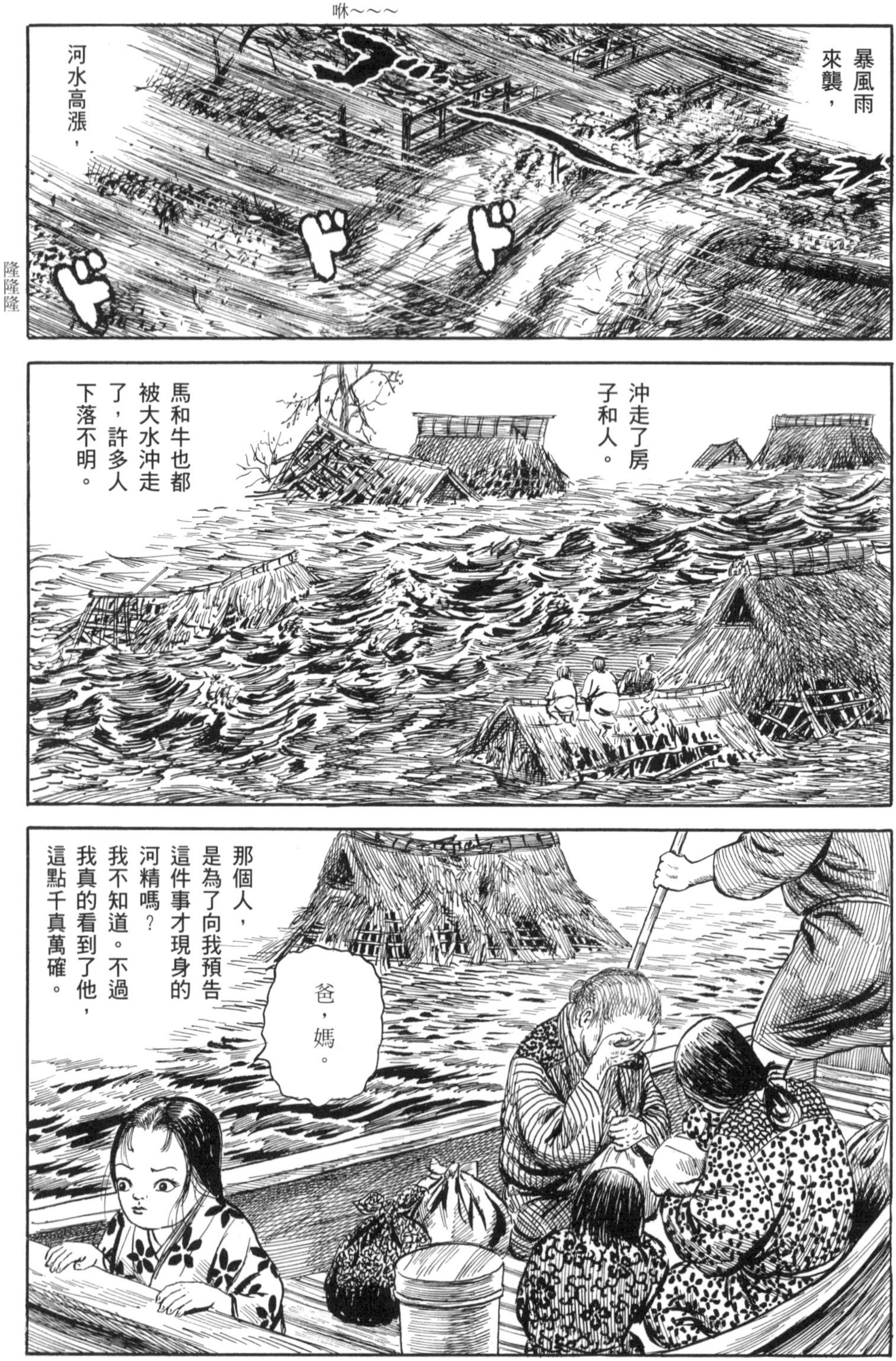
咻～～～
暴風雨來襲，
河水高漲，
隆隆隆
沖走了房子和人。
馬和牛也都被大水沖走了，許多人下落不明。
那個人，是為了向我預告這件事才現身的河精嗎？我不知道。不過我真的看到了他，這點千真萬確。
爸，媽。

禊蟲

みそぎむし

…啊，還活著呢，那條楔蟲。
跟我三年前看到的時候一樣大耶。
啊啊，真驚人呀，真高貴耶。出來了出來了。

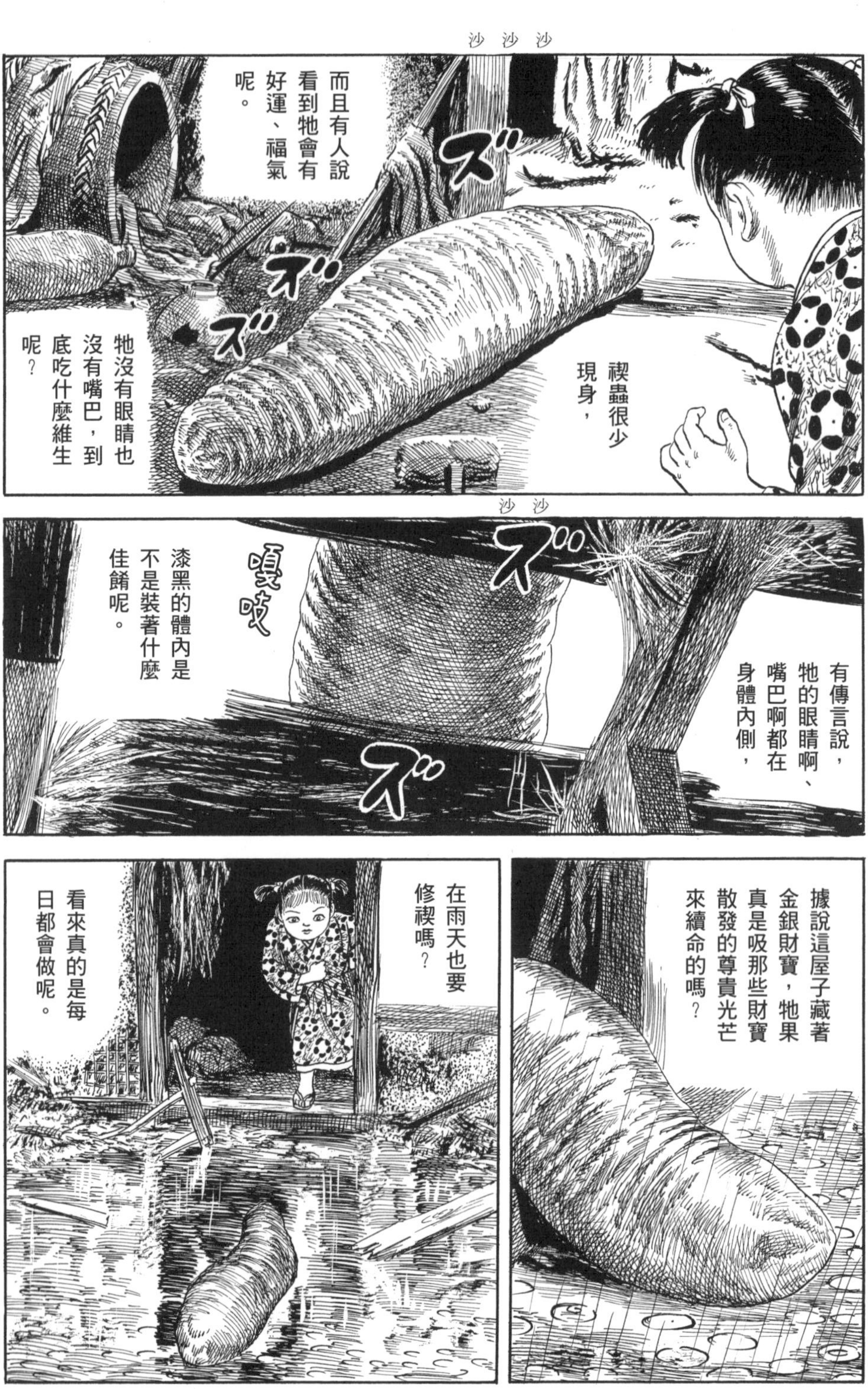
沙沙沙
禊蟲很少現身，
而且有人說看到牠會有好運、福氣呢。
牠沒有眼睛也沒有嘴巴，到底吃什麼維生呢？
沙沙
有傳言說，牠的眼睛啊、嘴巴啊都在身體內側，
嘎吱
漆黑的體內是不是裝著什麼佳餚呢。
據說這屋子藏著金銀財寶，牠果真是吸那些財寶散發的尊貴光芒來續命的嗎？
在雨天也要修禊嗎？
看來真的是每日都會做呢。

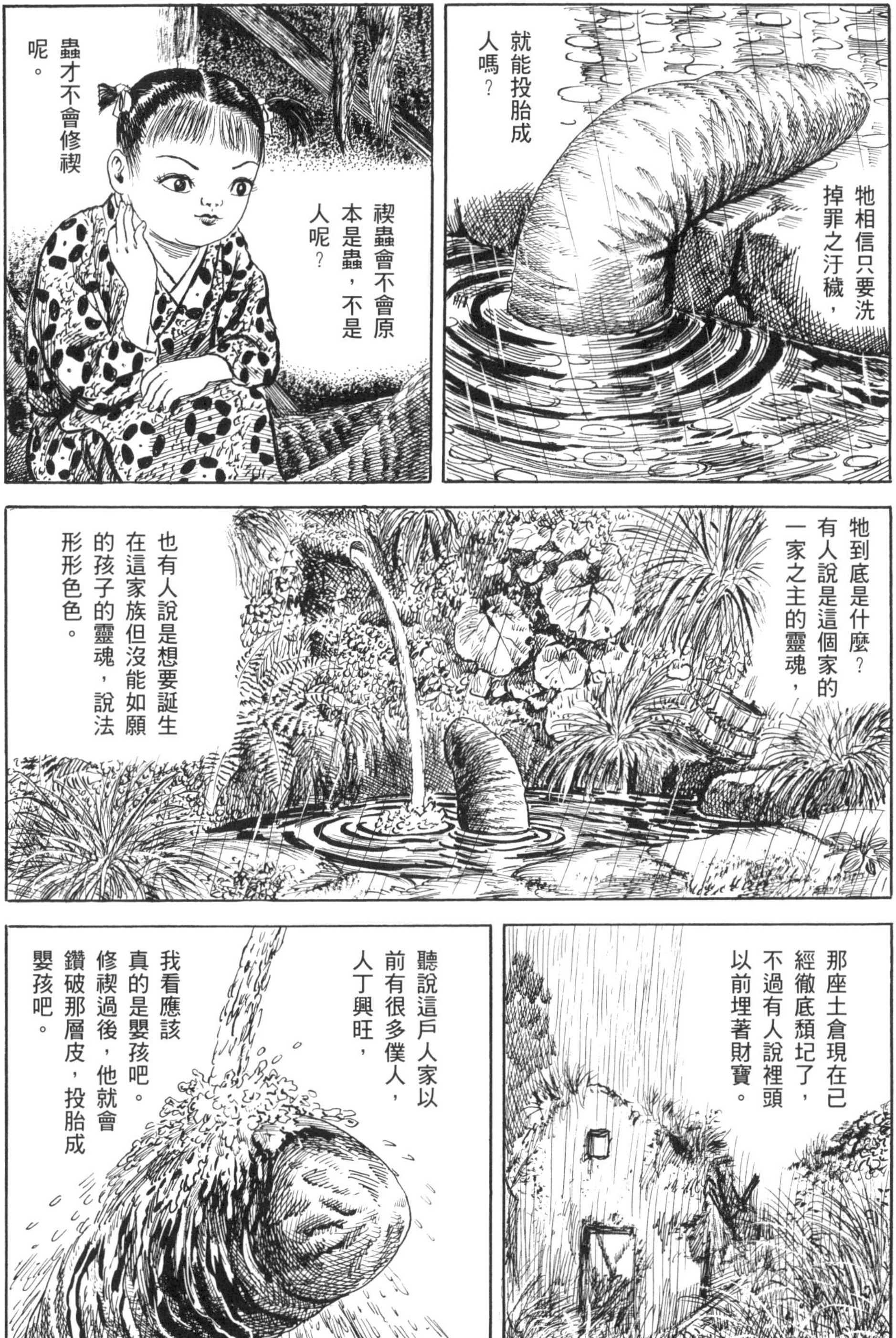

牠相信只要洗掉罪之汙穢，就能投胎成人嗎？
禊蟲會不會原本是蟲，不是人呢？
蟲才不會修禊呢。
牠到底是什麼？有人說是這個家的一家之主的靈魂，
也有人說是想要誕生在這家族但沒能如願的孩子的靈魂，說法形形色色。
那座土倉現在已經徹底頹圮了，不過有人說裡頭以前埋著財寶。
聽說這戶人家以前有很多僕人，人丁興旺，
我看應該真的是嬰孩吧。修禊過後，他就會鑽破那層皮，投胎成嬰孩吧。

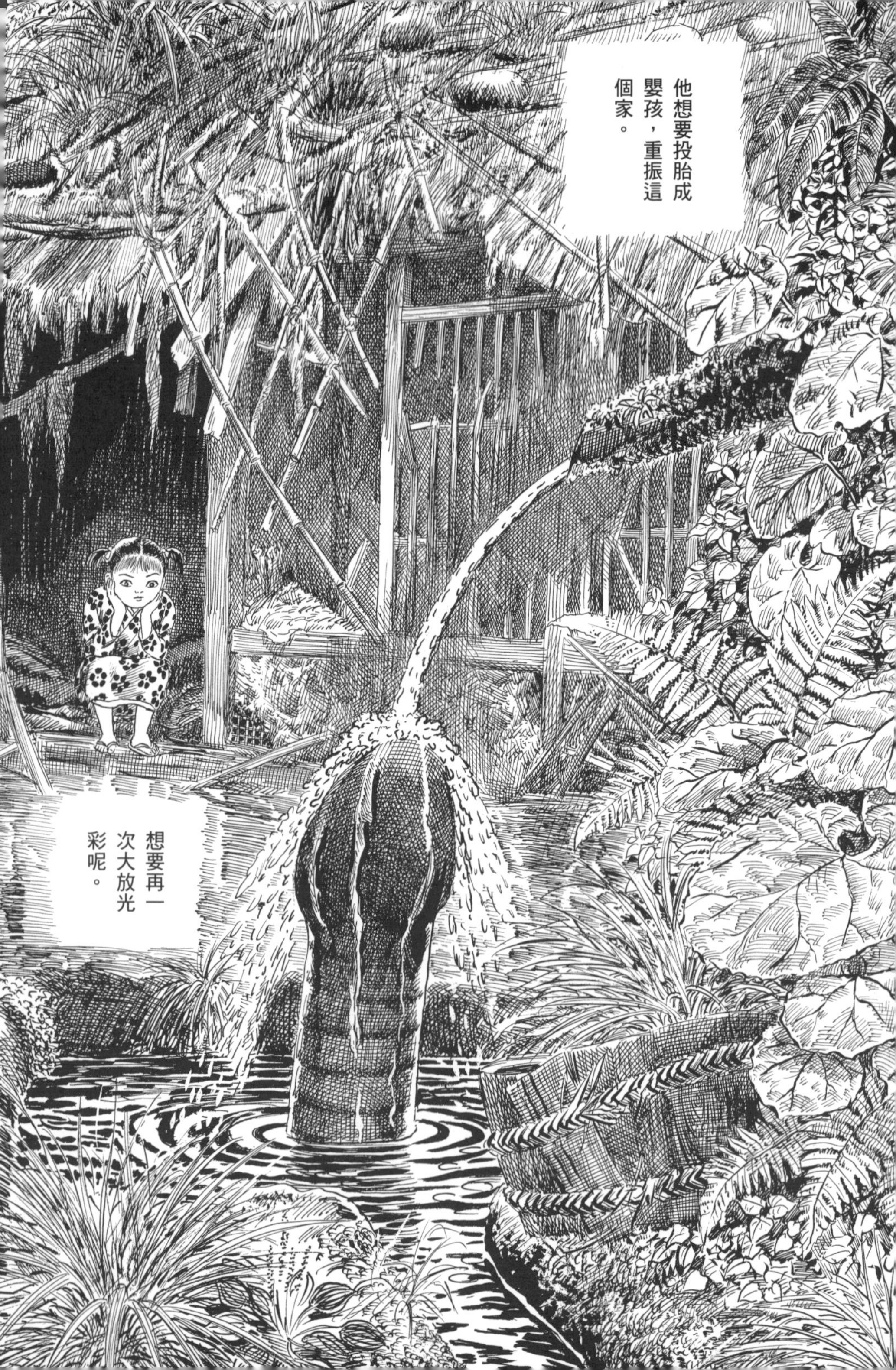
他想要投胎成嬰孩，重振這個家。
想要再一次大放光彩呢。

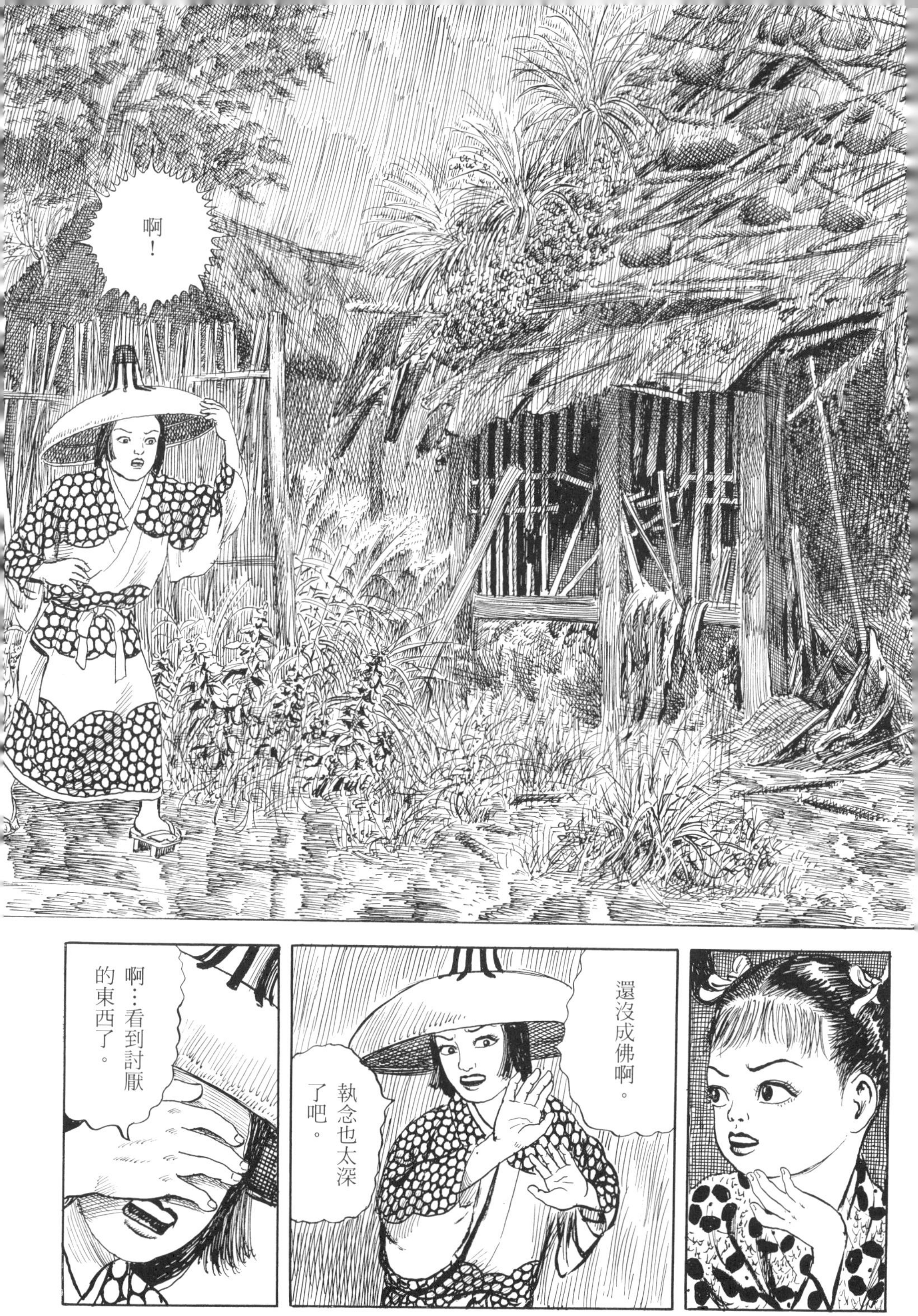
啊！
還沒成佛啊。
執念也太深了吧。
啊…看到討厭的東西了。

妳唷，在這種地方躲雨，會被這戶人家的妄念附身喔。
咦！
噗喳
啊，逃走了，噁心死了。不會有人再嫁來了啦，還出來晃。
這…這是什麼蟲啊？
他不是蟲，是這個家的造孽主，年紀輕輕就痛苦萬分地死了，最後變成這副德行啊。
以前這戶人家坐擁許多田地，卻還是執著己慾，靠著折磨、弄哭別人興旺起來。
因為作惡多端遭到報應，不再有人嫁過來，他於是就變成這樣了啊。
是自作自受啦。啊，雨好像要停了，回家吧。
啊……原來是可憐蟲啊。

迷宮 <ruby>め<rt></rt></ruby><ruby>い<rt></rt></ruby><ruby>ろ<rt></rt></ruby>

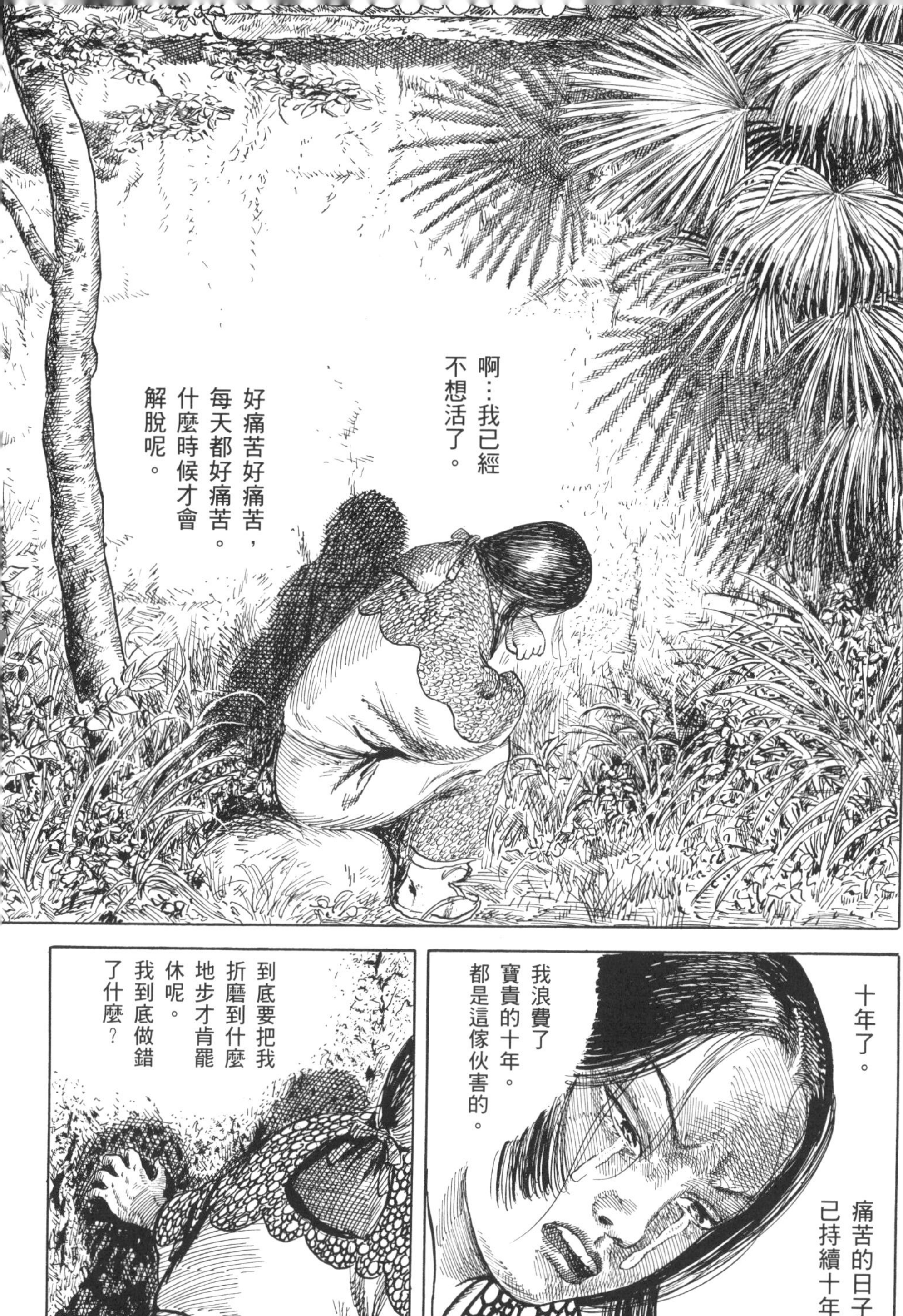
啊…我已經不想活了。
好痛苦好痛苦，每天都好痛苦。什麼時候才會解脫呢。
十年了。
痛苦的日子已持續十年。
我浪費了寶貴的十年。都是這傢伙害的。
到底要把我折磨到什麼地步才肯罷休呢。
我到底做錯了什麼？

哇啊！反正我就是吃閒飯的蠢女人啦！
今天又跟昨天一樣，什麼正事都沒做，太陽就下山了。
喀
這傢伙到底是什麼玩意兒。
他是在何時、何地附到我身上的呢？
好想回到快樂的十年前，
好想脫離這地獄般的洞穴，
我每天死命忍耐著。
依賴過許多巫女或祈禱師。
接受過許多次加持。

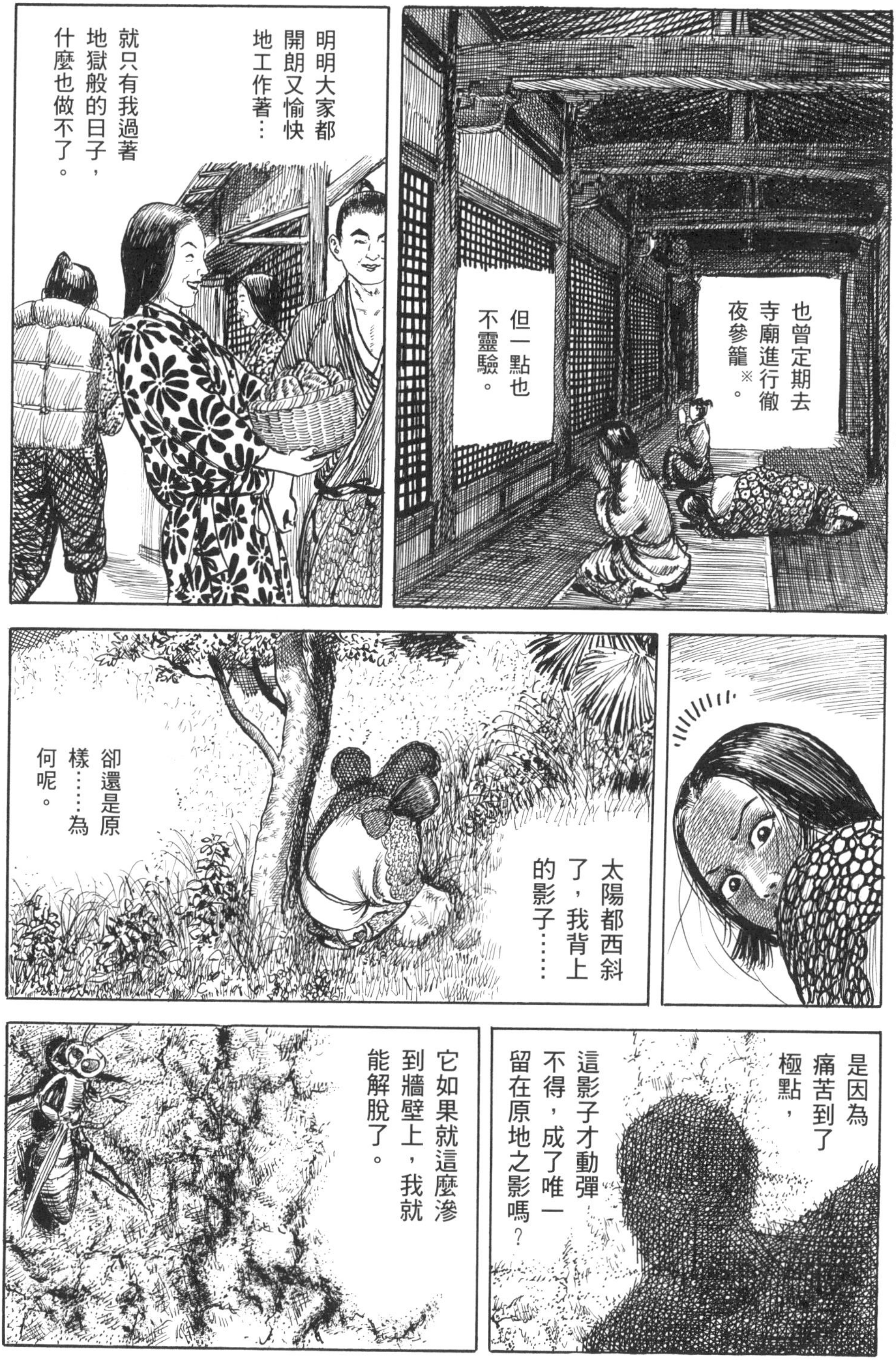
也曾定期去寺廟進行徹夜參籠※。
但一點也不靈驗。
明明大家都開朗又愉快地工作著……
就只有我過著地獄般的日子，什麼也做不了。
太陽都西斜了，我背上的影子……
卻還是原樣……為何呢。
是因為痛苦到了極點，
這影子才動彈不得，成了唯一留在原地之影嗎？
它如果就這麼滲到牆壁上，我就能解脫了。

※在寺廟內齋戒祈禱。

嚇
影子一動也不動。
我好想、好想逃離痛苦。
明天一定要，明天一定要……我心想。
明天還沒來臨。
因此明天還不存在。
我的心，跑到還不存在的地方……
遊走著。
啊，還有呢，昨天也已經過了，已不存在了。
一路走來，十年份的痛苦在我腦中一直揮之不去。
到昨天為止所受的痛苦，其實已經不存在了。
昨天和明天都不存在，只有現在。
只能在現下擺脫這份痛苦了！
就是現在！

…但該怎麼做呢？現在的我一無所有。

什麼都不會，所以才這麼悽慘、痛苦啊。
我也無法逃離以往累積的痛苦。

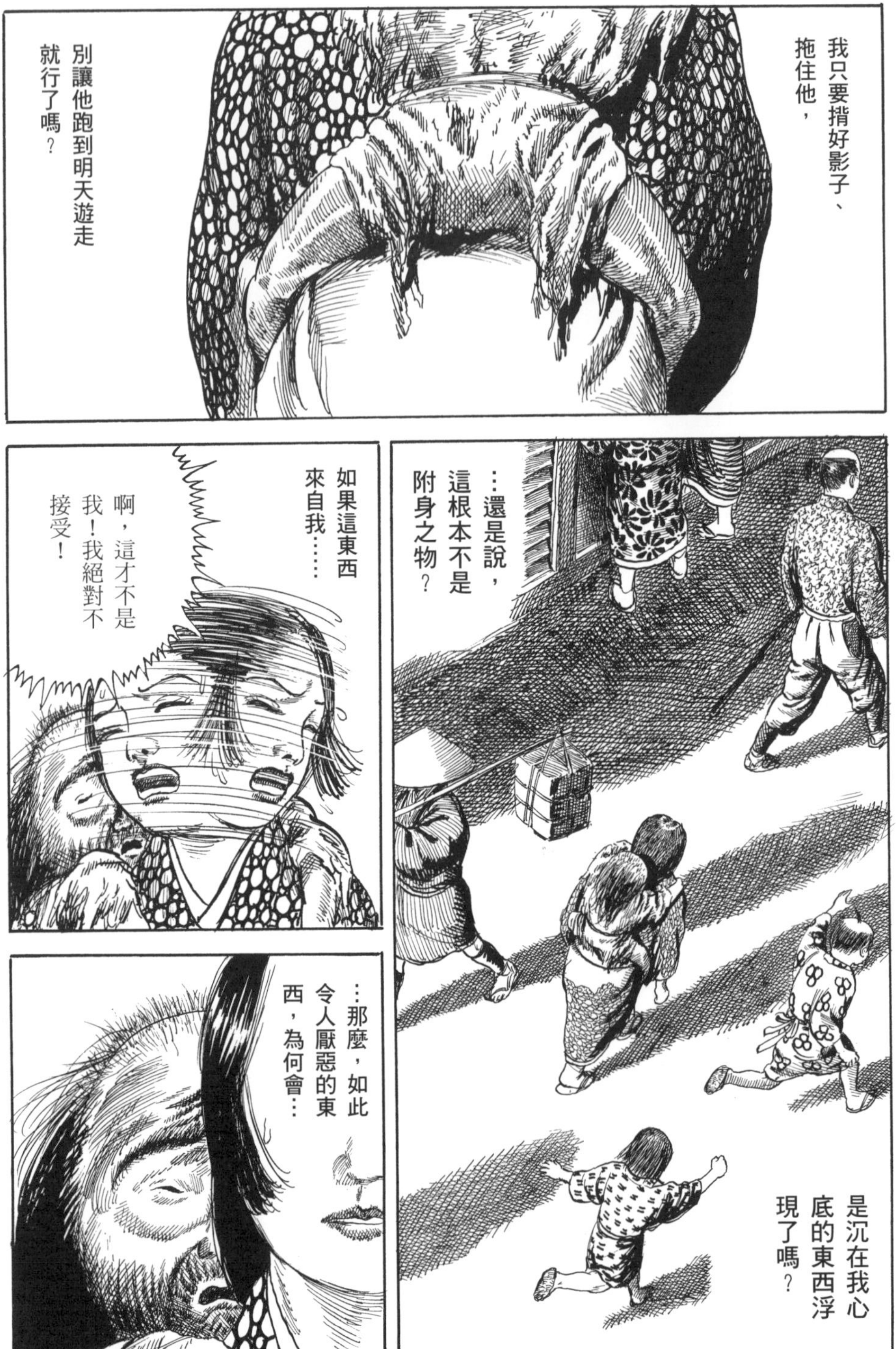
我只要揹好影子、拖住他，
別讓他跑到明天遊走就行了嗎？
…還是說，這根本不是附身之物？
是沉在我心底的東西浮現了嗎？
如果這東西來自我……
啊，這才不是我！我絕對不接受！
…那麼，如此令人厭惡的東西，為何會…

我想要你供奉我。
咦～～～～～～！
我怎麼可能有那種能耐。
我絕對辦不到的。
…這麼說來，
我至今從來不曾供奉過內心的痛苦。
我行嗎？我這種人做得到嗎？
非我不可嗎？
折磨了我十年…你我應該緣分匪淺吧
得到我這種人的供奉，你也會開心嗎？

還有，假如我能脫離這份痛苦，之後又會變得如何呢？啊啊，接下來就輪到「一帆風順」令我心生畏懼了。

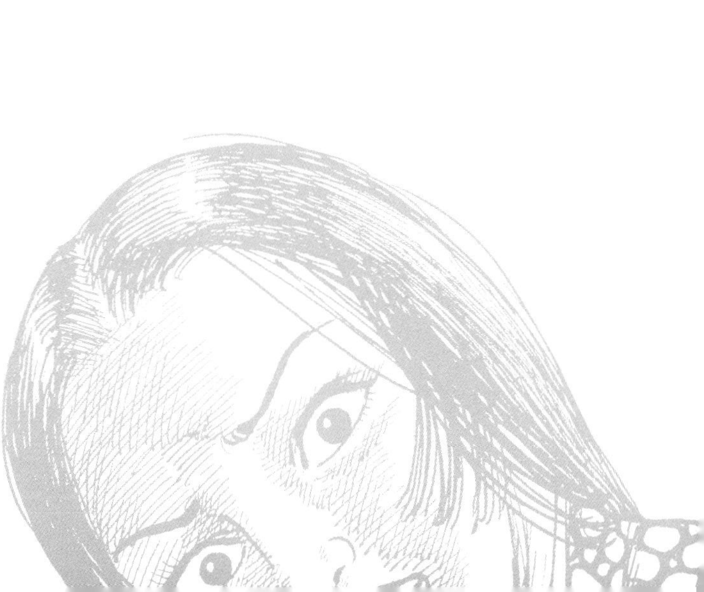

作祟

<ruby>た<rt></rt></ruby><ruby>た<rt></rt></ruby><ruby>り<rt></rt></ruby>

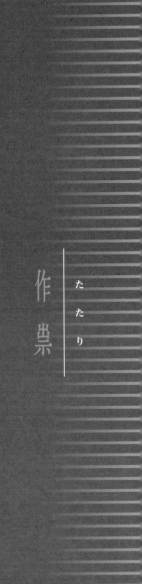

那孩子
在某處哭泣著。
好想見他，
好想再見他一面。
他到底去哪了呢？
如今過得如何呢？

這果然如我所想，是某種力量在作祟或纏身，不會錯的。
到底原因是什麼？
嗚嗚嗚~我到底什麼地方不對呢？
我怎麼想也想不通。
為什麼那麼有活力的孩子會突然…
啊啊，多麼可憐啊。
我很明白妳的悲傷很痛苦。
其實…
我曾經喪子。
那已經是二十年前的往事了。
咦！

我現在偶爾也會想，要是那孩子活下來該有多好。
我生下的孩子都是死胎。
丈夫沒說出口，但他其實很想要孩子。
我也很想讓公婆抱抱孫子。
我求神拜佛，賭命生下第三胎，結果也是⋯
嘩啦
死胎。
好想聽孩子的第一聲啼哭，好想餵他喝奶⋯
但我是只會懷死胎的受詛咒女子呀。

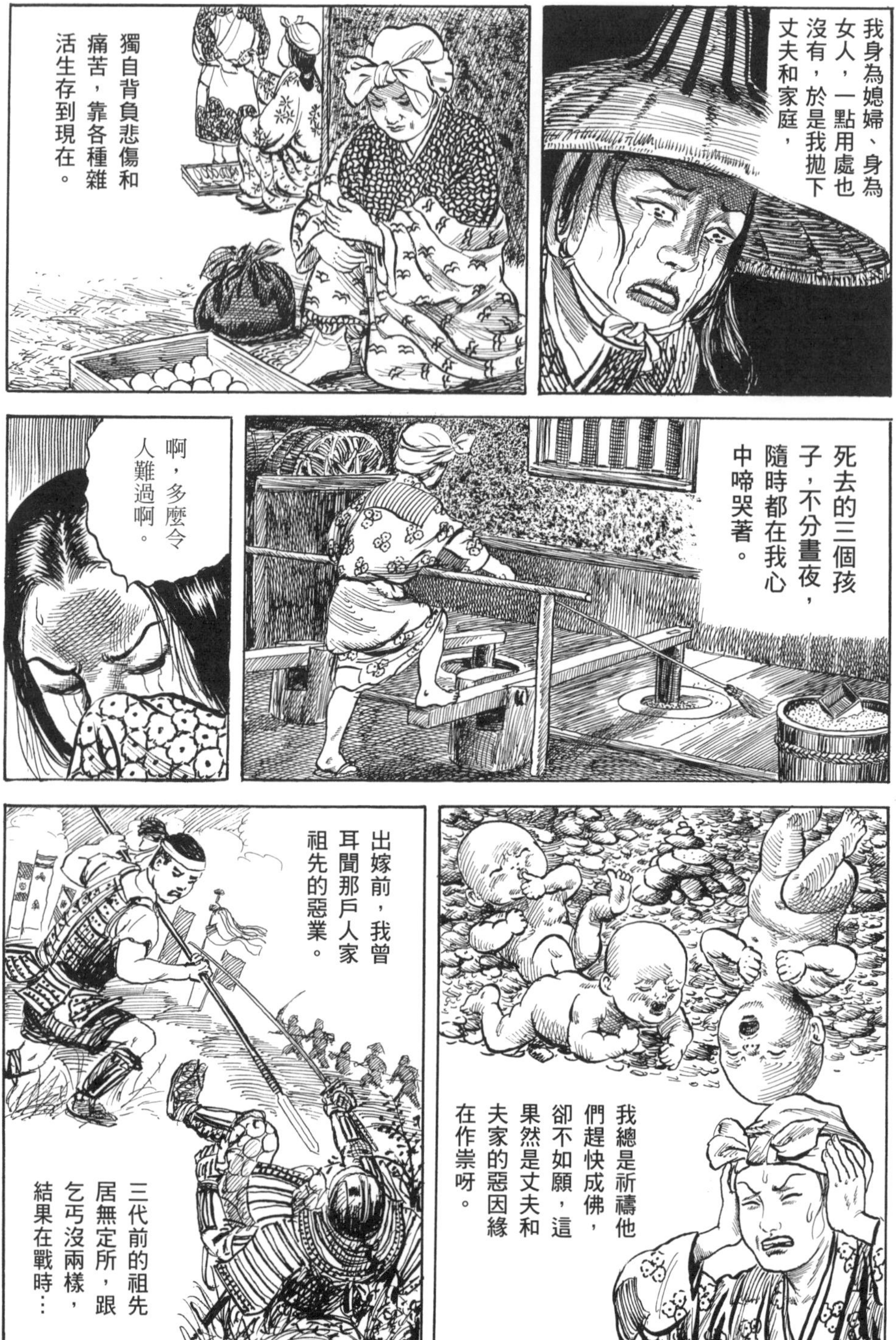
我身為媳婦、身為女人，一點用處也沒有，於是我拋下丈夫和家庭，
獨自背負悲傷和痛苦，靠各種雜活生存到現在。
死去的三個孩子，不分晝夜，隨時都在我心中啼哭著。
啊，多麼令人難過啊。
我總是祈禱他們趕快成佛，卻不如願，這果然是丈夫和夫家的惡因緣在作祟呀。
出嫁前，我曾耳聞那戶人家祖先的惡業。
三代前的祖先居無定所，跟乞丐沒兩樣，結果在戰時……

殺了三個人，靠搶來的錢買下那房子，開始經商。據說是這樣的。
啊，那就是因為惡業作祟，三個孩子才……
不只那樣啊。
九代前的祖先有五百二十人，十代前有一千零二十四人，祖先會無限增加啊。
曾祖父
曾祖母
曾祖父
曾祖母
曾祖父
曾祖母
曾祖父
曾祖母
祖父
祖母
父
祖父
母
祖母
我
無數的惡業化為苦惱，全都流進了活在今生的這具肉身。
正因為嫁進那麼罪孽深重的夫家，我的半輩子才毀於一旦。
到最後終於無法忍耐的我……
偷偷去瞧了那戶人家一眼。

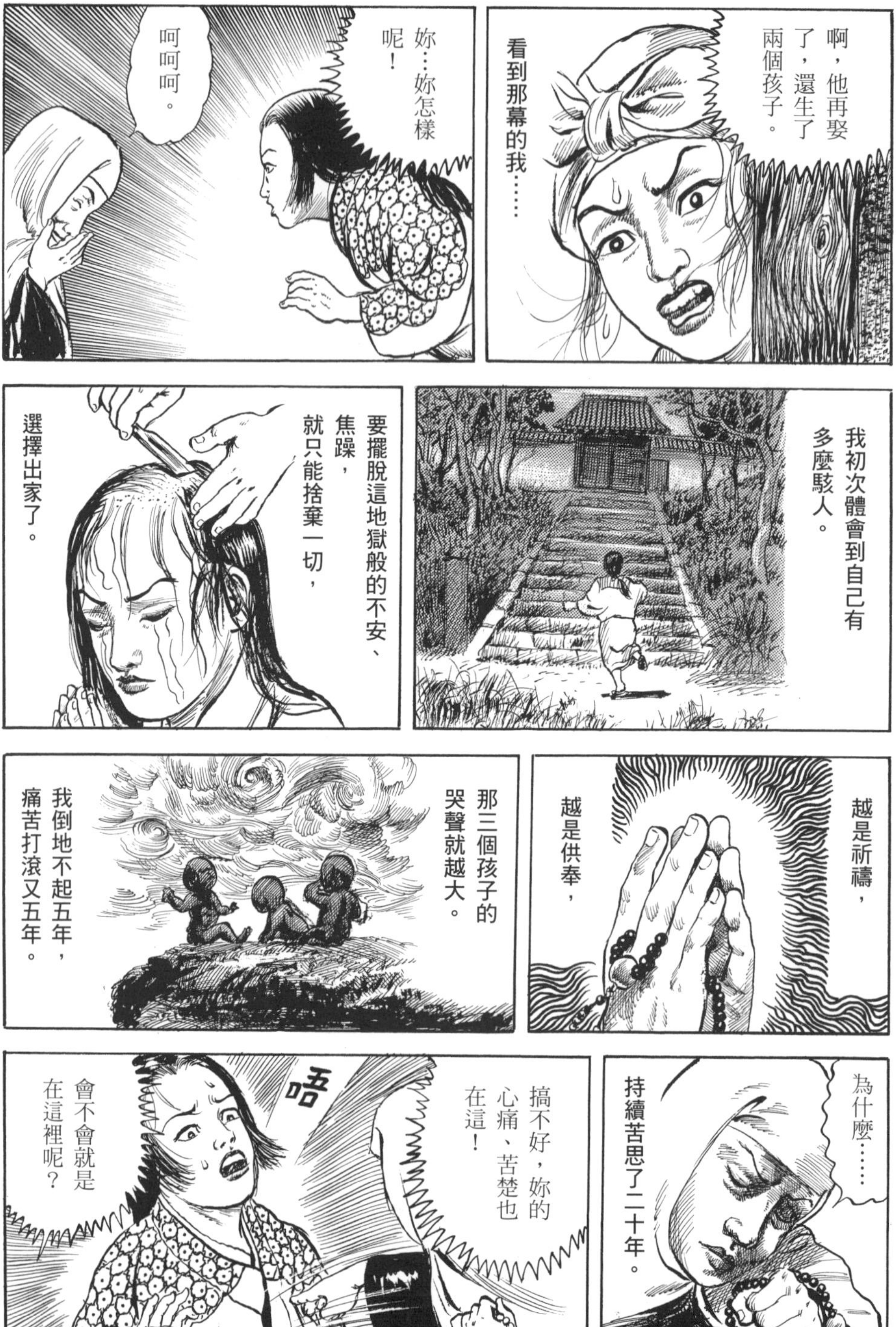
啊，他再娶了，還生了兩個孩子。
看到那幕的我……
妳…妳怎樣呢！
呵呵呵。
我初次體會到自己有多麼駭人。
要擺脫這地獄般的不安、焦躁，
就只能捨棄一切，
選擇出家了。
越是祈禱，
越是供奉，
那三個孩子的哭聲就越大。
我倒地不起五年，
痛苦打滾又五年。
為什麼……
持續苦思了二十年。
搞不好，妳的心痛、苦楚也在這！
唔
會不會就是在這裡呢？

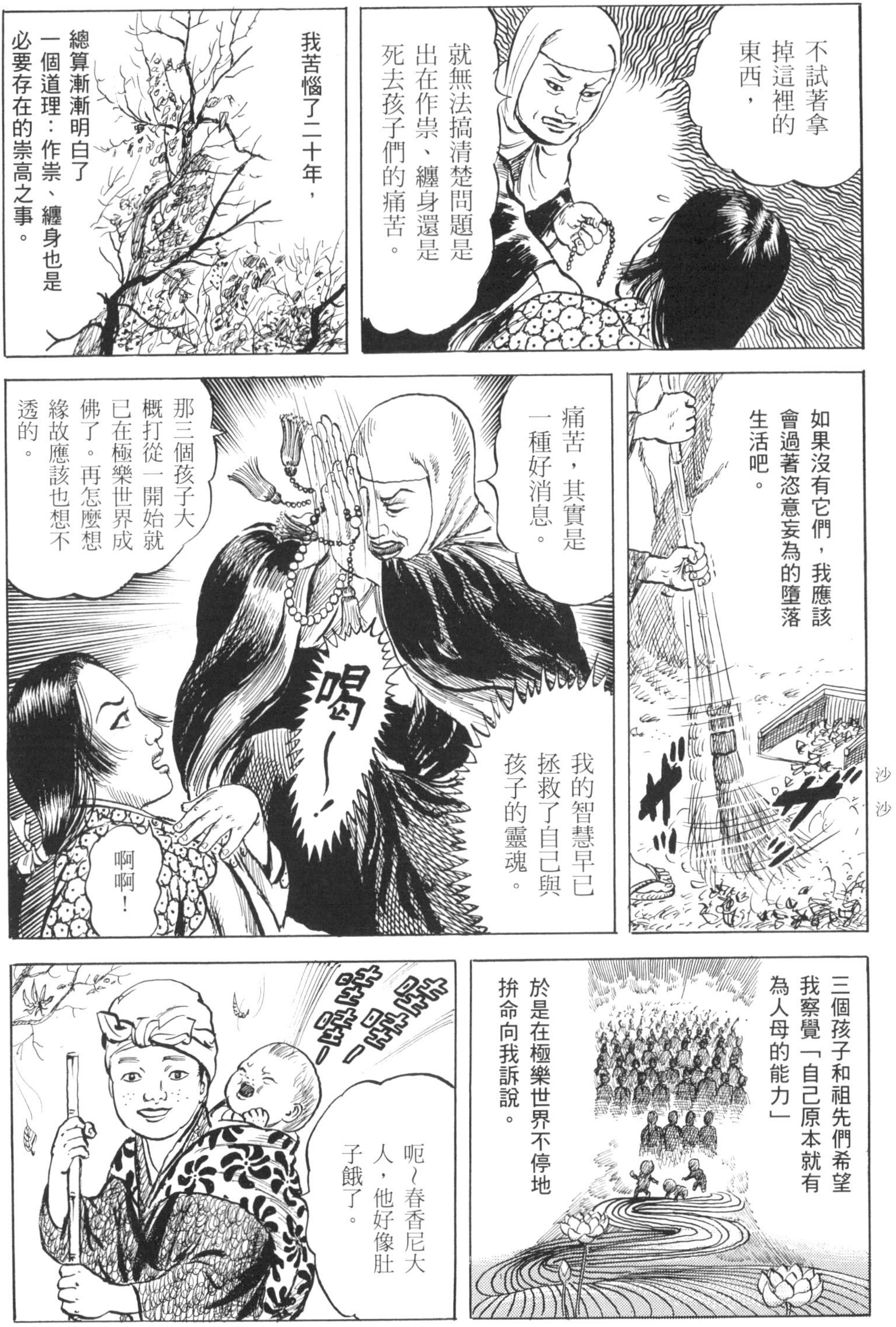
不試著拿掉這裡的東西，
就無法搞清楚問題是出在作祟、纏身還是死去孩子們的痛苦。
我苦惱了二十年，
總算漸漸明白了一個道理：作祟、纏身也是必要存在的崇高之事。
如果沒有它們，我應該會過著恣意妄為的墮落生活吧。
沙沙
痛苦，其實是一種好消息。
那三個孩子大概打從一開始就已在極樂世界成佛了。再怎麼想緣故應該也想不透的。
喝—！
我的智慧早已拯救了自己與孩子的靈魂。
啊啊！
三個孩子和祖先們希望我察覺「自己原本就有為人母的能力」
於是在極樂世界不停地拚命向我訴說。
哇哇—！哇哇—！
呃～春香尼大人，他好像肚子餓了。

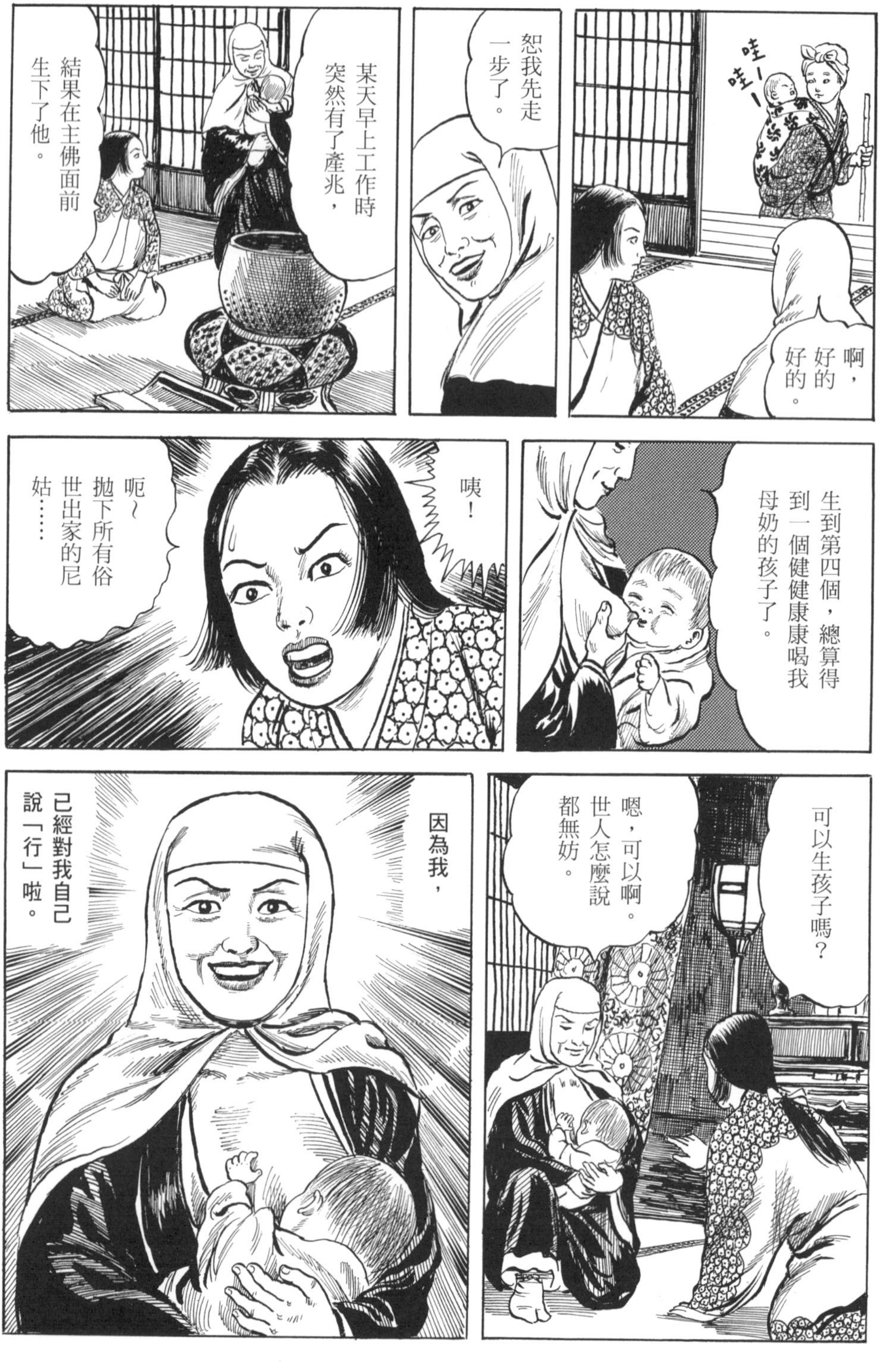
哇！哇！
啊，好的好的。
恕我先走一步了。
某天早上工作時突然有了產兆，
結果在主佛面前生下了他。
生到第四個，總算得到一個健健康康喝我母奶的孩子了。
咦！
呃～拋下所有俗世出家的尼姑……
可以生孩子嗎？
嗯，可以啊。世人怎麼說都無妨。
因為我，
已經對我自己說「行」啦。

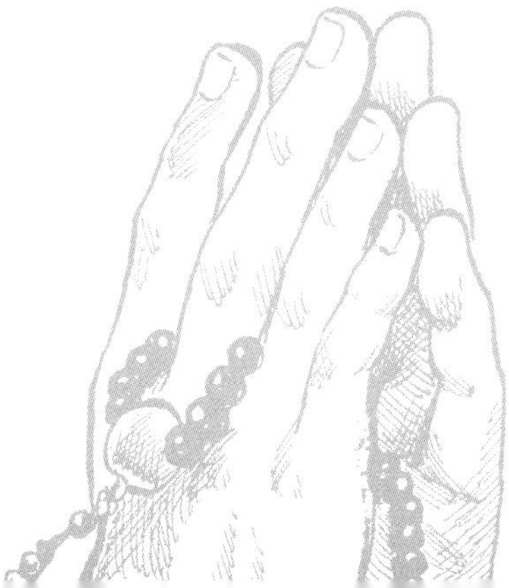

す

巢 窠

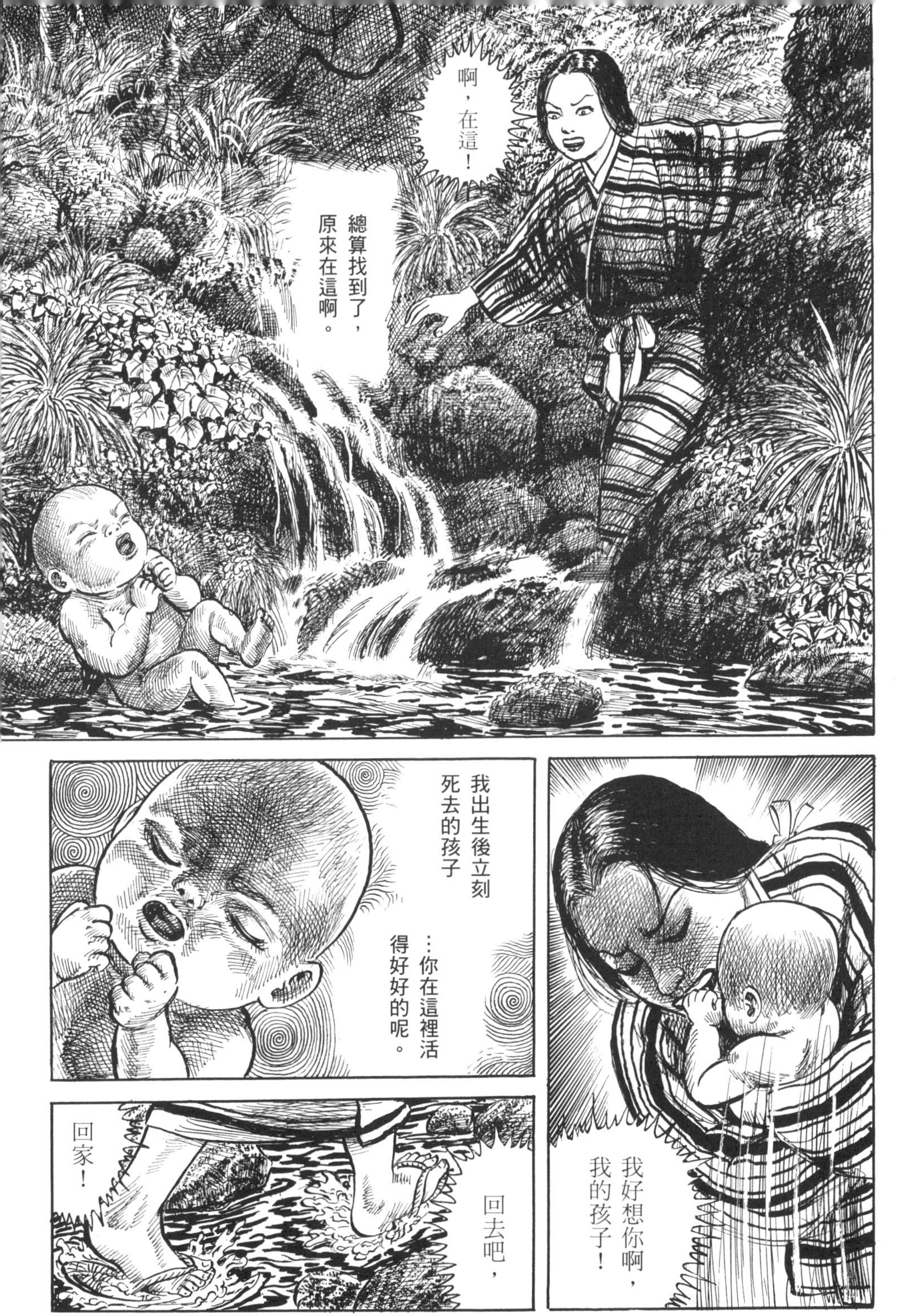

啊，在這！
總算找到了，原來在這啊。
我好想你啊，我的孩子！
我出生後立刻死去的孩子
…你在這裡活得好好的呢。
回去吧，
回家！

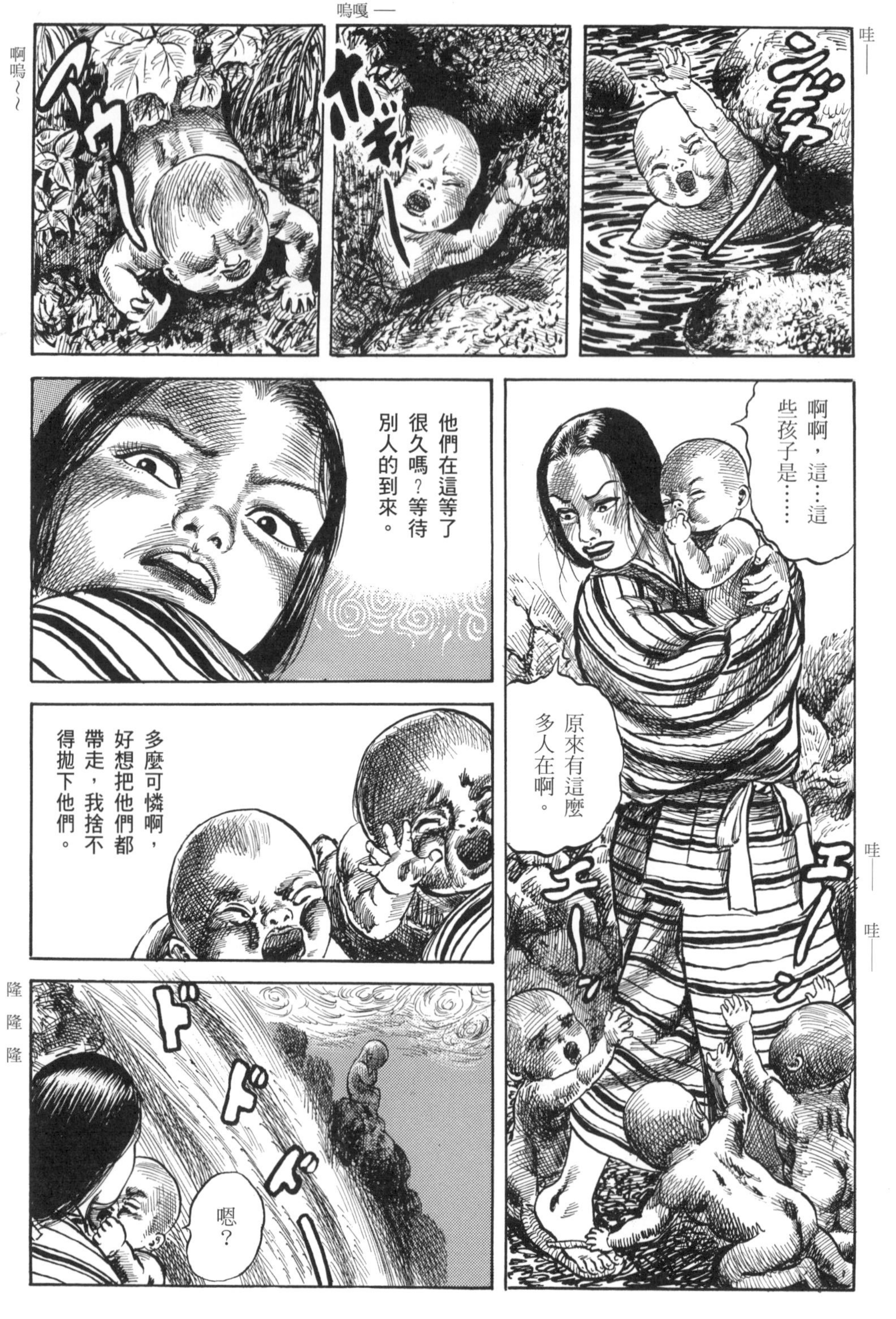

哇——
嗚嘎——
啊嗚～～
啊啊，這…這些孩子是……
原來有這麼多人在啊。
哇——
哇——
他們在這等了很久嗎？等待別人的到來。
多麼可憐啊，好想把他們都帶走，我捨不得拋下他們。
隆隆隆
嗯？

那孩子！
他怎麼了呢？為何不求救？
連想要得救的心情都消失了嗎？
總覺得，那才是真正非幫不可的孩子。太令人悲痛了。
…但我該怎麼幫？
我什麼也做不了。這裡是悲傷、痛苦和不安的巢窠。
我也無法就這樣拋下那孩子不管。

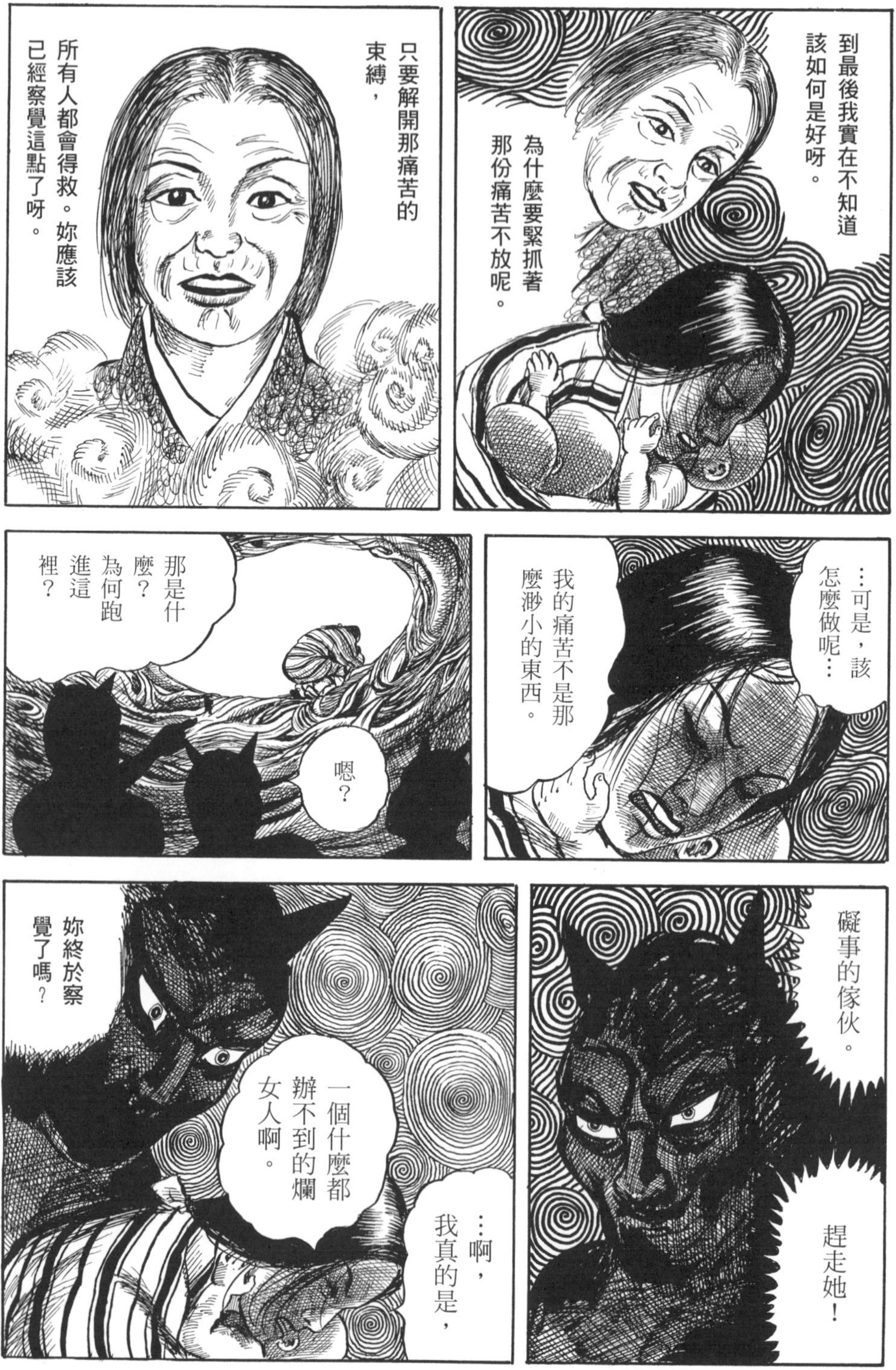
到最後我實在不知道該如何是好呀。
為什麼要緊抓著那份痛苦不放呢。
只要解開那痛苦的束縛，
所有人都會得救。妳應該已經察覺這點了呀。
…可是，該怎麼做呢…
我的痛苦不是那麼渺小的東西。
那是什麼？為何跑進這裡？
嗯？
礙事的傢伙。
趕走她！
…啊，我真的是，
一個什麼都辦不到的爛女人啊。
妳終於察覺了嗎？

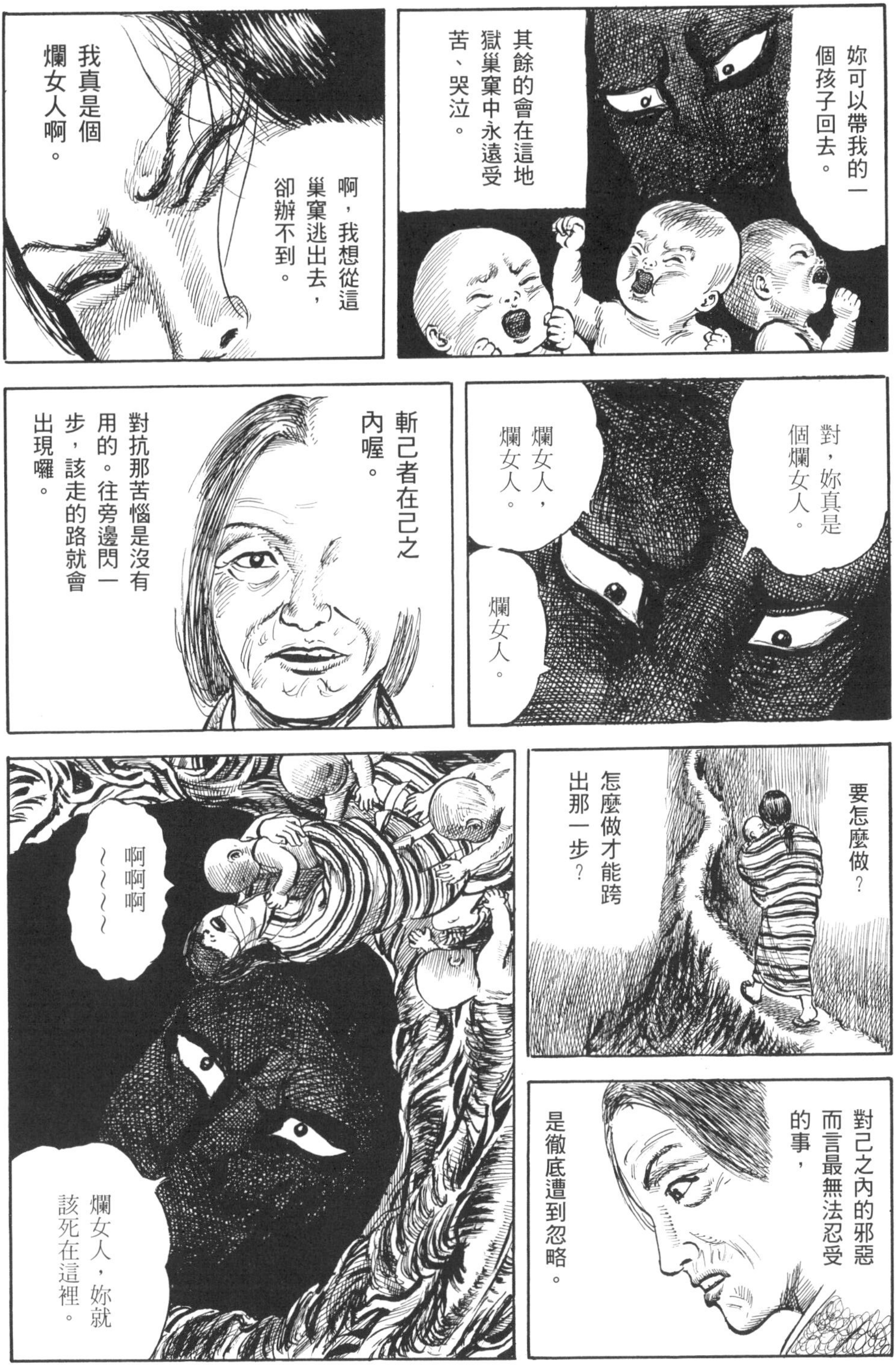
妳可以帶我的一個孩子回去。
其餘的會在這地獄巢窠中永遠受苦、哭泣。
啊，我想從這巢窠逃出去，卻辦不到。
我真是個爛女人啊。
對，妳真是個爛女人。
爛女人，爛女人。
爛女人。
斬己者在己之內喔。
對抗那苦惱是沒有用的。往旁邊閃一步，該走的路就會出現囉。
要怎麼做？
怎麼做才能跨出那一步？
對己之內的邪惡而言最無法忍受的事，
是徹底遭到忽略。
啊啊啊~~~~
爛女人，妳就該死在這裡。

嗚哇
……
啊！
妳這傢伙！
妳…妳在想什麼！
住手！住手啊！
不許妳喃喃自語，別唸那句話！
嬰孩！
巢窠！
都要消失了啊！
黑暗！

南…南無
阿彌…
嘎吱嘎吱
陀佛…
呀！
啪嚓
啊，在這！
總算找到了，原來在這啊。

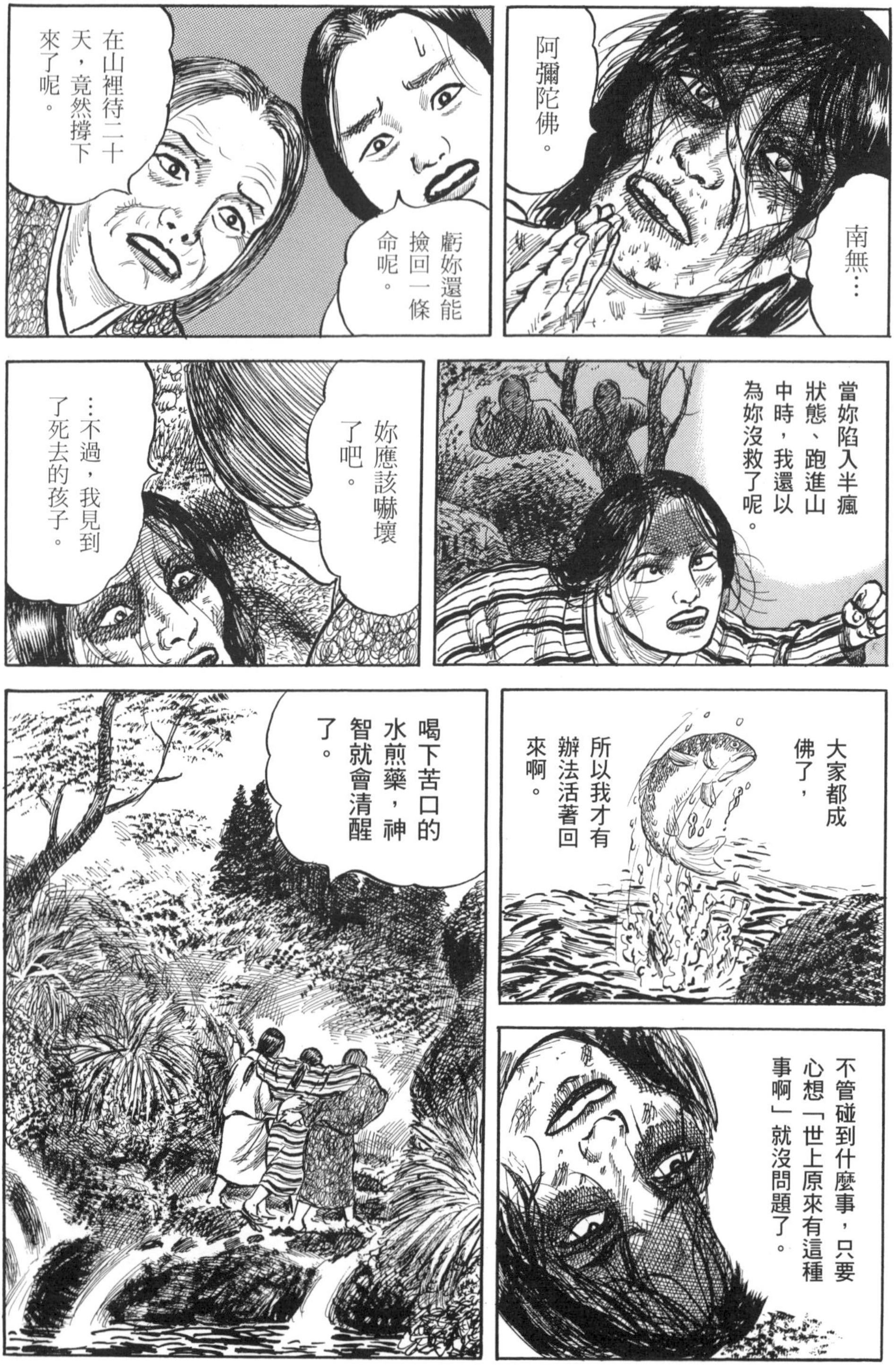

南無…
阿彌陀佛。
虧妳還能撿回一條命呢。
在山裡待二十天，竟然撐下來了呢。
當妳陷入半瘋狀態、跑進山中時，我還以為妳沒救了呢。
妳應該嚇壞了吧。
…不過，我見到了死去的孩子。
大家都成佛了，
所以我才有辦法活著回來啊。
喝下苦口的水煎藥，神智就會清醒了。
不管碰到什麼事，只要心想「世上原來有這種事啊」就沒問題了。

真實

しんじつ

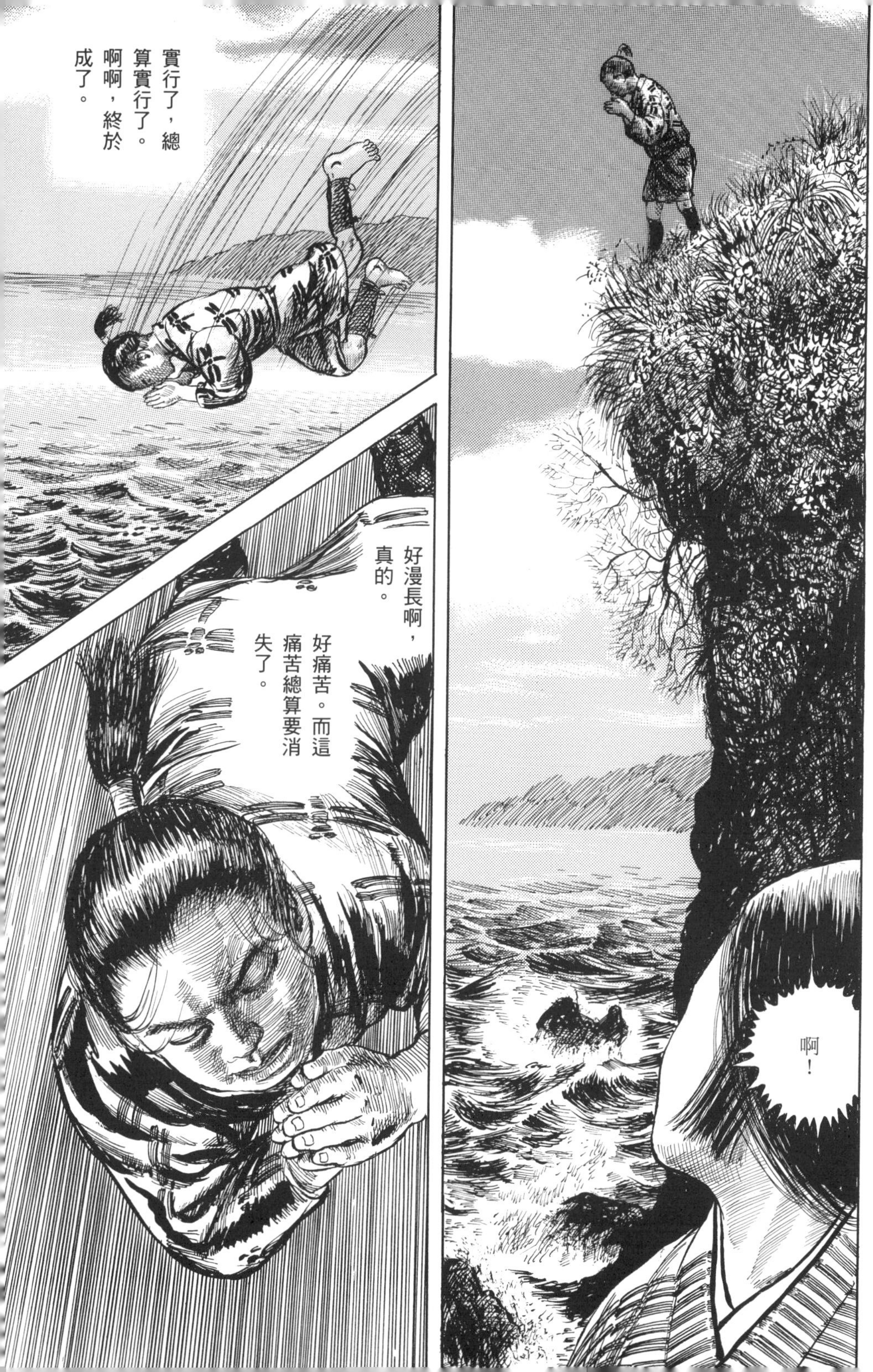
啊！
實行了，總算實行了。啊啊，終於成了。
好漫長啊，真的。
好痛苦。而這痛苦總算要消失了。

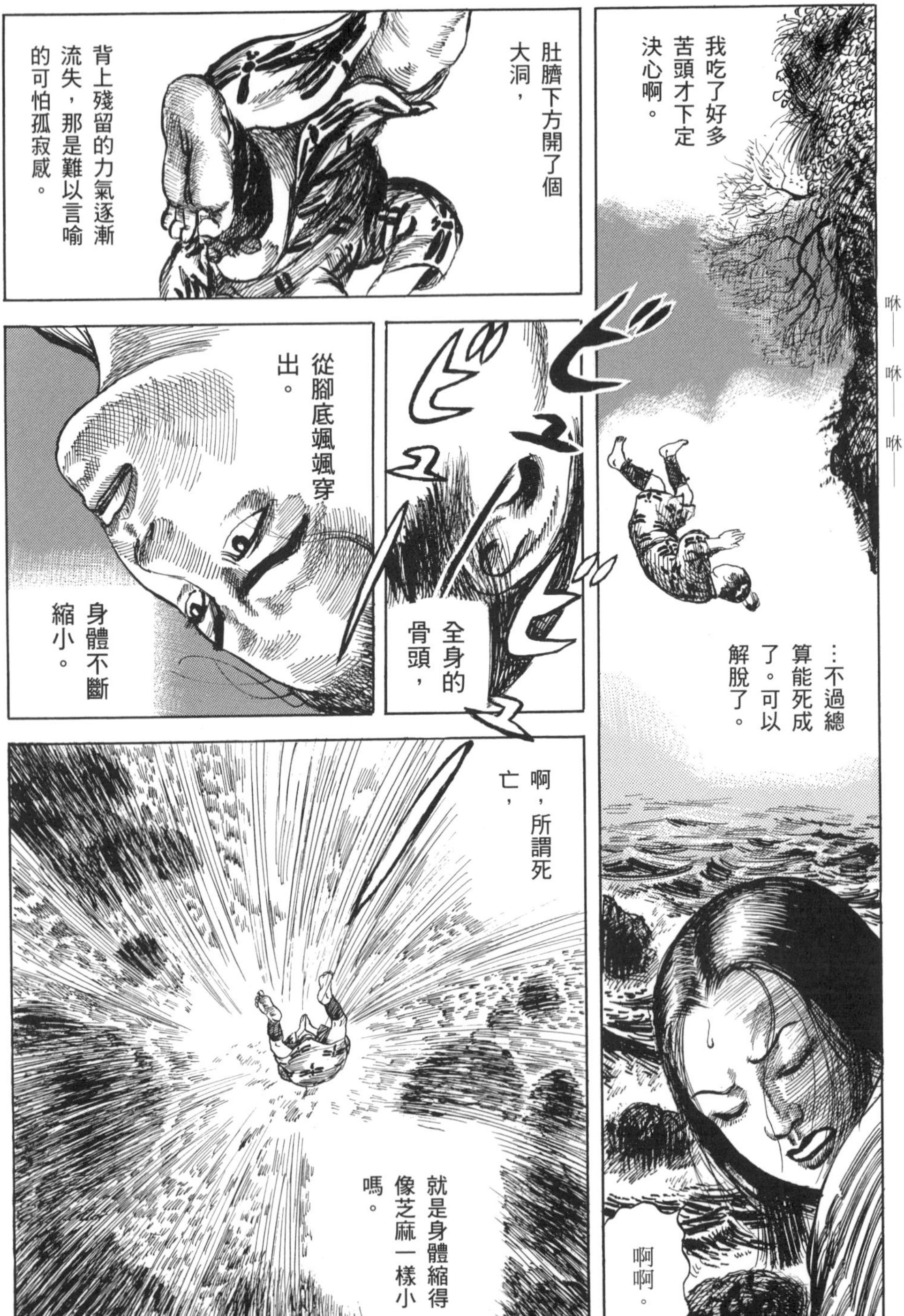
我吃了好多苦頭才下定決心啊。
咻——咻——咻——
…不過總算能死成了。可以解脫了。
啊啊。
肚臍下方開了個大洞，
背上殘留的力氣逐漸流失，那是難以言喻的可怕孤寂感。
全身的骨頭，
從腳底颯颯穿出。
身體不斷縮小。
啊，所謂死亡，
就是身體縮得像芝麻一樣小嗎。

果真會這樣呢。死去的前一刻，會一一回想起許多遺忘已久的往事……
啊，有過這種事和那種事呢。
絕對不能輕生喔。
說好囉！
叔叔。
請原諒我，我已經走投無路了，
只剩這個選項了。
……不過還真久啊。
應該差不多該死了啊。
為何叔叔的臉呀、嗓音呀，會如此近在眼前又清晰呢？

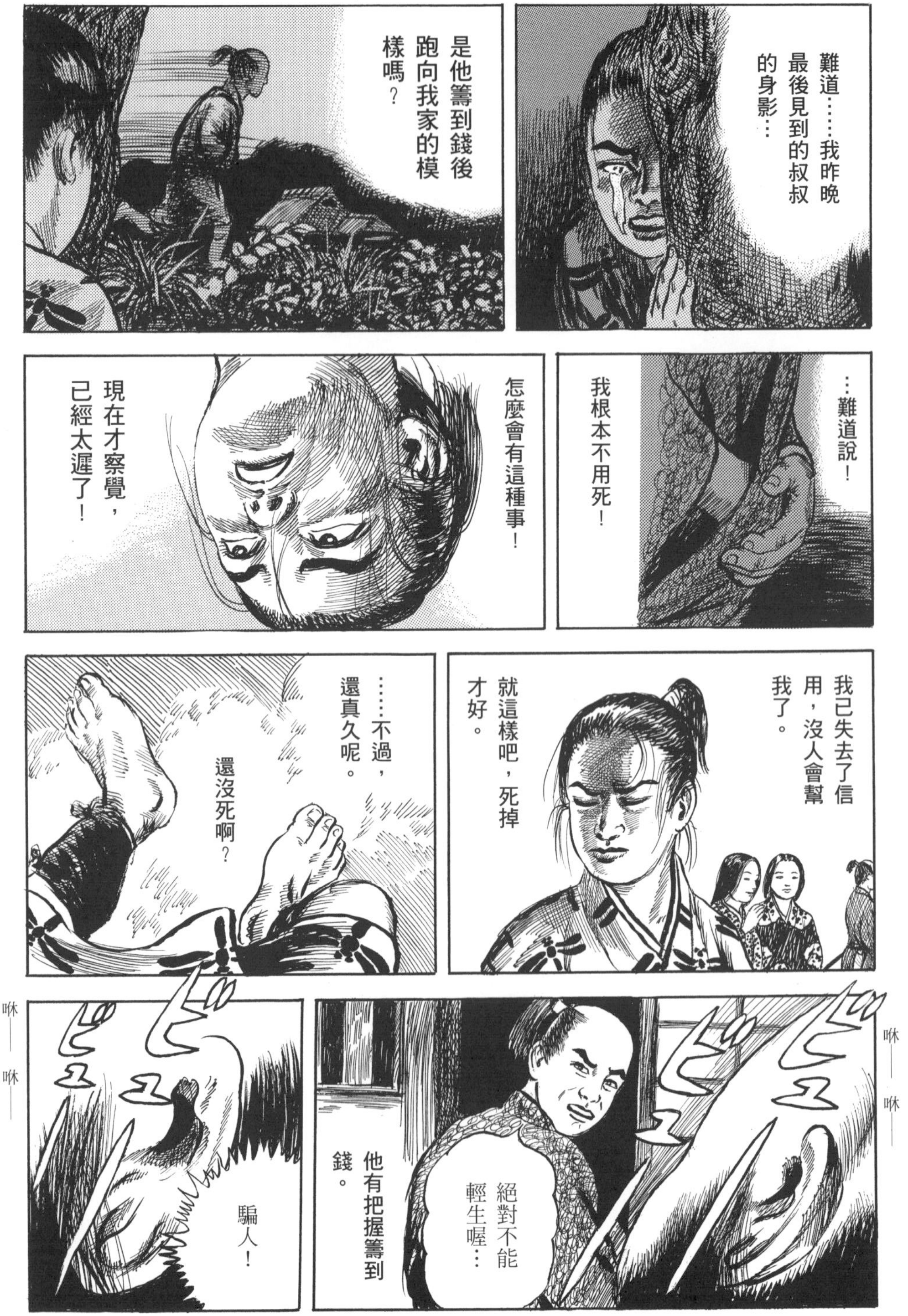
難道……我昨晚最後見到的叔叔的身影……
是他籌到錢後跑向我家的模樣嗎？
……難道說！
我根本不用死！
怎麼會有這種事！
現在才察覺，已經太遲了！
我已失去了信用，沒人會幫我了。
就這樣吧，死掉才好。
……不過，還真久呢。
還沒死啊？
咻——咻——
絕對不能輕生喔……
他有把握籌到錢。
騙人！
咻——咻——

他小心翼翼捧在懷中的是…？
啊啊！我好想知道真相！
但好可怕…假如，
我發覺尋死是錯誤的決定…
那…那該如何是好呢？啊啊啊！
好…好痛苦
啊啊啊〜〜〜
比死還要痛苦啊〜〜〜！
啊啊，叔叔從前就是個親切的人。
每次都一定會幫助我。
ビュービュー
咻——咻——
好吧，我認了。
這事根本不值得我尋死。
ビュ
咻——

啊！
果然是真的。
啊啊，還好我想通了。
原來有這麼寬廣的活路啊，不是芝麻粒的大小。
叔叔，謝謝你，真實世界原來這麼溫暖啊。
我也是想跳崖才來這的⋯⋯
結果被來路不明的人⋯⋯
搶先了一步。
身體變得稀巴爛呀⋯⋯
我可不想變成那樣。

うっすらと

昏暗

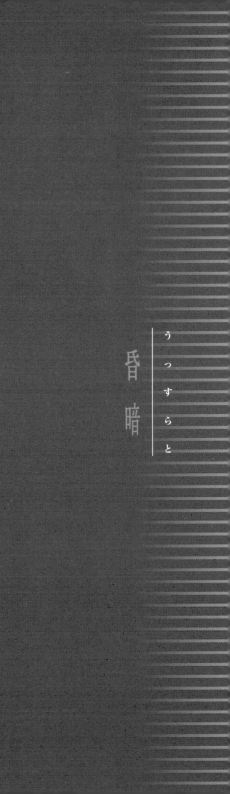

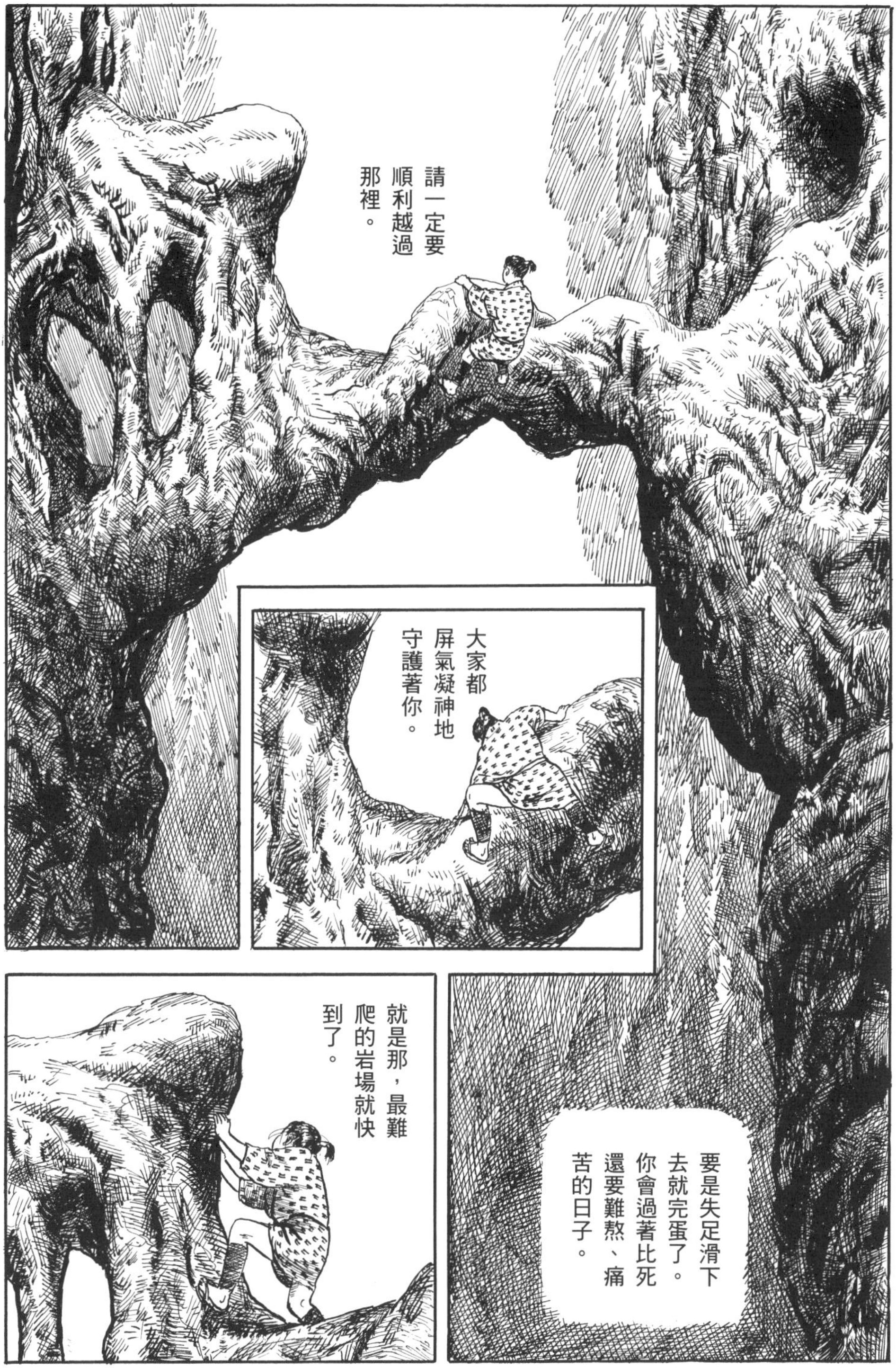
請一定要順利越過那裡。
大家都屏氣凝神地守護著你。
就是那，最難爬的岩場就快到了。
要是失足滑下去就完蛋了。你會過著比死還要難熬、痛苦的日子。

再加把勁就到了，加油啊。
光明的洞穴出口就在眼前了。
那個男人似乎沒注意到，我以前也是。其實洞穴出口就在眼前了。
啊，他苦惱著。
跟我一樣。
找不到跨越過去的方法，萬分焦急。
如果他注意到洞穴出口就在一步之外，
不知會湧現多少勇氣、生出多少力量呢。

掉落到地獄谷底後，我才首度察覺這點。
請你擠出力氣吧。
一定會有方法跨越過去的，但願你能發現這個事實呀。
你如果能辦到，這地獄中的許多人也會獲救。
會在光芒中浮起。
我或許會是那當中的一個。
我失敗的時候，在墜落途中看見了……
小小的松樹。
它如今，
已長得那麼粗壯、高聳了。
到底歷經了多長的歲月呢。

在這谷底感覺不到時間的流動。
上方的石橋總是有許多人往來行走。
他們看起來耀眼又開懷，是和我們無緣的幸福人類。
我從來沒看過那些人掉下來。失足的總是走下方那座橋的人。
他今天會來嗎？明天會來嗎？我每天每天都盯著那個洞口。
就在我遺忘這件事時，他終於晃了進來。
這次拜託你一定要成功。
過去吧，實現心願吧。

大家拚命祈禱，
希望卻總是落空。
那棵松樹最終枯萎了，
就算松果冒出的新芽長成了大樹，
我們還是等不到得救的那天嗎？
還是會繼續待在這個陰暗、寒冷、疼痛、比死還要寂寞的地方，
動彈不得嗎？
嗯，怎麼啦？
他看著我們？
會不會是注意到我們了？
絕對不會的。
他無法從那裡察覺到我們。
不過，或許可能…隱約感覺到。
啊，對啊，隱約感覺到就夠了！
隱約才是真實！
我們已經是隱約稀薄的存在了！
啊，你要攀上去啊！
你要成功啊！

太好了！你辦到啦！
うおおおお
哇啊啊
得救了！
おおお
喔喔喔
所有人都會得救，不會漏掉誰。
啊啊，太開心啦！
感謝，太感謝你了呀！

祓除

おはらい

垃圾屋的小修，今天也在用石臼製作桑葉汁。
不過他家真是積了頗多垃圾呢。
喂，過來一下。
咦？

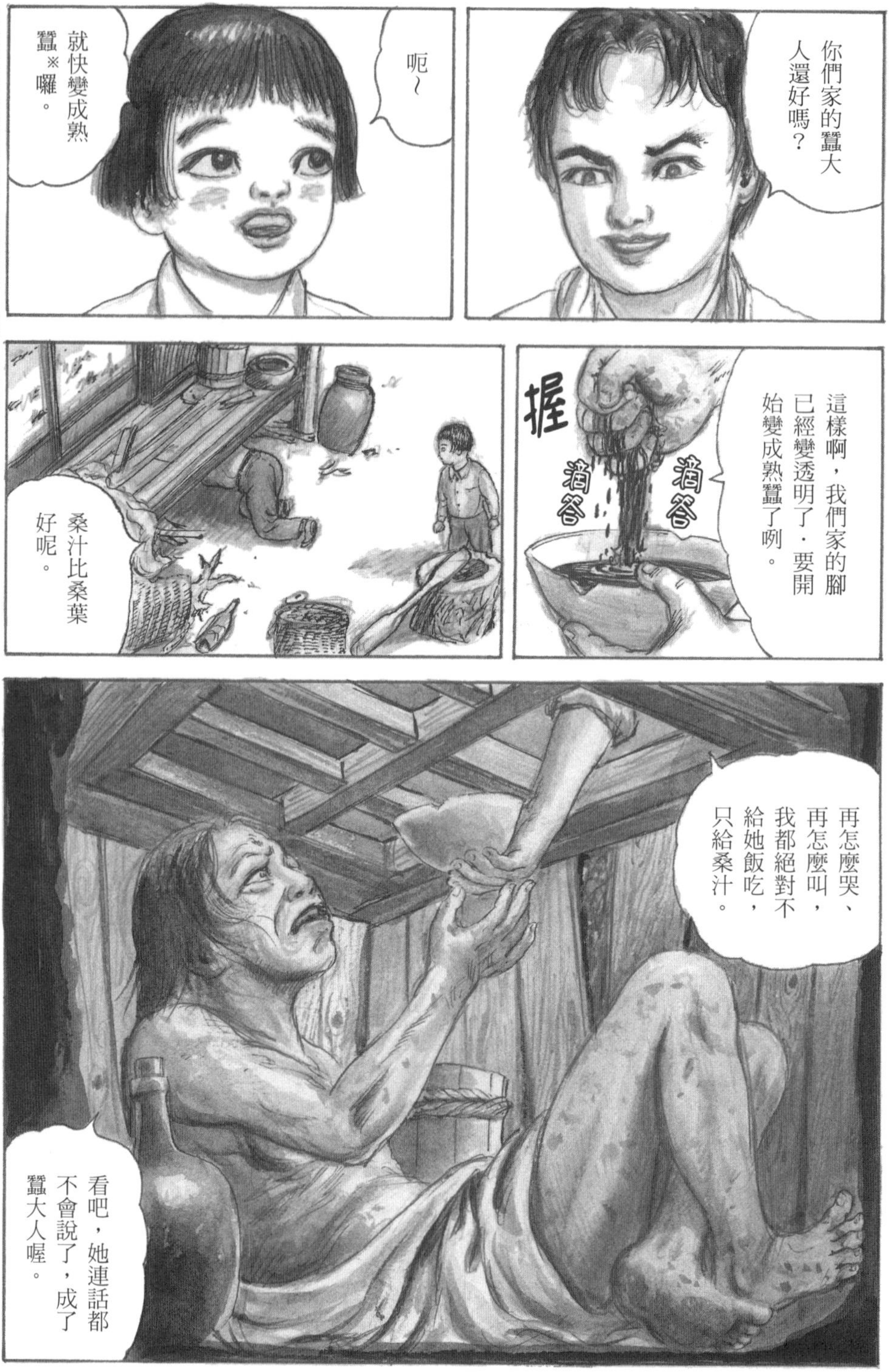
你們家的蠶大人還好嗎？
呃～
就快變成熟蠶※囉。
這樣啊，我們家的腳已經變透明了·要開始變成熟蠶了咧。
握
滴答
滴答
桑汁比桑葉好呢。
再怎麼哭、再怎麼叫，我都絕對不給她飯吃，只給桑汁。
看吧，她連話都不會說了，成了蠶大人喔。

※指結繭前的蠶的其中一個成長階段，養蠶人家用語。

只要餵老爺爺、老奶奶喝桑汁，讓他們結繭的話，
就可以驅邪喔。
好喝嗎？婆婆。
要結一個繭喔，好嗎？
結繭的話就可以供奉那傢伙囉。
阿竹太太以前半夜會醒著餵蠶。可是……
她不餵奶給自己的嬰兒喝，害他餓死了。
沒舉辦葬禮，因此也沒有牌位。
他要讓阿竹結繭，
好供奉那個孩子。
ニヤ
笑嘻嘻
ニヤ
笑嘻嘻
幹嘛去了？快採桑。
唔…媽。

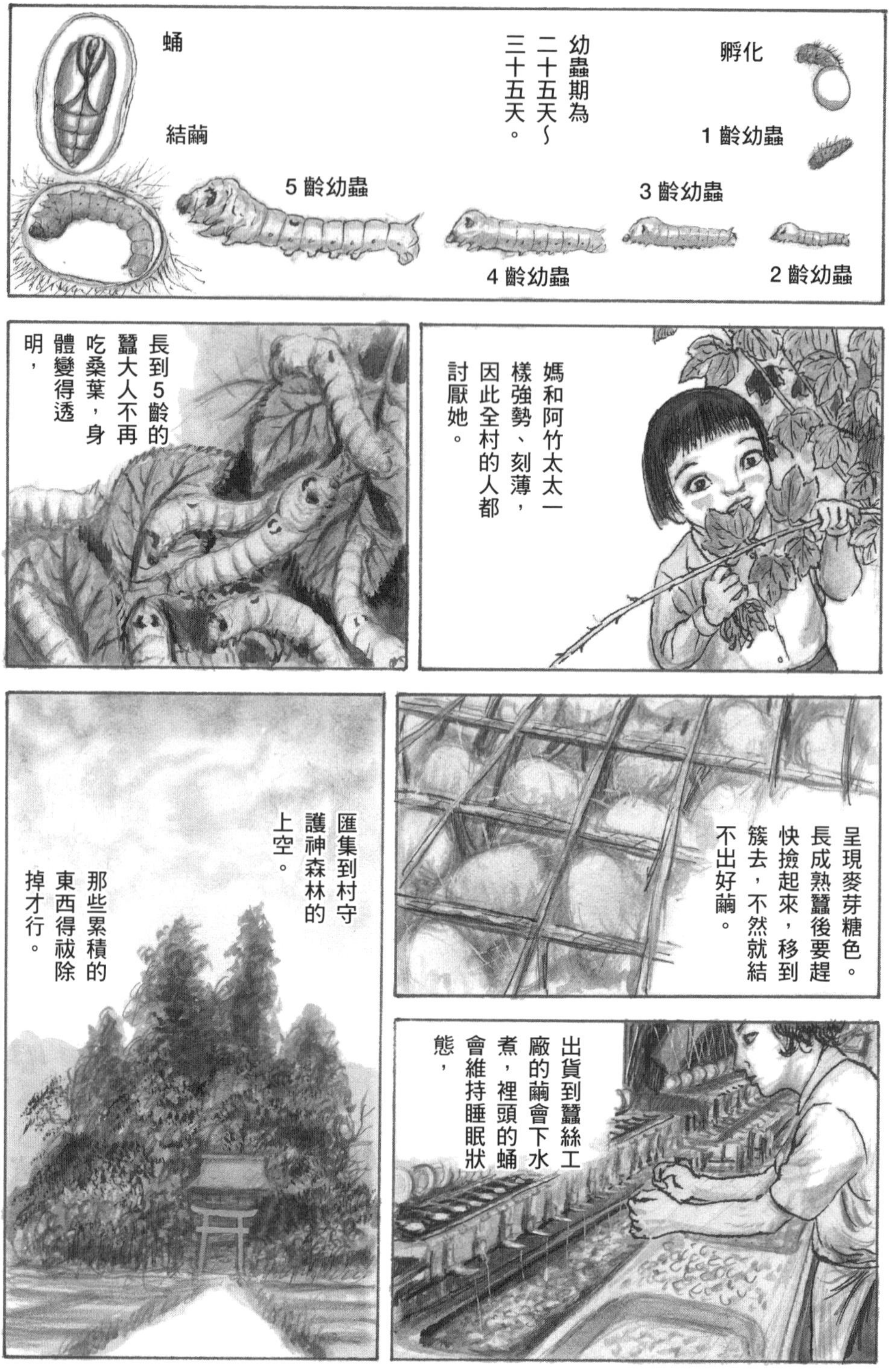
孵化
1齡幼蟲
2齡幼蟲
3齡幼蟲
4齡幼蟲
5齡幼蟲
幼蟲期為二十五天～三十五天。
結繭
蛹
媽和阿竹太太一樣強勢、刻薄，因此全村的人都討厭她。
長到5齡的蠶大人不再吃桑葉，身體變得透明，
呈現麥芽糖色。長成熟蠶後要趕快撿起來，移到簇去，不然就結不出好繭。
出貨到蠶絲工廠的繭會下水煮，裡頭的蛹會維持睡眠狀態，
匯集到村守護神森林的上空。
那些累積的東西得祓除掉才行。

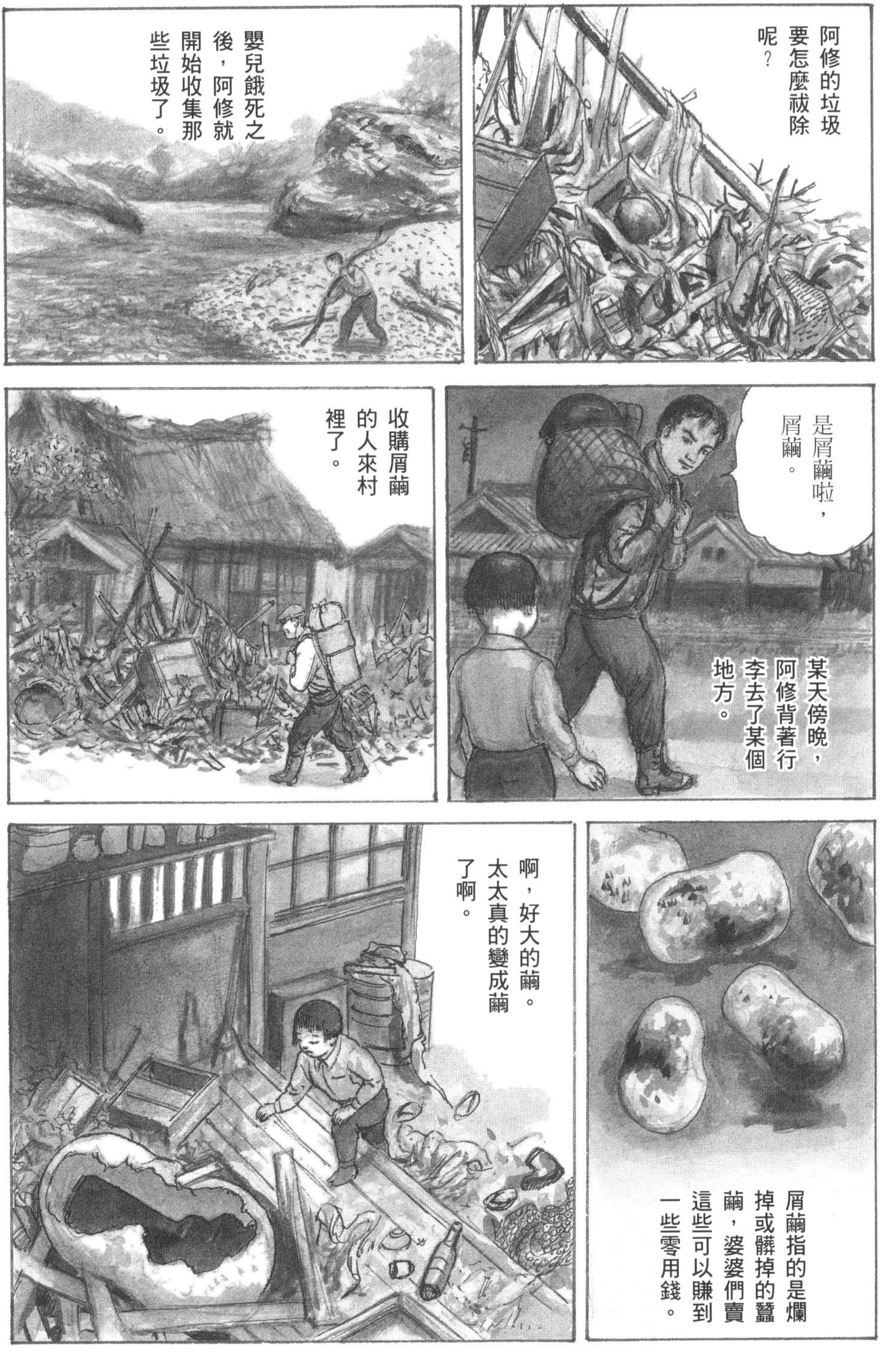

阿修的垃圾要怎麼袚除呢？
嬰兒餓死之後，阿修就開始收集那些垃圾了。
某天傍晚，阿修背著行李去了某個地方。
是屑繭啦，屑繭。
收購屑繭的人來村裡了。
屑繭指的是爛掉或髒掉的蠶繭，婆婆們賣這些可以賺到一些零用錢。
啊，好大的繭。太太真的變成繭了啊。

簡直像是牌位的蛹呢。難道說，阿修家代代祖先累積的惡緣跑出來了嗎？
蛆蟲也冒出來了，這下不行啊。
三天後，阿修家燒了個精光……
守護神森林的上空也變乾淨了，這下村子安泰啦。……不過，飯吃著吃著，我肚子痛了起來……
兩邊腮幫子的深處冒出了像是絲的東西呢。接下來輪到我結繭、驅邪了嗎？

嗞勒

詛咒佛

じゅそぼとけ

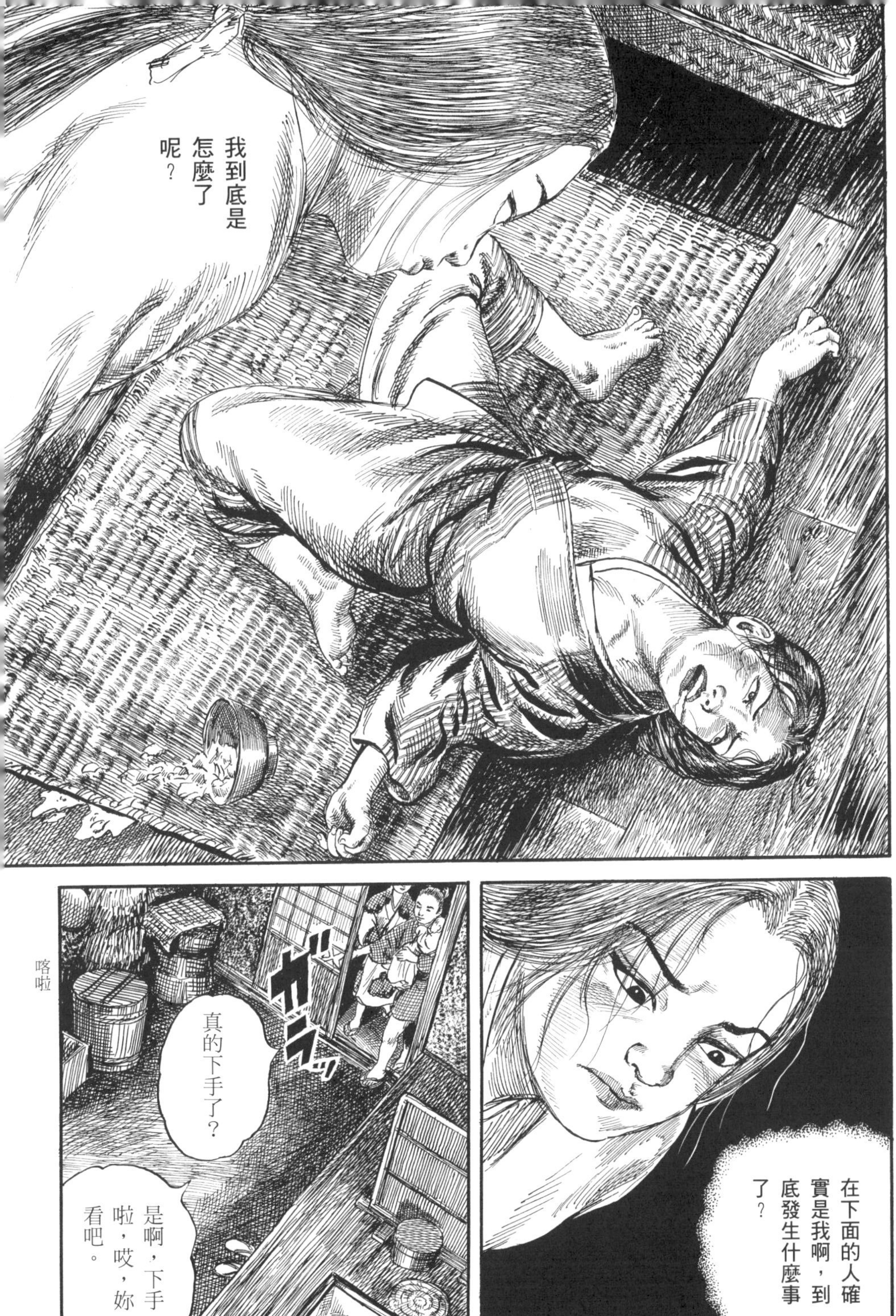
我到底是怎麼了呢？
在下面的人確實是我啊，到底發生什麼事了？
喀啦
ガラッ
真的下手了？
是啊，下手啦，哎，妳看吧。

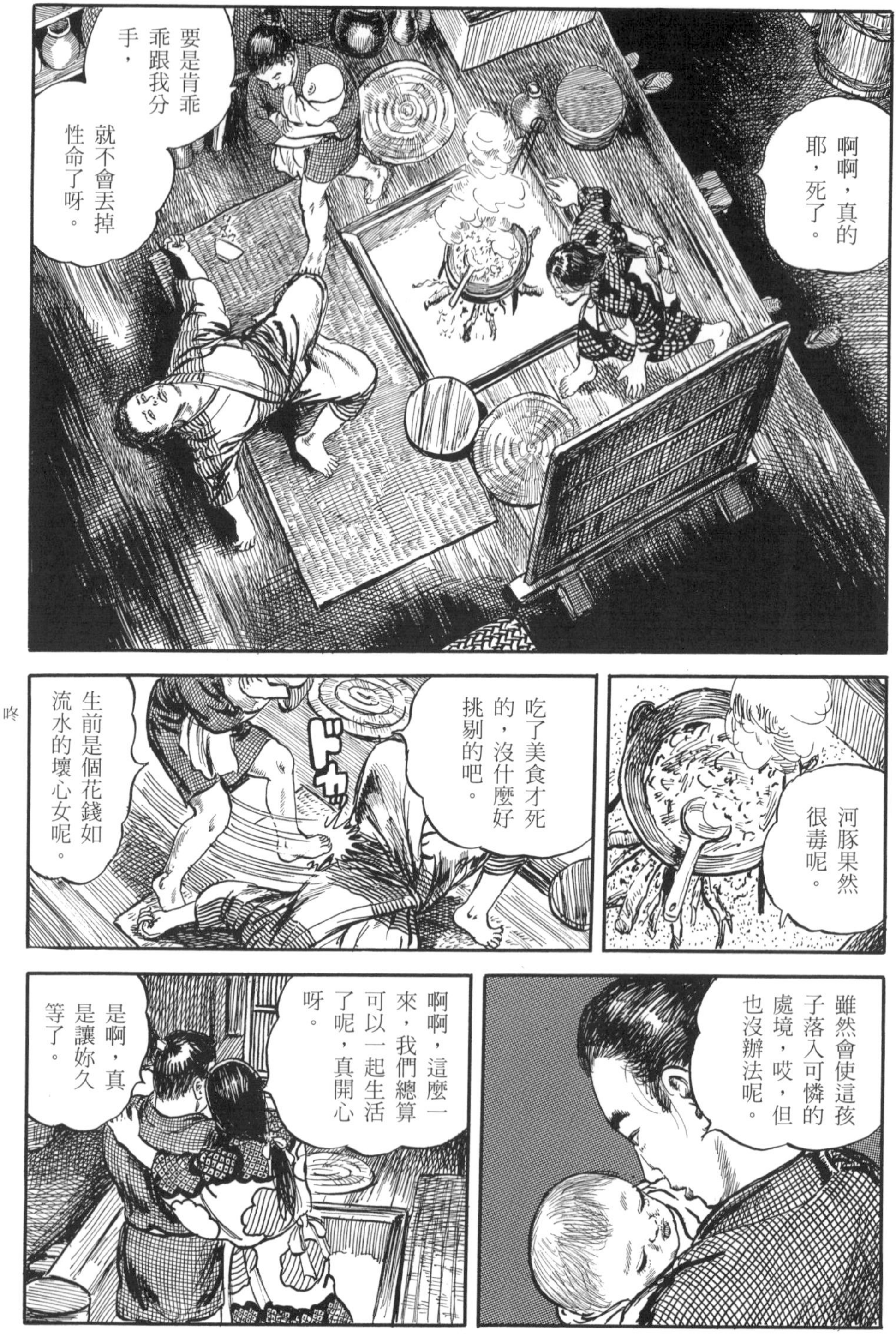
啊啊，真的耶，死了。
要是肯乖乖跟我分手，就不會丟掉性命了呀。
河豚果然很毒呢。
吃了美食才死的，沒什麼好挑剔的吧。
ドカ
咚
生前是個花錢如流水的壞心女呢。
雖然會使這孩子落入可憐的處境，哎，但也沒辦法呢。
啊啊，這麼一來，我們總算可以一起生活了呢，真開心呀。
是啊，真是讓妳久等了。

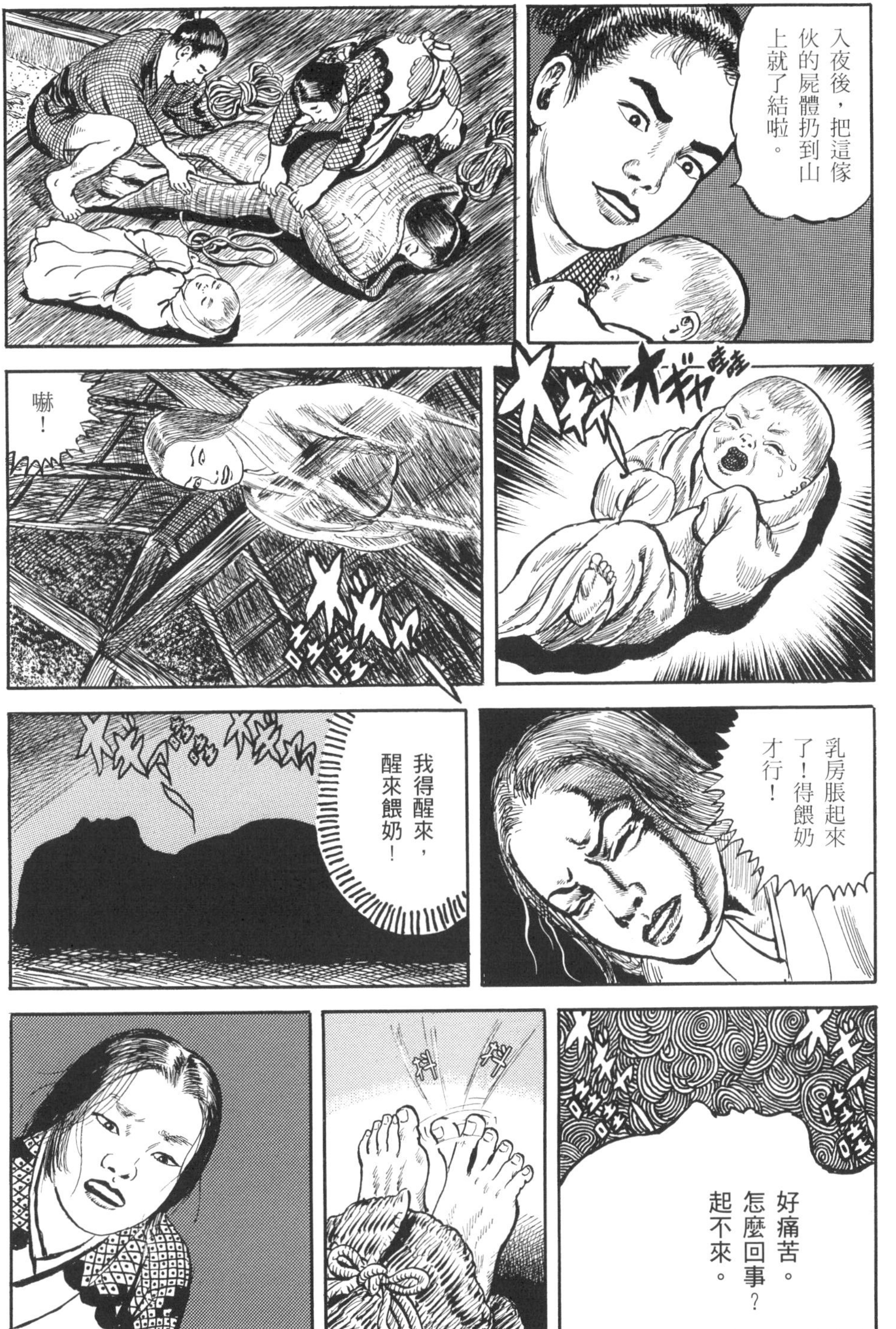
入夜後，把這傢伙的屍體扔到山上就了結啦。
嚇！
乳房脹起來了！得餵奶才行！
我得醒來，餵奶！
好痛苦。怎麼回事？起不來。

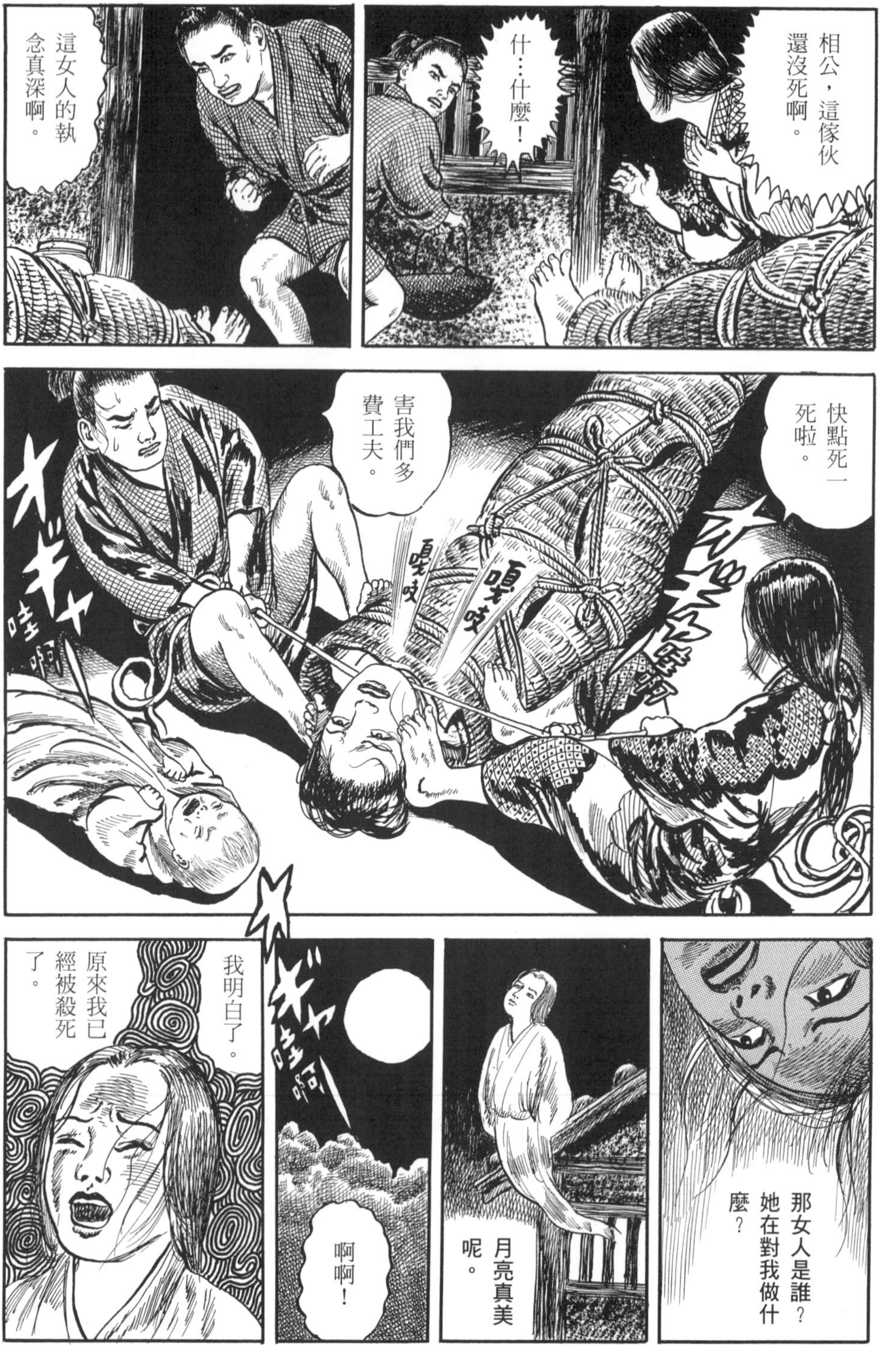
相公，這傢伙還沒死啊。
什…什麼！
這女人的執念真深啊。
快點死一死啦。
害我們多費工夫。
嘎吱
嘎吱
哇啊
哇啊
那女人是誰？她在對我做什麼？
月亮真美呢。
啊啊！
哇啊
我明白了。
原來我已經被殺死了。

嗚嗚～好不甘心啊。
起碼帶這兩個人一起上路。
我現在辦得到，我可以附他們身、殺了他們。
啊啊，咒死他們兩個之後，孩子怎麼辦呢？
オギャア 哇啊
誰來養育他？
好恨啊，我該如何是好？
オギャア 哇啊
オギャ 哇啊
我恨這兩人，絕對不會饒過他們。
好痛苦，好痛苦，我該怎麼辦啊！
オギャ 哇啊
オギャ 哇啊
オギャ 哇啊
オギャ 哇啊
オギャ 哇啊
我如果就這樣乖乖吞下淚水、祈禱孩子過得幸福，就會迎來極樂。
如果咒殺那兩人、拖他們陪死，就會三個人一起下地獄。

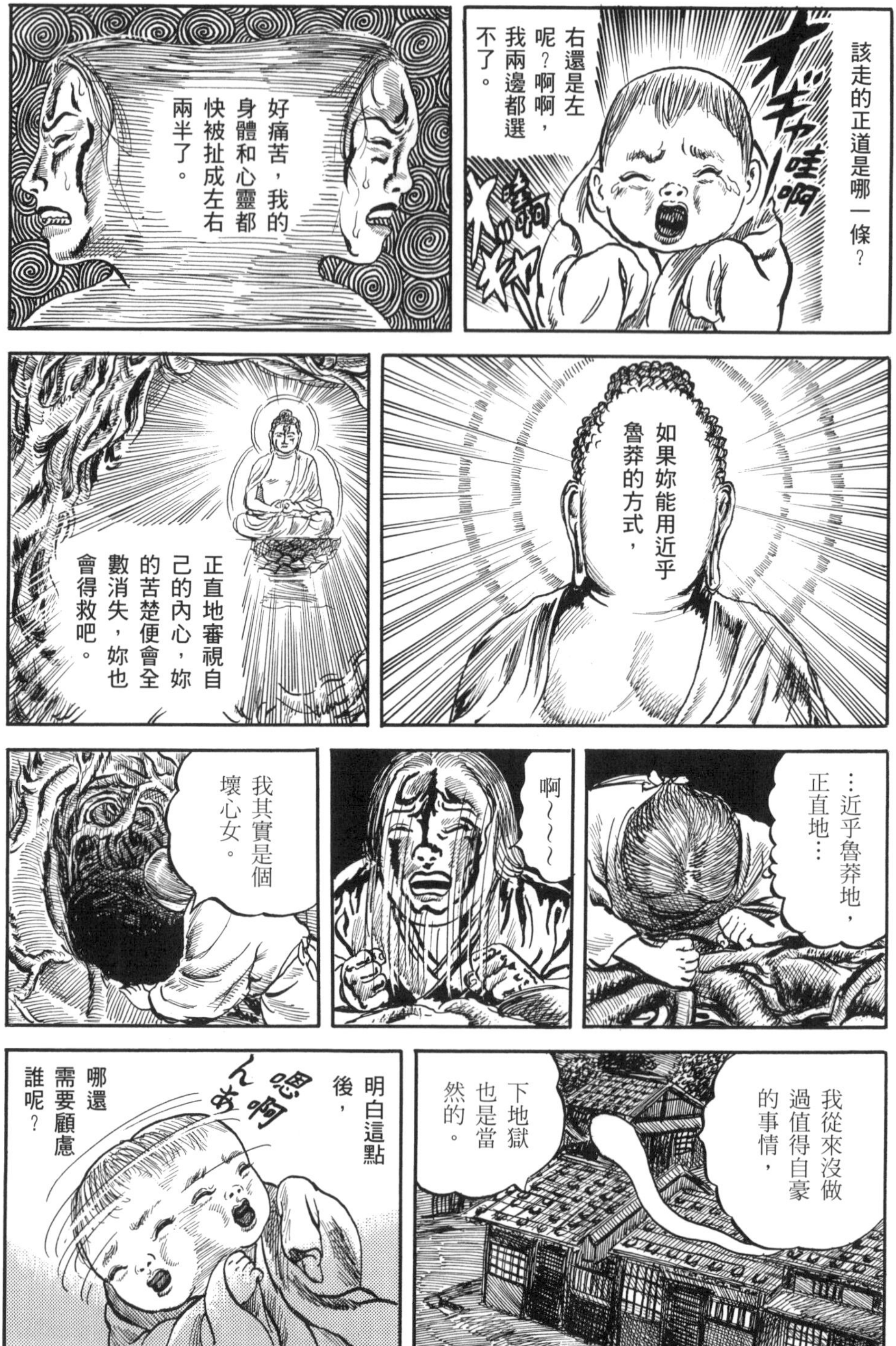

該走的正道是哪一條？
右還是左呢？啊啊，我兩邊都選不了。
哇啊
好痛苦，我的身體和心靈都快被扯成左右兩半了。
如果妳能用近乎魯莽的方式，
正直地審視自己的內心，妳的苦楚便會全數消失，妳也會得救吧。
⋯近乎魯莽地，正直地⋯
啊～～～
我其實是個壞心女。
我從來沒做過值得自豪的事情，
下地獄也是當然的。
明白這點後，
嗯啊
んあ
哪還需要顧慮誰呢？

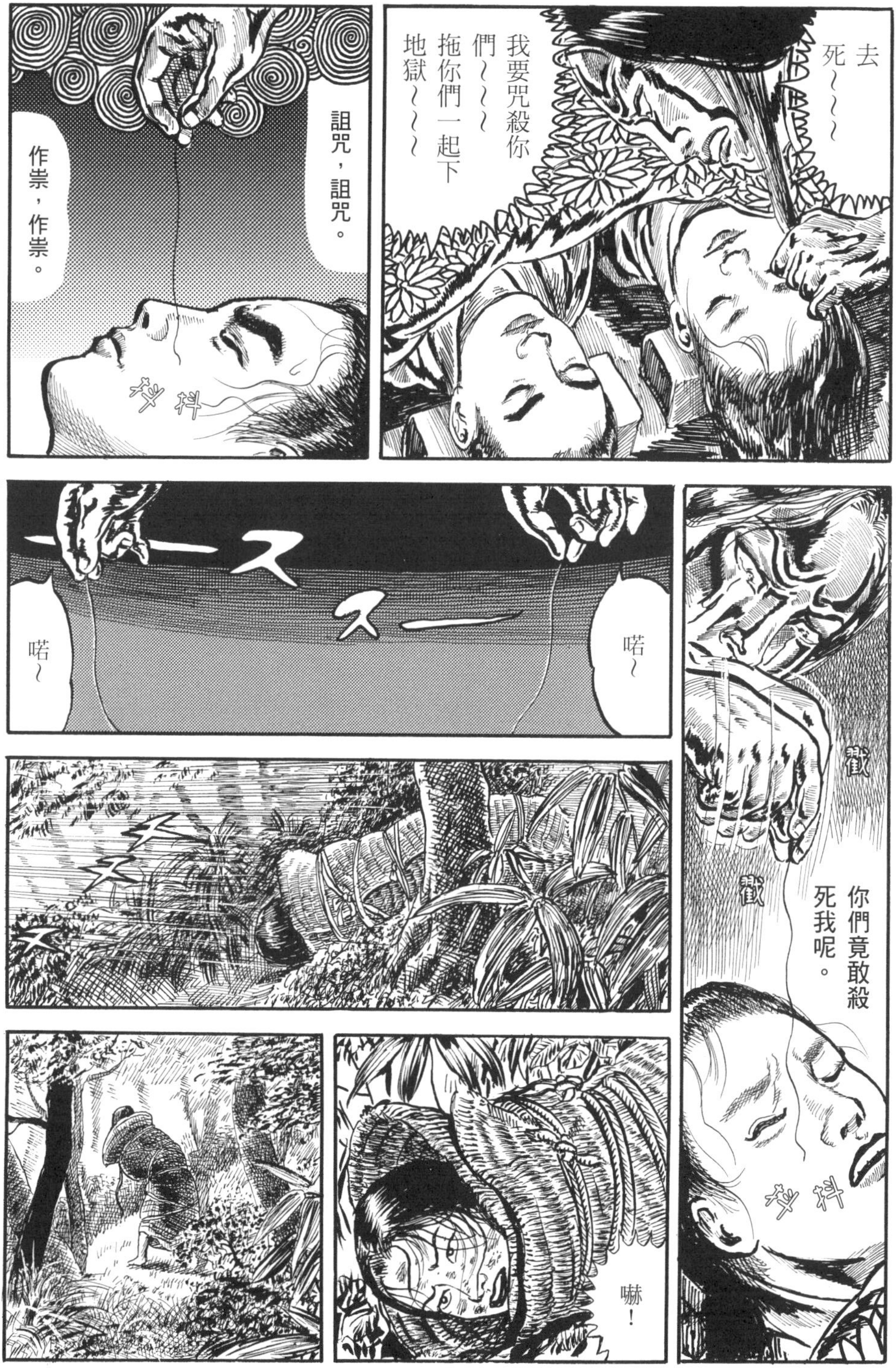
去死～～～
我要咒殺你們～～～拖你們一起下地獄～～～
詛咒，詛咒。
作祟，作祟。
抖抖
戳
戳
你們竟敢殺死我呢。
抖抖
嘶——嘶——
喏～
喏～
啾啾啾
嚇！

喀噠
喃喃自語
近乎魯莽地忠於自己的內心…嗎。
原來如此，佛祖所說並不假呢。
呼嘿。
脖子感覺刺刺的。
不知怎麼地，我活了過來，
而被我怨念附身的兩人，一夜間成了傻子。

蛆蟲佛

うじむしぼとけ

像被什麼附身似的，痛苦又難受的心情在我體內泉湧而出。
我越是想要忘記那討厭的想法，
它就越是頑強地巴著我不放。
我越是覺得它令人生畏地討厭，
它越是不分日夜地冒出來，完全無法不去想它。

那女人說過的話、做過的事……
當我一再反覆想起當時感受到的，難受又討厭的陰慘想法，
體內便會品嘗到一陣麻痺般的厭惡。
好想報仇。報完仇就可以立刻解脫了。
…但不行啊，不可殺生是佛祖的教誨。
…為何？為什麼？
不能復仇嗎？
妳的肚子會害人絕子絕孫呀。
嗚嗚嗚，我…我不甘心。
為什麼那一句話對我來說會這麼地……

呃~這給妳。
嗚嗚嗚~謝謝妳啊，謝謝妳每次都伸出援手。
那孩子長大成人後，
如果變成我這樣的人該如何是好？
只能祈禱她不會了。
現在的我，感覺就像被關在……
塞滿不快感的洞穴中。

人可以保持每天都平穩、沒有大風大浪、寧靜安定的心境，
但我更偏愛猛烈燃燒般的，狂暴而激昂的心境……
不管過多久，我都無法走出這個洞穴嗎？是真的嗎？
那是絕後肚。
這個家不需要這種媳婦。
嗚嗚嗚，我不甘心。
我到底是哪裡做得不周到？
妳嫁來十年還是生不出小孩。
我們和親戚一同做了這個決定。
今天過後，妳就不是這個家的媳婦了。

丈夫瞞著我，在外頭有了女人，
連孩子都生了。
他欺騙了我。
那已經是幾年前的事情了呢？
在這洞穴中，十年、二十年都是完全沒差別的。
チャリーン
叮噹
啊啊！這是我嗎！
什麼時候變這麼老了！
在洞穴中轉眼間過了二十八年！
人生已經沒有轉圜餘地了！

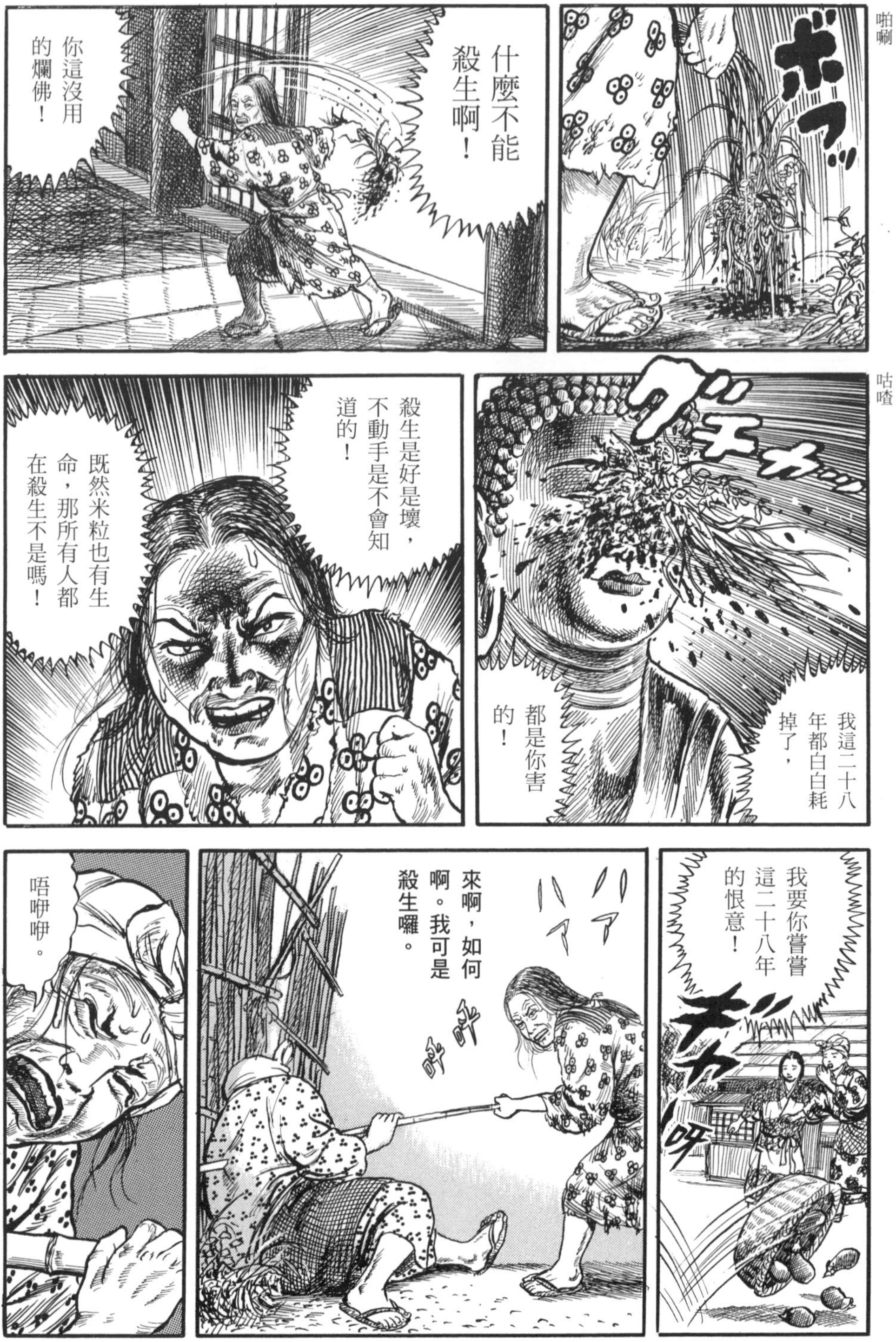
啪唰
什麼不能殺生啊！
你這沒用的爛佛！
咕喳
我這二十八年都白白耗掉了，
都是你害的！
殺生是好是壞，不動手是不會知道的！
既然米粒也有生命，那所有人都在殺生不是嗎！
我要你嘗嘗這二十八年的恨意！
呼
來啊，如何啊。我可是殺生囉。
呼
呼
唔咿咿。

來吧，我的下場呢。
うげっ
噁噁
ぐぐっ ぐぶっ
嗚嘔
呼——
是它嗎？它卡了二十八年之久嗎？
うげえ
嗚嘔
以我的怨念為食，長成了這樣的怪物。
好險啊，這就是癌魂蟲之類的玩意兒呢。
當時鑽到我體內的，婆婆那句酸溜溜地話⋯
喀沙
喀沙
喀沙

我過去一直以為佛祖是尊貴的、高不可攀的人，
但其實和我們一樣是地上之人呢。
跟狗屎和蛆蟲一樣。
什～麼啊，報仇原來不算是殺生啊。
對了！讓那孩子…
讓那孩子看看這個吧，以免她犯下和我同樣的失敗。
啊啊，太好了，
我可以向她報恩了。
啊啊，這下神清氣爽啦。
哈哈哈

つめなさけ

指甲情

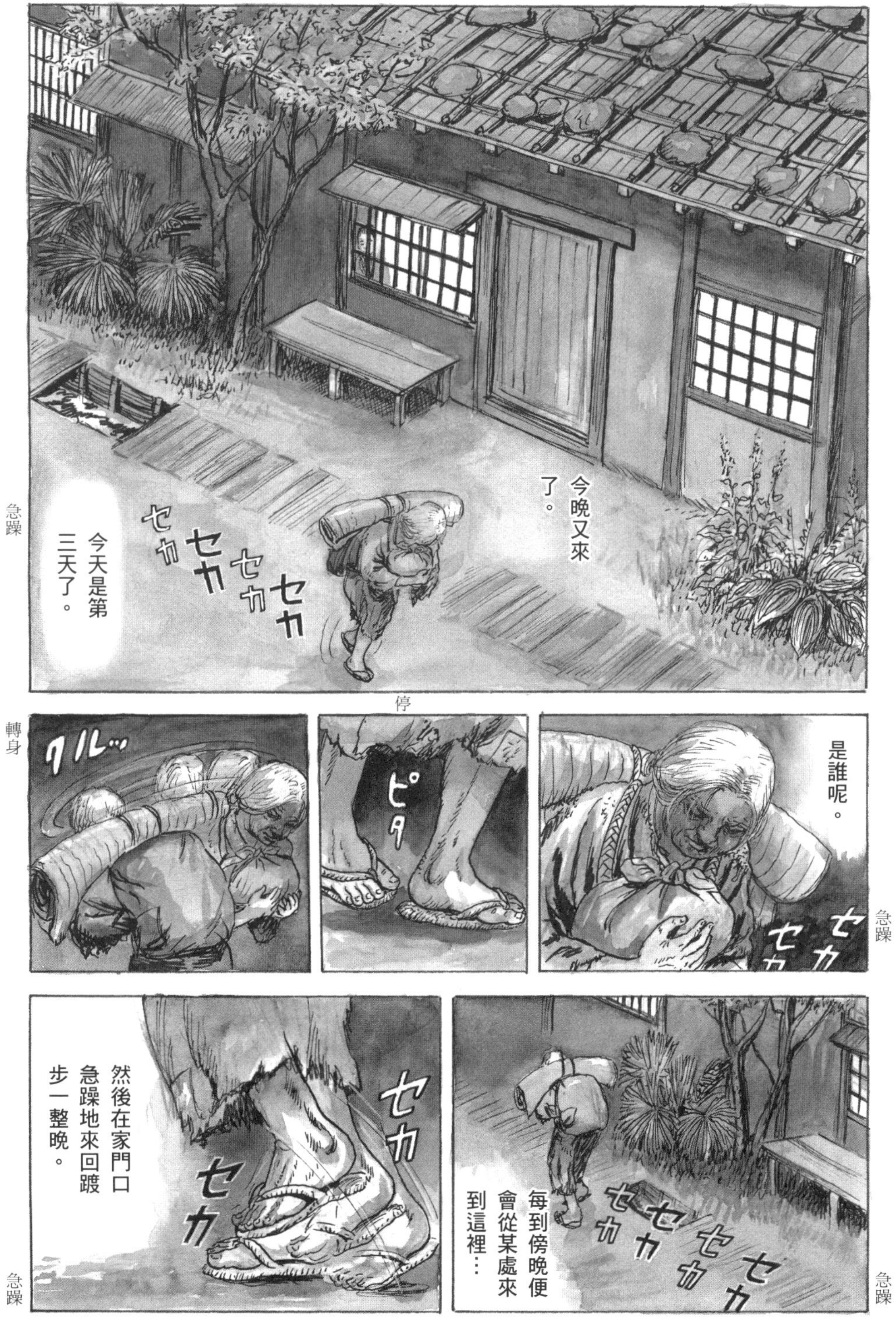

今晚又來了。
今天是第三天了。
セカセカセカセカ
急躁
是誰呢。
セカセカ
急躁
ピタ
停
クル…
轉身
每到傍晚便會從某處來到這裡…
セカセカセカセカ
急躁
然後在家門口急躁地來回踱步一整晚。
セカセカ
急躁

那個人真可憐，好像是想進來家裡吧。
不許看。
過來這裡。
嗯。
世界上呀，真的有比鬼怪還要恐怖的人類喔。
聽好了，絕對不能讓那個老婆婆進家門喔。
セカ
急躁 急躁
セカ セカ セカ
急躁
セカ セカ
急躁
到底是誰啊？不知道對方底細會很介意的啊。
一整個晚上都那樣走路，煩死了。

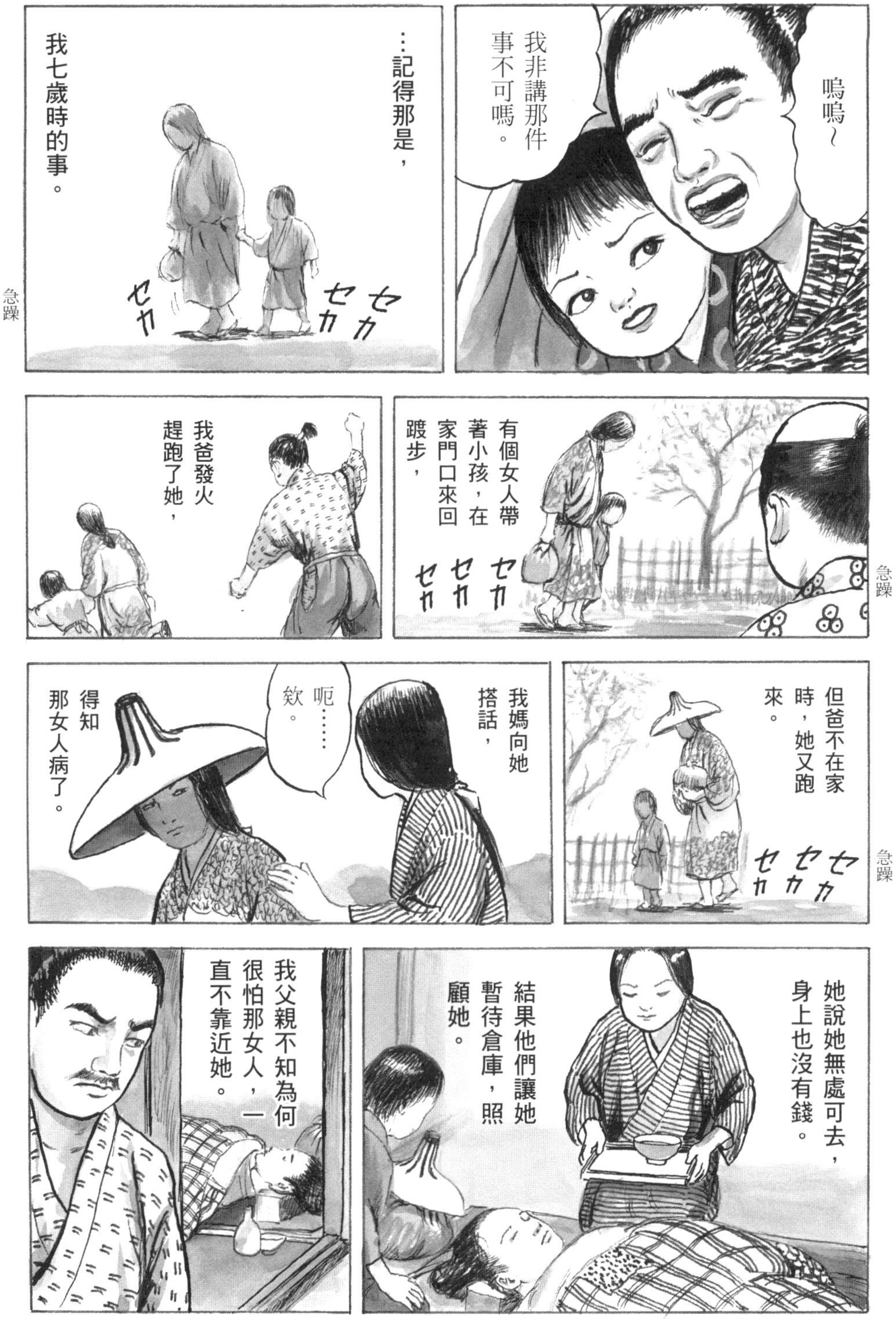
嗚嗚~
我非講那件事不可嗎。
…記得那是，
我七歲時的事。
セカ
セカ
セカ
急躁
有個女人帶著小孩，在家門口來回踱步，
セカ
セカ
セカ
急躁
我爸發火趕跑了她，
但爸不在家時，她又跑來。
セカ
セカ
セカ
急躁
我媽向她搭話，
呃……欸。
得知那女人病了。
她說她無處可去，身上也沒有錢。
結果他們讓她暫待倉庫，照顧她。
我父親不知為何很怕那女人，一直不靠近她。

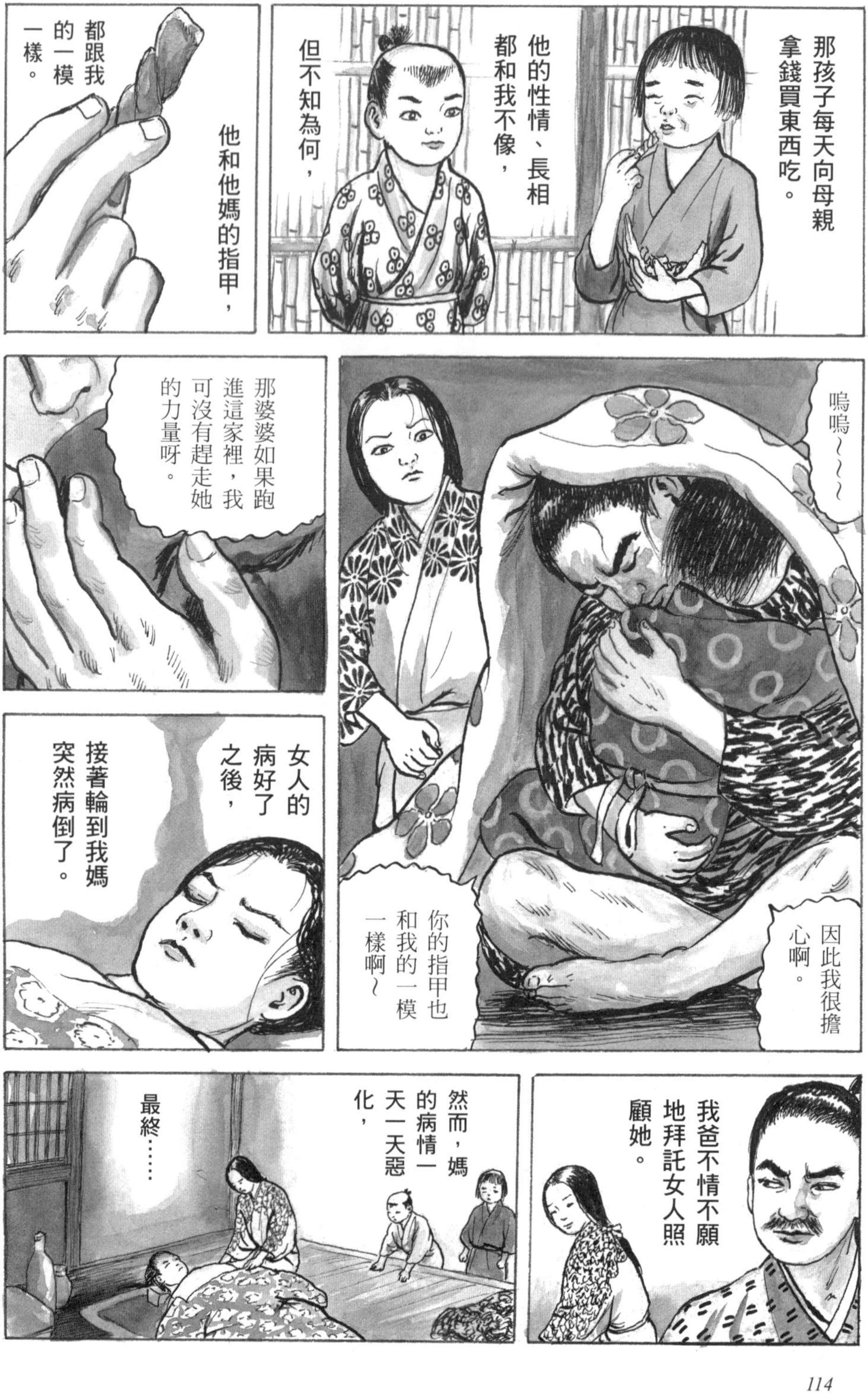

那孩子每天向母親拿錢買東西吃。
他的性情、長相都和我不像，
但不知為何，
他和他媽的指甲，
都跟我的一模一樣。
嗚嗚～～～
因此我很擔心啊。
你的指甲也和我的一模一樣啊～
那婆婆如果跑進這家裡，我可沒有趕走她的力量呀。
女人的病好了之後，
接著輪到我媽突然病倒了。
我爸不情不願地拜託女人照顧她。
然而，媽的病情一天一天惡化，
最終……

媽～～～
哇啊
哇～
我媽媽死了。
你覺得那女人後來怎麼了？
セカセカ
哇啊
セカセカ
哇啊
她沒離開，就這麼待了下去。
然後，開始表現得像我爸的妻子。
我爸很厭惡這情況，但不知為何沒有趕走她。臉色一天比一天陰沉，酒越喝越多。
某天晚上。
你真正的母親是誰？
死掉的那個，還是那個女人？
我受不了了。
我要看指甲來判斷。
爸～～～你是怎麼啦～～爸～～～

為什麼啊，是怎麼了啊。
那天之後，我就沒再見過爸了。
在家裡待下來的女人，帶了一個又一個男人回來。
大白天就在喝酒。
真是可怕的女人。
我離開了那個家。
她探聽到我這個家，又跑來了。
要來吸取我的幸福。
現在在外頭那個婆婆……
既是我的母親，也不是我的母親。
セカセカセカセカ
急躁
急躁
這事並不黑白分明，所以很可怕啊～～～
不過那女人的指甲和我的一模一樣。
……
會不會是，
某對夫婦生了個男孩。
那個男孩也許就是你。

然而，妻子有了別的男人。丈夫於是帶著小孩離家。
再和別的女人共組家庭。後來，
他前妻生病，帶著小孩，寄人籬下。
セカ セカ セカ
急躁
對了，對啊！我長大後才明白一件事。我母親會突然病死，是因為那女人下毒！
那是個想法大有問題的可怕女人呀。
我說得沒錯吧？那女人比怨靈還恐怖啊～
你絕對不能可憐那個婆婆喔。你要是那麼做，
她就會跑進家裡，一點一點啃食我們這份幸福。
我好擔心啊～因為你們的指甲很像啊～
那個人是我的奶奶嗎？
啊，她今天大白天就來了。
セカ セカ セカ セカ
急躁 急躁

而且媽和爸剛好都不在家…
轉身
妳好。
你好啊。
什~麼嘛。
不是可怕的人啊。
要不要進家裡歇一下呢…
這樣啊。
嘿…
咻。
呼~
真是的。
真的跟我的指甲一模一樣。
在~這~裡~
悠哉地~~
坐一會囉~~
那麼我要……
好啦~

洞（あな）

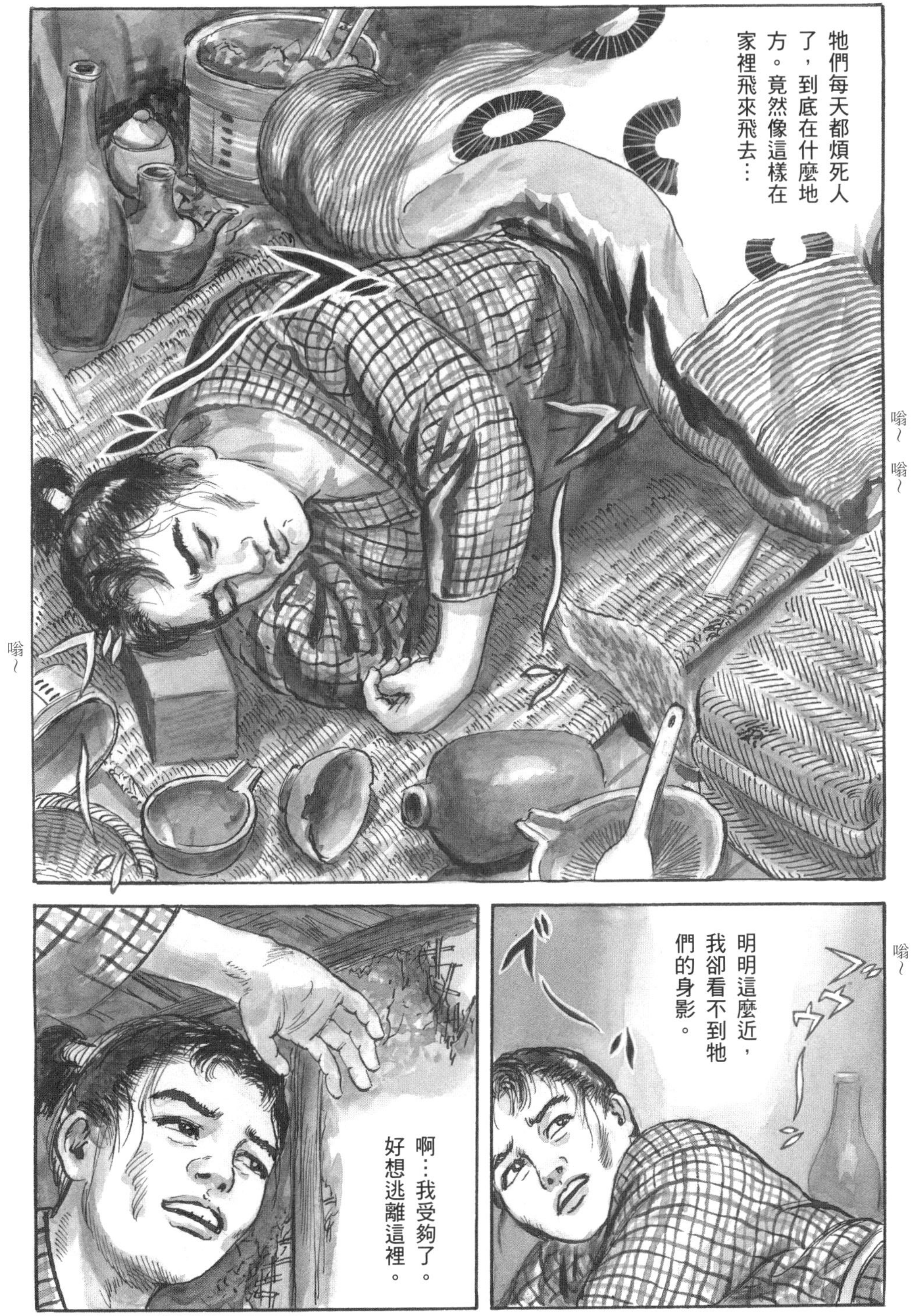
牠們每天都煩死人了，到底在什麼地方。竟然像這樣在家裡飛來飛去…
嗡～嗡～
嗡～
嗡～
明明這麼近，我卻看不到牠們的身影。
啊…我受夠了。好想逃離這裡。

蜜蜂開始到處亂飛後，
嘩啦
我一天比一天更懶得動。
咕嚕咕嚕
米只剩這些了嗎。
根本就不會想吃。
啊啊……我是怎麼了。
像是有什麼奇怪的東西鑽進體內，才產生這種心境。
嗡～
嗡～嗡～
得設法弄錢來才行。
得再找戶人家偷錢呀。
嗡～嗡～
啊，就是提不起勁。怎麼會這樣？

真想要像以前那樣撈一大筆錢，
擺脫這種地方。
嗡～嗡～
嘩啦
嘩啦
咕嚕
啊～我不行啦。
我是不是真的遭天譴了？
嗡～

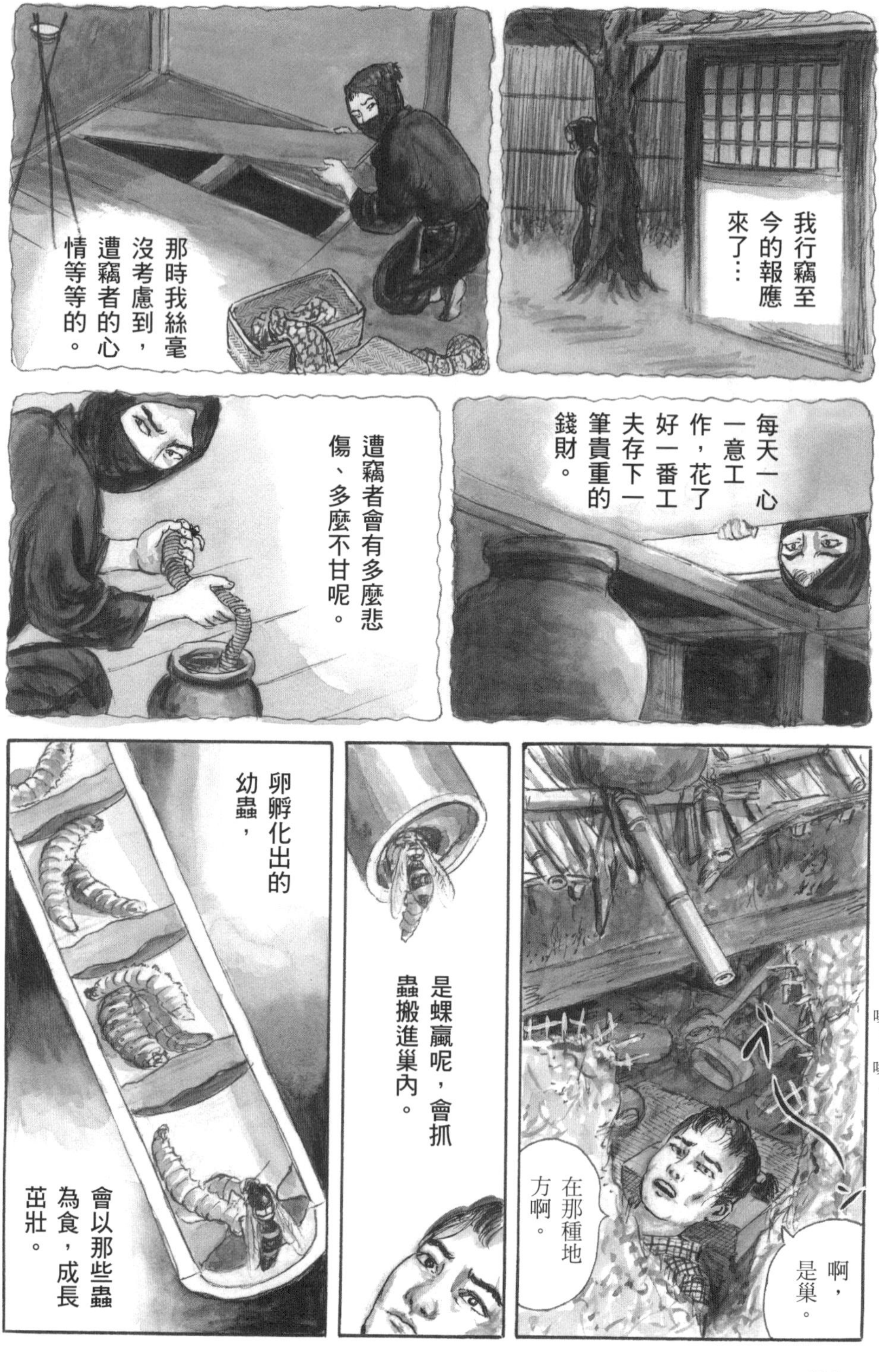
我行竊至今的報應來了…
那時我絲毫沒考慮到，遭竊者的心情等等的。
每天一心一意工作，花了好一番工夫存下一筆貴重的錢財。
遭竊者會有多麼悲傷、多麼不甘呢。
嗡～嗡～
啊，是巢。
在那種地方啊。
是蜾蠃呢，會抓蟲搬進巢內。
卵孵化出的幼蟲，
會以那些蟲為食，成長茁壯。

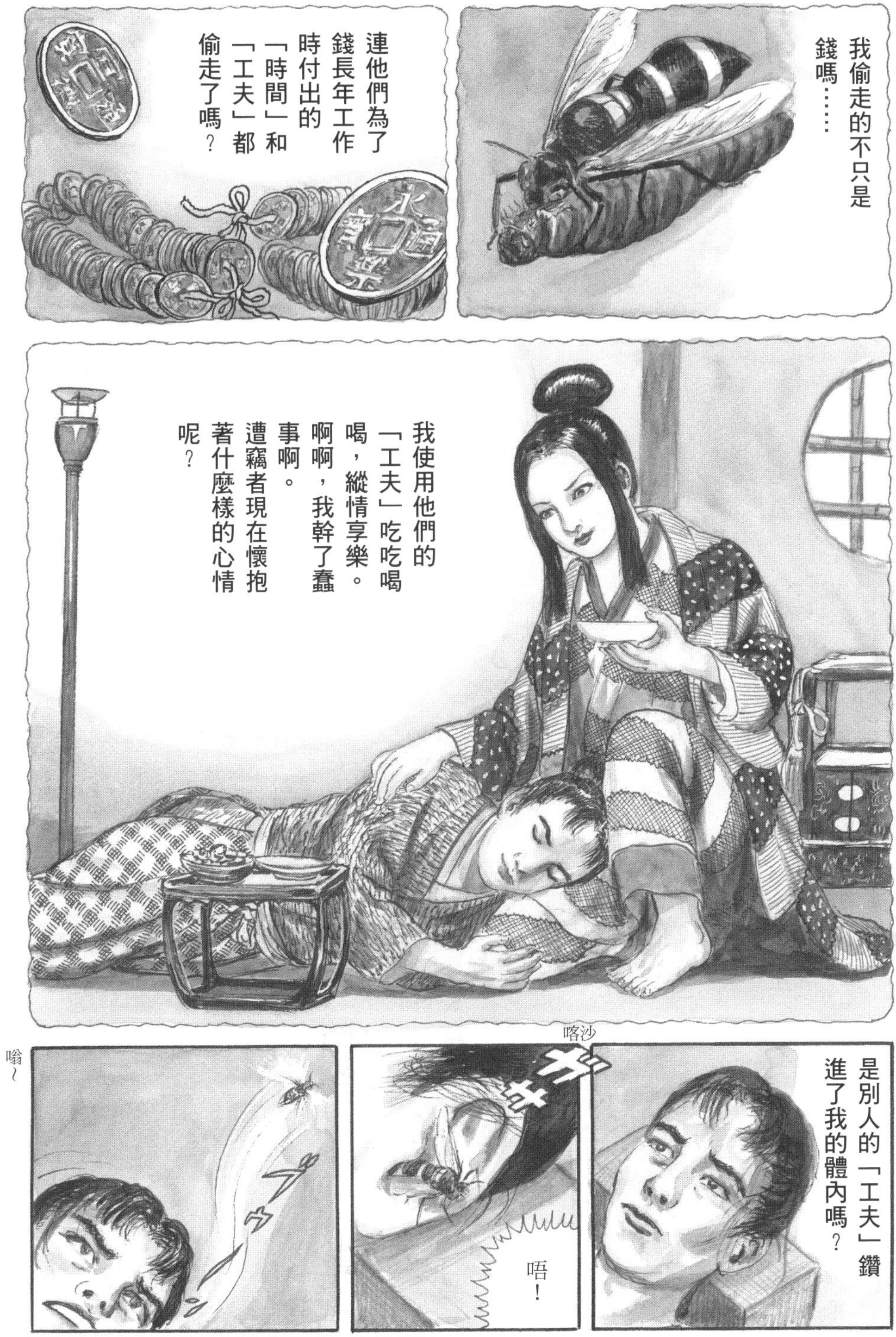

我偷走的不只是錢嗎……
連他們為了錢長年工作時付出的「時間」和「工夫」都偷走了嗎？
我使用他們的「工夫」吃吃喝喝，縱情享樂。
啊啊，我幹了蠢事啊。
遭竊者現在懷抱著什麼樣的心情呢？
是別人的「工夫」鑽進了我的體內嗎？
喀沙
唔！
嗡～

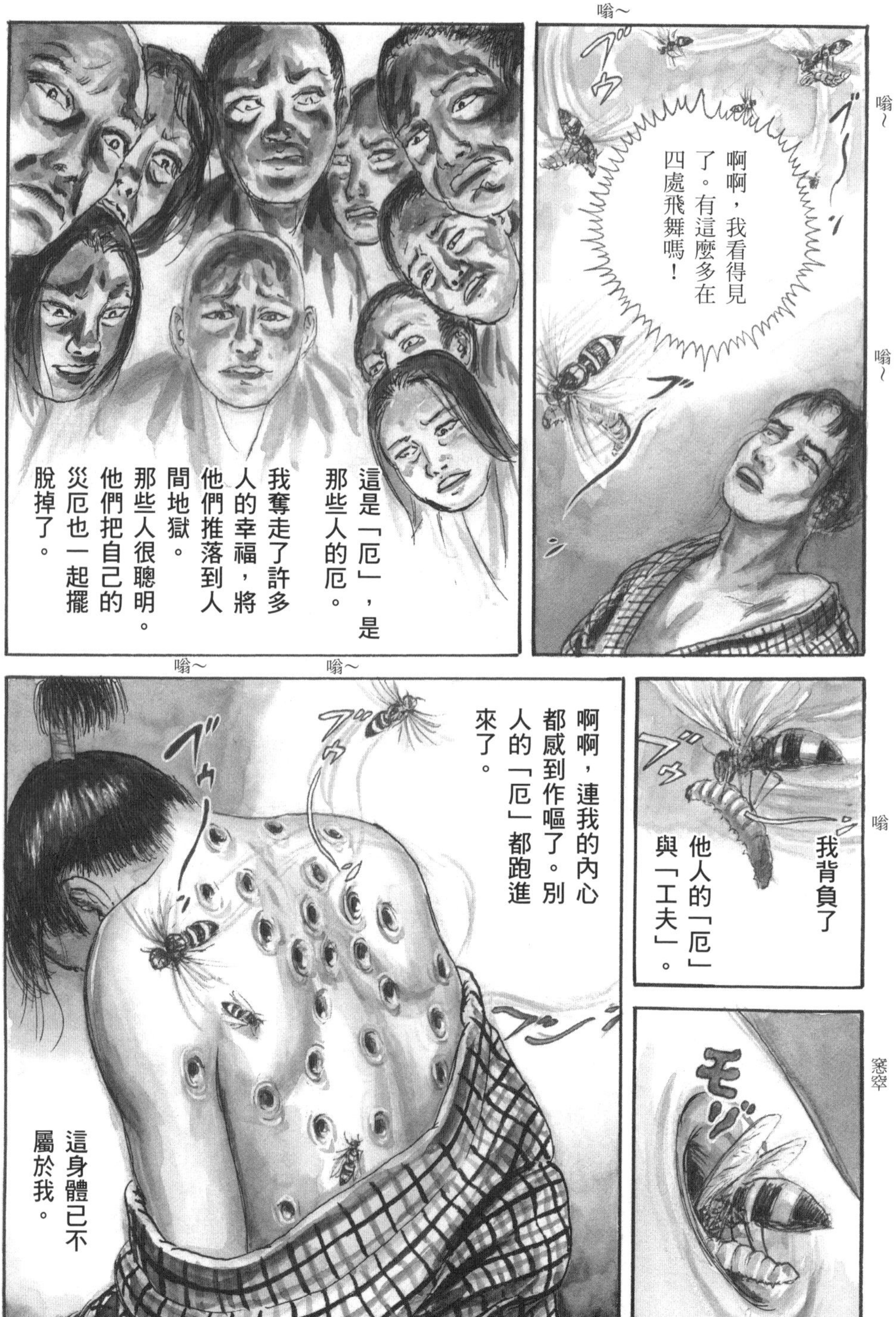
嗡～
嗡～
嗡～
啊啊，我看得見了。有這麼多在四處飛舞嗎！
這是「厄」，是那些人的厄。
我奪走了許多人的幸福，將他們推落到人間地獄。
那些人很聰明。他們把自己的災厄也一起擺脫掉了。
嗡
我背負了他人的「厄」與「工夫」。
窸窣
嗡～
嗡～
啊啊，連我的內心都感到作嘔了。別人的「厄」都跑進來了。
這身體已不屬於我。

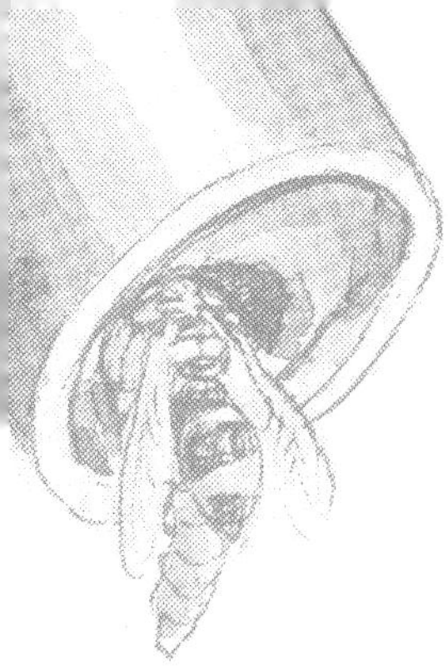

P物質

ぴーぶっしつ

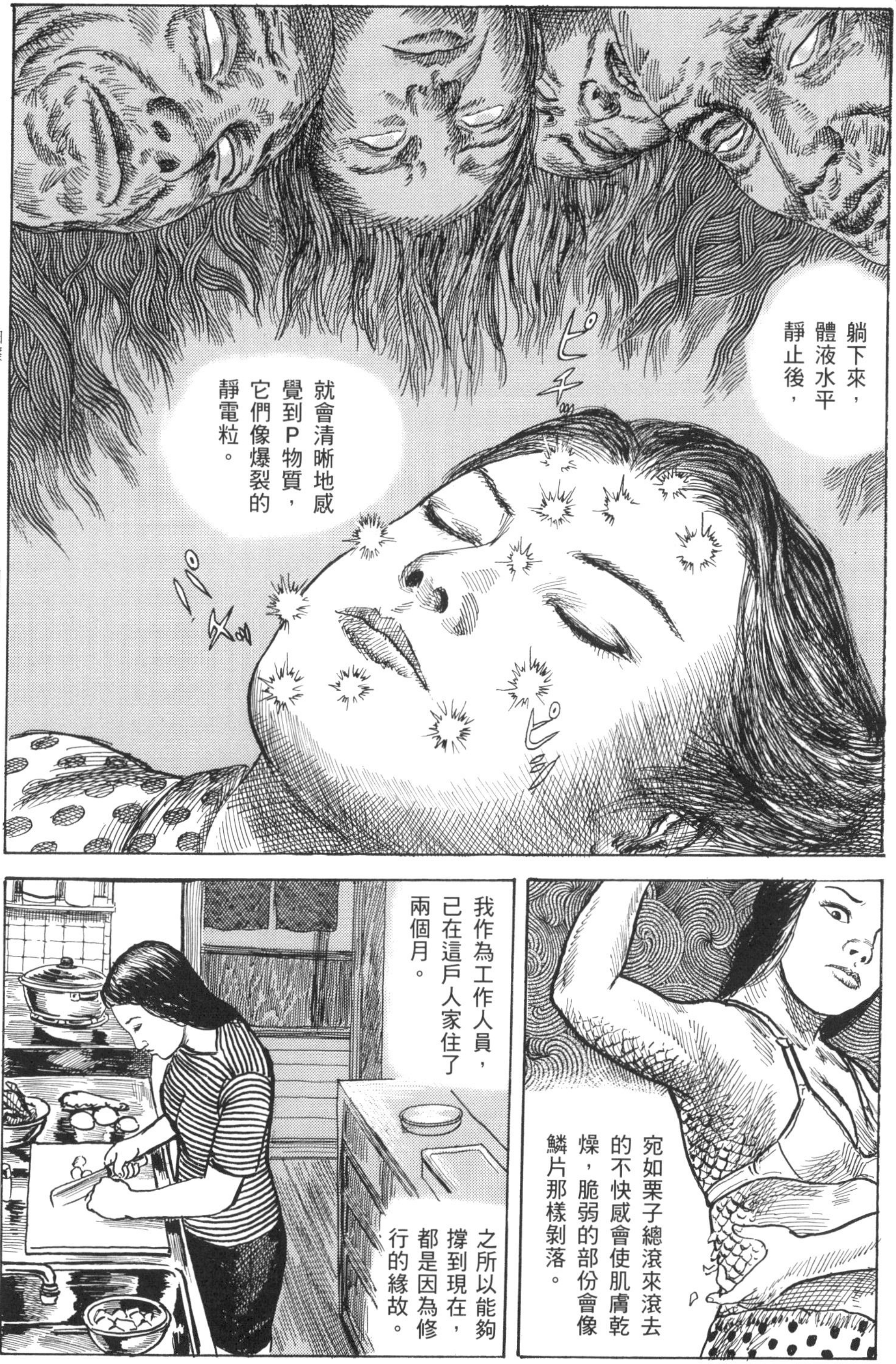

躺下來，體液水平靜止後，
就會清晰地感覺到P物質，它們像爆裂的靜電粒。
啪嚓
啪嚓
宛如栗子總滾來滾去的不快感會使肌膚乾燥，脆弱的部份會像鱗片那樣剝落。
我作為工作人員，已在這戶人家住了兩個月。
之所以能夠撐到現在，都是因為修行的緣故。

早安。
早安。
還錢
唔！又有新的！
昨晚也有人來呢。
是呀，昨晚的誇張程度更上一層樓呢。
世界終於要進入地獄般的饑荒時代了。
大東亞神靈經濟研究會
會長・榊卷貴彥
四十六歲　單身
明年年末，地球將會進入光子帶，
美金和國債都會變成衛生紙。
這是百年難得一見的機會，可以讓資產翻十倍、百倍！你們兩個每天都不能疏忽。
遵從天聲者，必得幸福。
會長，拜託了。
我們會追隨天聲。

確實有許多會員聽從會長天聲，增加了資產。
不過，也有許多會員失去了一切。
CDS
金ETF
FX保証金取引
外貨預金
CTA
投資信託
未公開株
先物
БИЛЕТ БАНКА РОССИИ
中国人民銀行
這麼強烈的P物質來到這裡，
為何會長若無其事呢？
二〇〇八年，雷曼事件發生時，許多會員失去了資產，
有兩名會員在會長家門口自殺，其中一個人切腹。
神霊経済研究会
十天後，另一個在門口上吊自殺。

大東亜神霊経済研究会
兩個人都大肆詛咒會長，
我就算死了也要報仇
榊巻 怨 去死
笨蛋
還錢 詐欺師
騙子
後來，扔石子或塗鴉之類的惡作劇增加了。
但會長完全不以為意。
會員數三百五十人。年會費二十四萬元。一個月以電子郵件發送三次會報。
每月一次的講座論壇，入場費三萬元。
雷曼事件讓會員大減，但之後又漸漸增加了呢。
喀 喀
會長拒絕了所有資產家的說媒。
沒有情婦，也不是同性戀。
會長他啊，
放棄「組成家庭」這回事了…很厲害吧。
因此才聽得見天聲啊。
真的嗎？靠那種程度的事情，
就能閃避這激烈的P物質嗎？

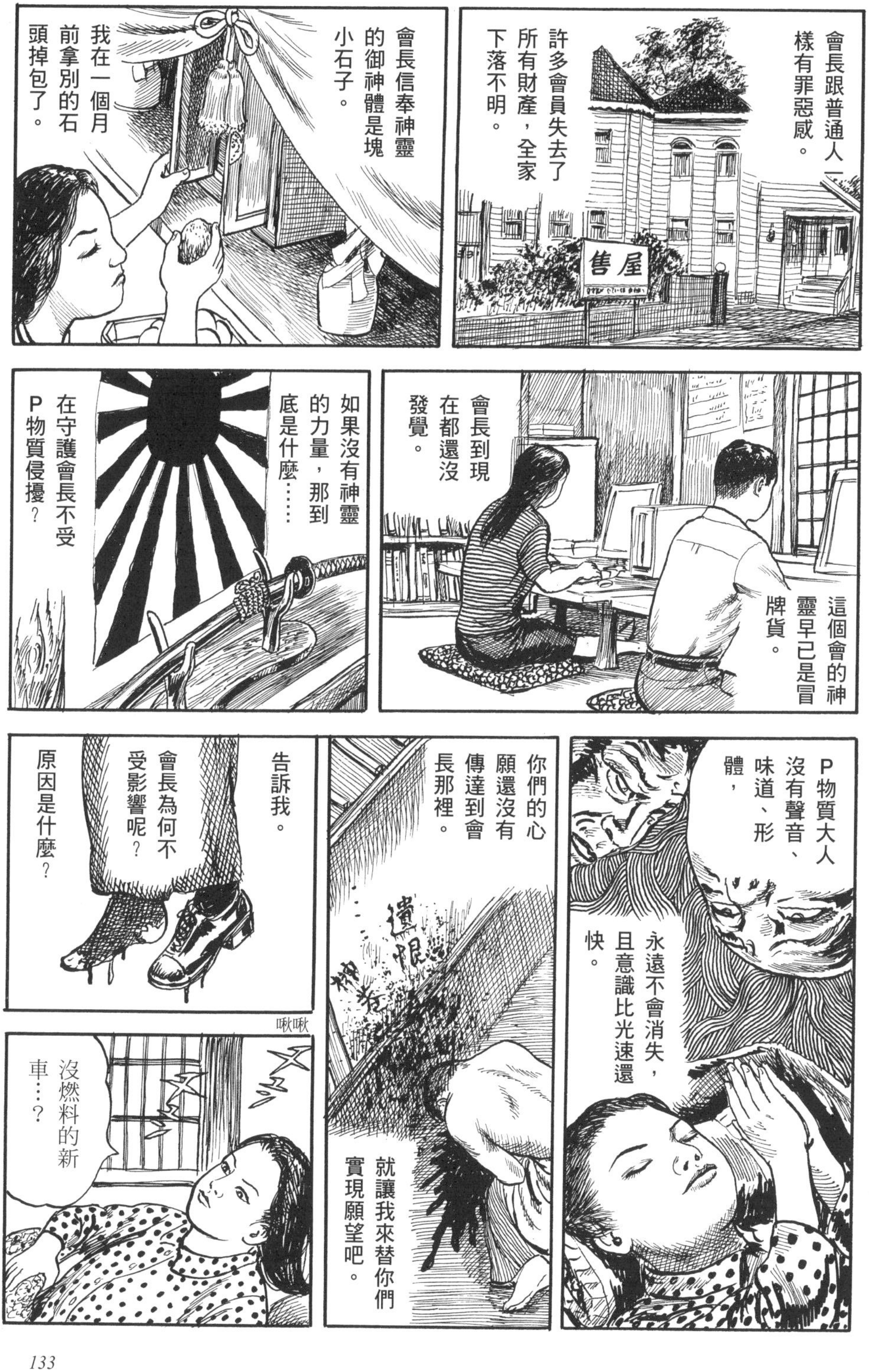
會長跟普通人一樣有罪惡感。
許多會員失去了所有財產，全家下落不明。
售屋
會長信奉神靈的御神體是塊小石子。
我在一個月前拿別的石頭掉包了。
這個會的神靈早已是冒牌貨。
會長到現在都還沒發覺。
如果沒有神靈的力量，那到底是什麼……
在守護會長不受P物質侵擾？
P物質大人沒有聲音、味道、形體，
永遠不會消失，且意識比光速還快。
你們的心願還沒有傳達到會長那裡。
遺恨
就讓我來替你們實現願望吧。
告訴我。
會長為何不受影響呢？
原因是什麼？
啾啾
沒燃料的新車…？

啾啾

這是什麼意思？
沒燃料的新車…是指？
嘩啦
我瞞著會長，在這裡偷偷運用自己的資金三百萬，
賺了八百萬左右。只花區區兩個月。
所有會員的個資，我都弄到手了。
在豪華水晶吊燈下，
舉辦一億元婚禮，
到瑞士、夏威夷購置別墅，
在世界各地展開美食之旅。
我有這個能力，我一定會實現這些事！
等到P物質可以自由成形時，我就要獨立出去！

奢華

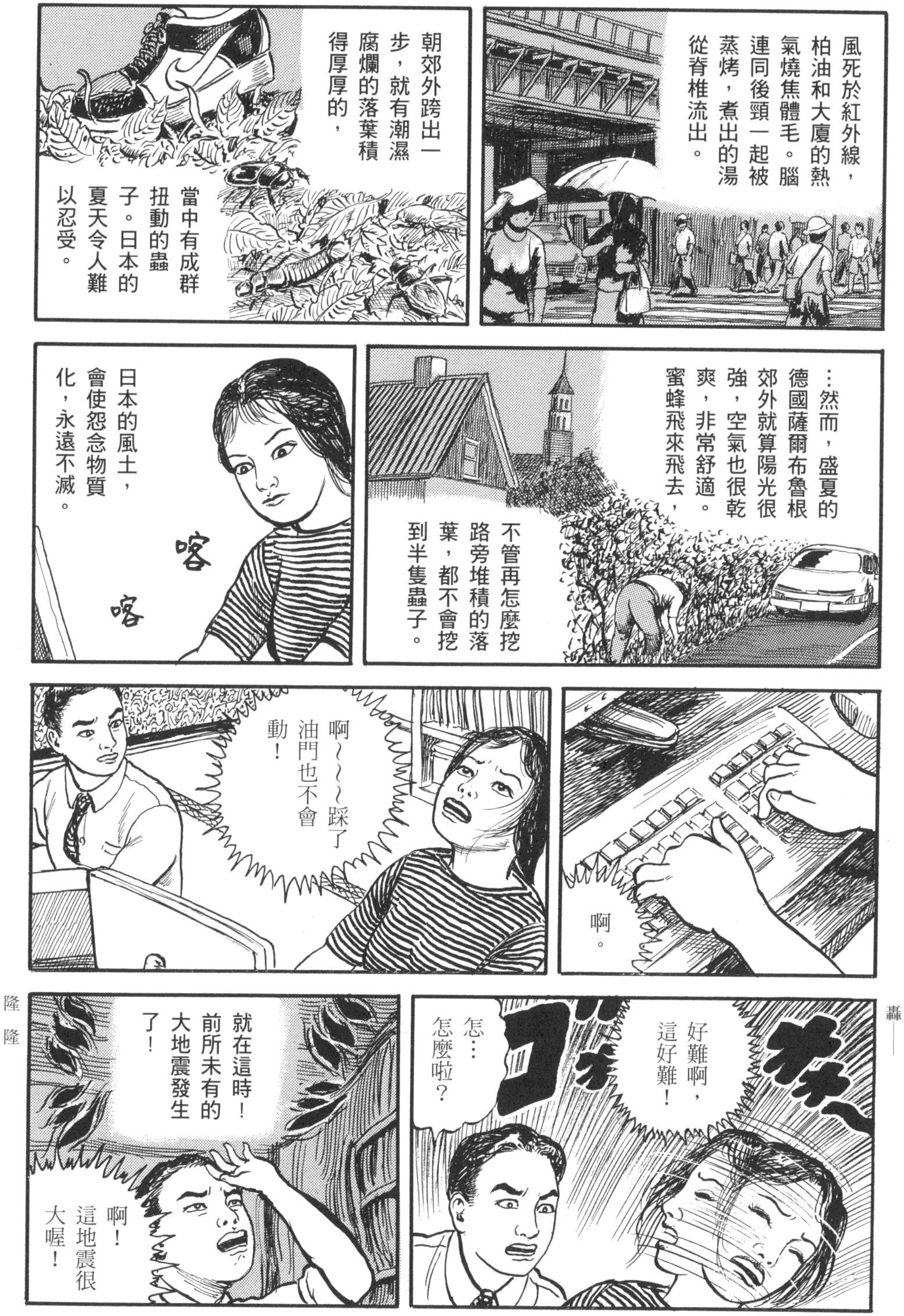
風死於紅外線，柏油和大廈的熱氣燒焦體毛。腦連同後頸一起被蒸烤，煮出的湯從脊椎流出。
朝郊外跨出一步，就有潮濕腐爛的落葉積得厚厚的，
當中有成群扭動的蟲子。日本的夏天令人難以忍受。
…然而，盛夏的德國薩爾布魯根郊外就算陽光很強，空氣也很乾爽，非常舒適。蜜蜂飛來飛去，
不管再怎麼挖路旁堆積的落葉，都不會挖到半隻蟲子。
日本的風土，會使怨念物質化，永遠不滅。
喀
喀
啊。
啊～～～踩了油門也不會動！
轟——
好難啊，這好難！
怎…怎麼啦？
就在這時！前所未有的大地震發生了！
隆隆
啊！這地震很大喔！

啪嘰啪嘰
晃晃
沒有性慾（燃料），車子就不會動。
會長原本就是個沒性慾的人。
我失去肉體後，才終於察覺會長的真面目。
某種意義是個仙人。沒人贏得了他，就連P物質也一樣。
世間的模樣大幅改變了呢。
在新的世間，像我們這樣貪欲、奢侈的人類，內心永遠不會再開花了……
會長，為什麼天聲沒有為我們預言這件事呢？我們的神靈是笨蛋嗎？
明明是這麼大的地震啊。
嗯～我自己也不懂呢，完全想不通。

詛咒考

じゅそこう

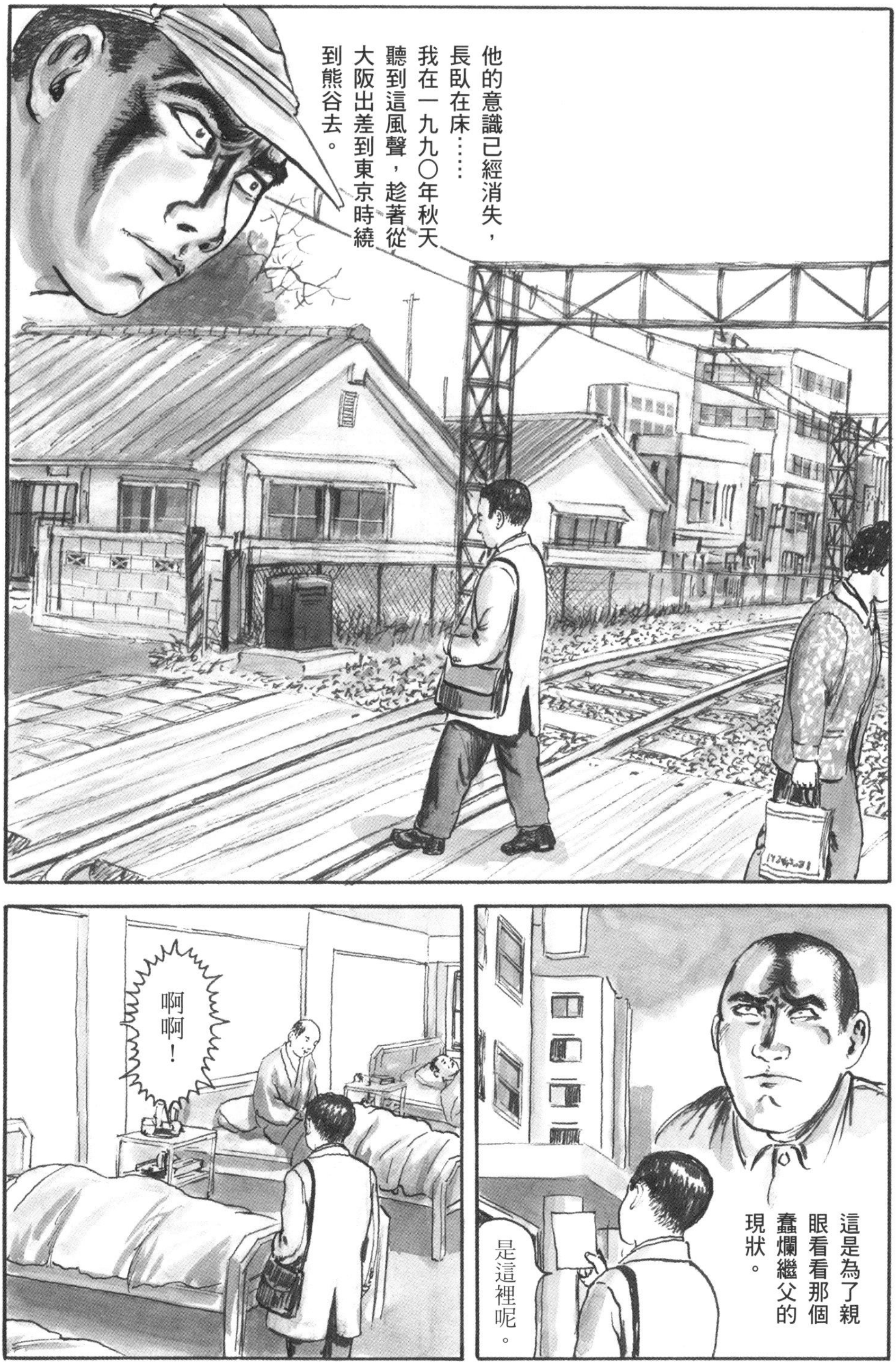
他的意識已經消失，
長臥在床……
我在一九九〇年秋天
聽到這風聲，趁著從
大阪出差到東京時繞
到熊谷去。
這是為了親
眼看看那個
蠢爛繼父的
現狀。
是這裡呢。
啊啊！

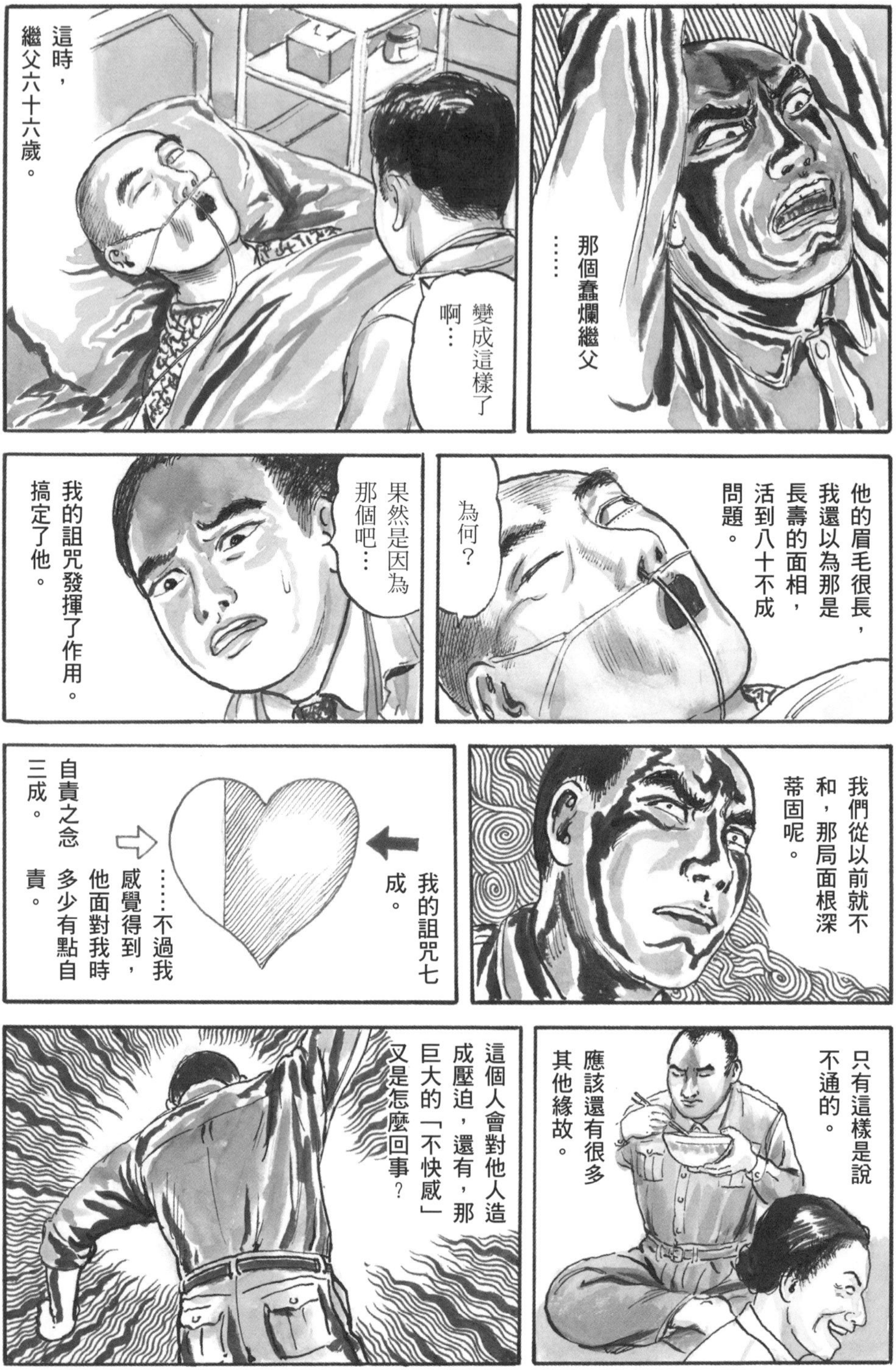
那個蠢爛繼父……
這時，繼父六十六歲。
變成這樣了啊……
他的眉毛很長，我還以為那是長壽的面相，活到八十不成問題。
為何？
果然是因為那個吧……
我的詛咒發揮了作用。搞定了他。
我們從以前就不和，那局面根深蒂固呢。
我的詛咒七成。
……不過我感覺得到，他面對我時多少有點自責。
自責之念三成。
只有這樣是說不通的。
應該還有很多其他緣故。
這個人會對他人造成壓迫，還有，那巨大的「不快感」又是怎麼回事？

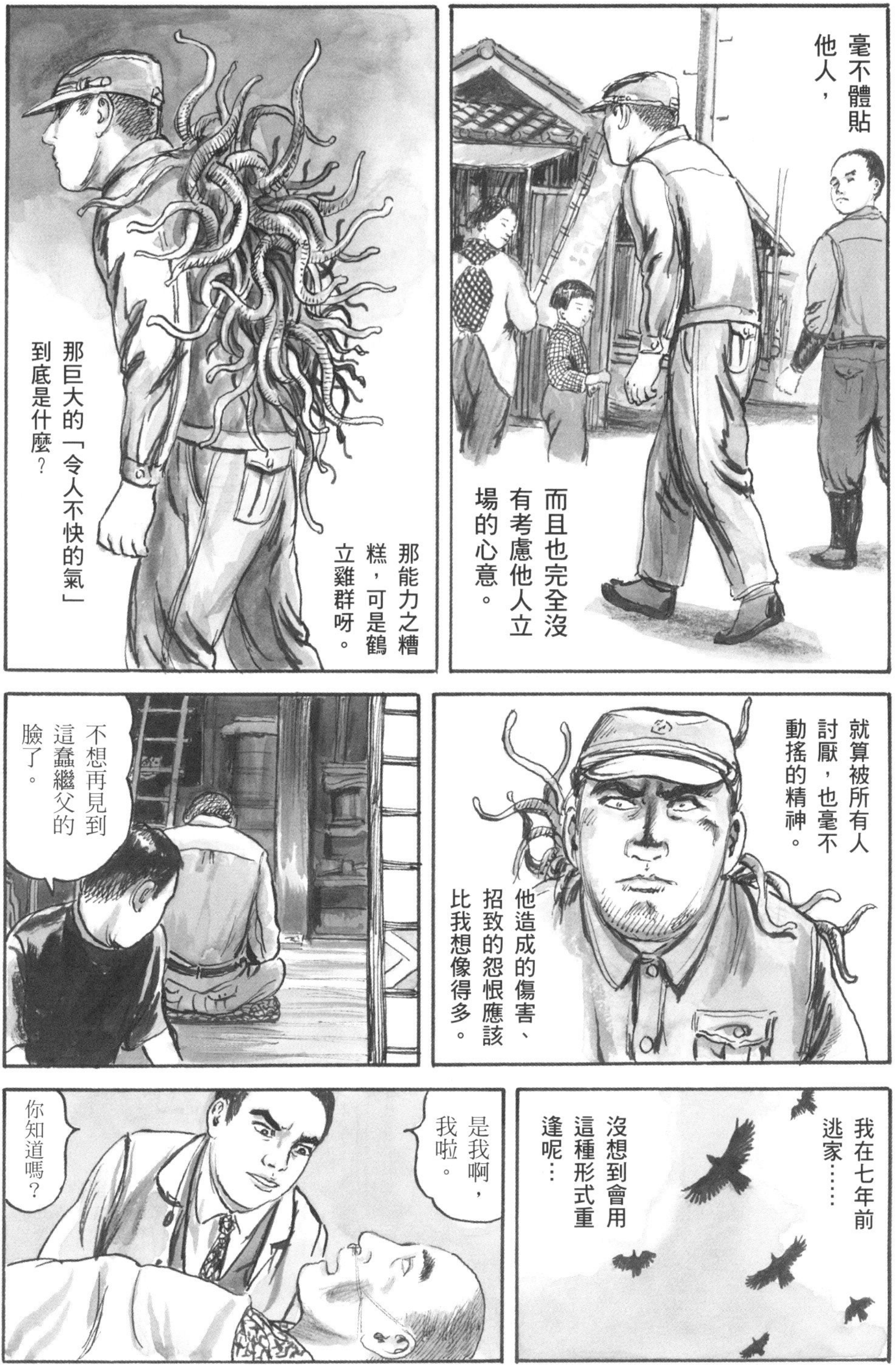

毫不體貼他人，
而且也完全沒有考慮他人立場的心意。
那能力之糟糕，可是鶴立雞群呀。
那巨大的「令人不快的氣」到底是什麼？
就算被所有人討厭，也毫不動搖的精神。
他造成的傷害、招致的怨恨應該比我想像得多。
不想再見到這蠢繼父的臉了。
我在七年前逃家……
沒想到會用這種形式重逢呢……
是我啊，我啦。
你知道嗎？

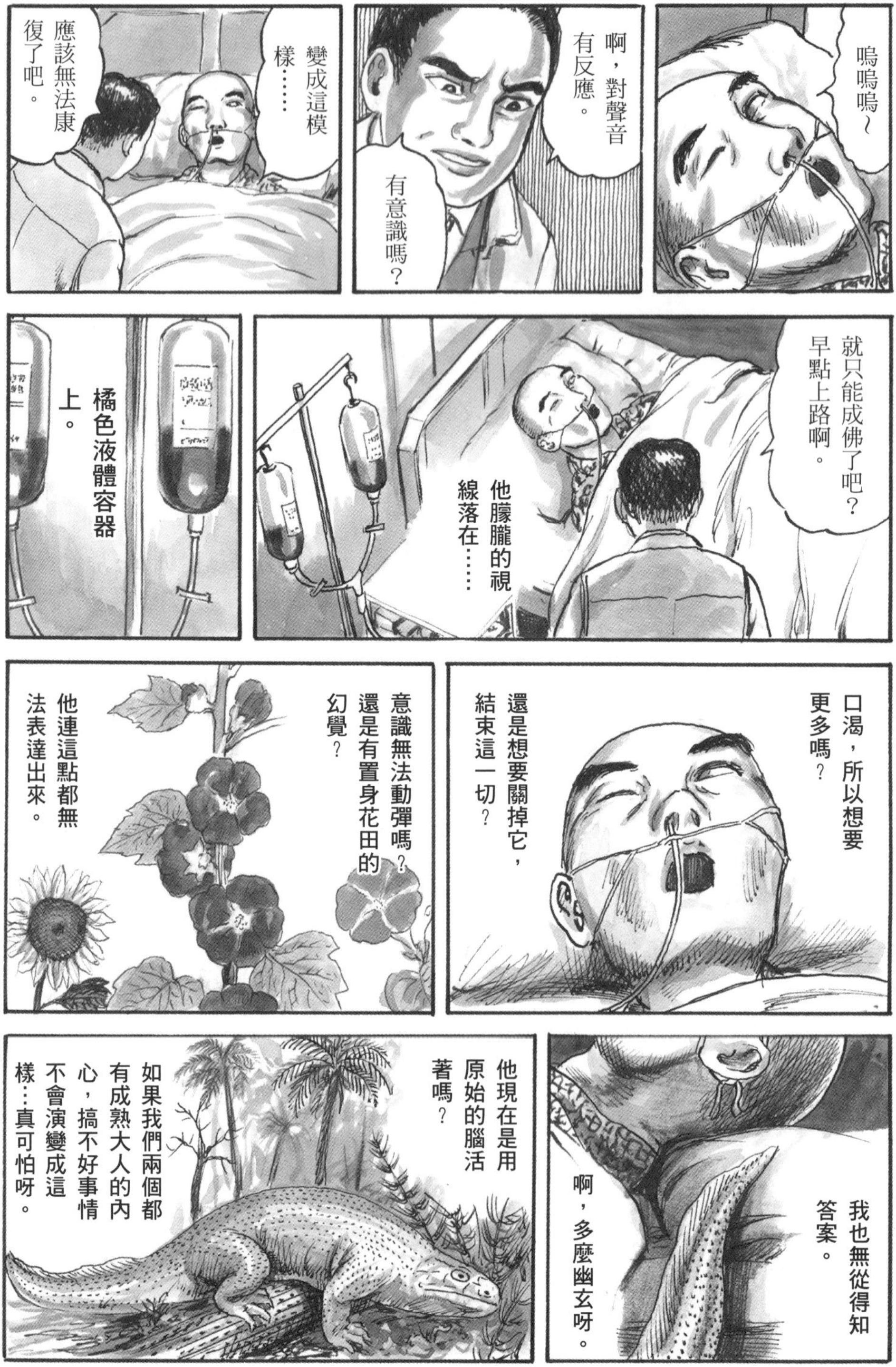
嗚嗚嗚～
啊，對聲音有反應。
有意識嗎？
變成這樣……
應該無法康復了吧。
就只能成佛了吧？早點上路啊。
他朦朧的視線落在……
橘色液體容器上。
口渴，所以想要更多嗎？
還是想要關掉它，結束這一切？
意識無法動彈嗎？還是有置身花田的幻覺？
他連這點都無法表達出來。
我也無從得知答案。
啊，多麼幽玄呀。
他現在是用原始的腦活著嗎？
如果我們兩個都有成熟大人的內心，搞不好事情不會演變成這樣…真可怕呀。

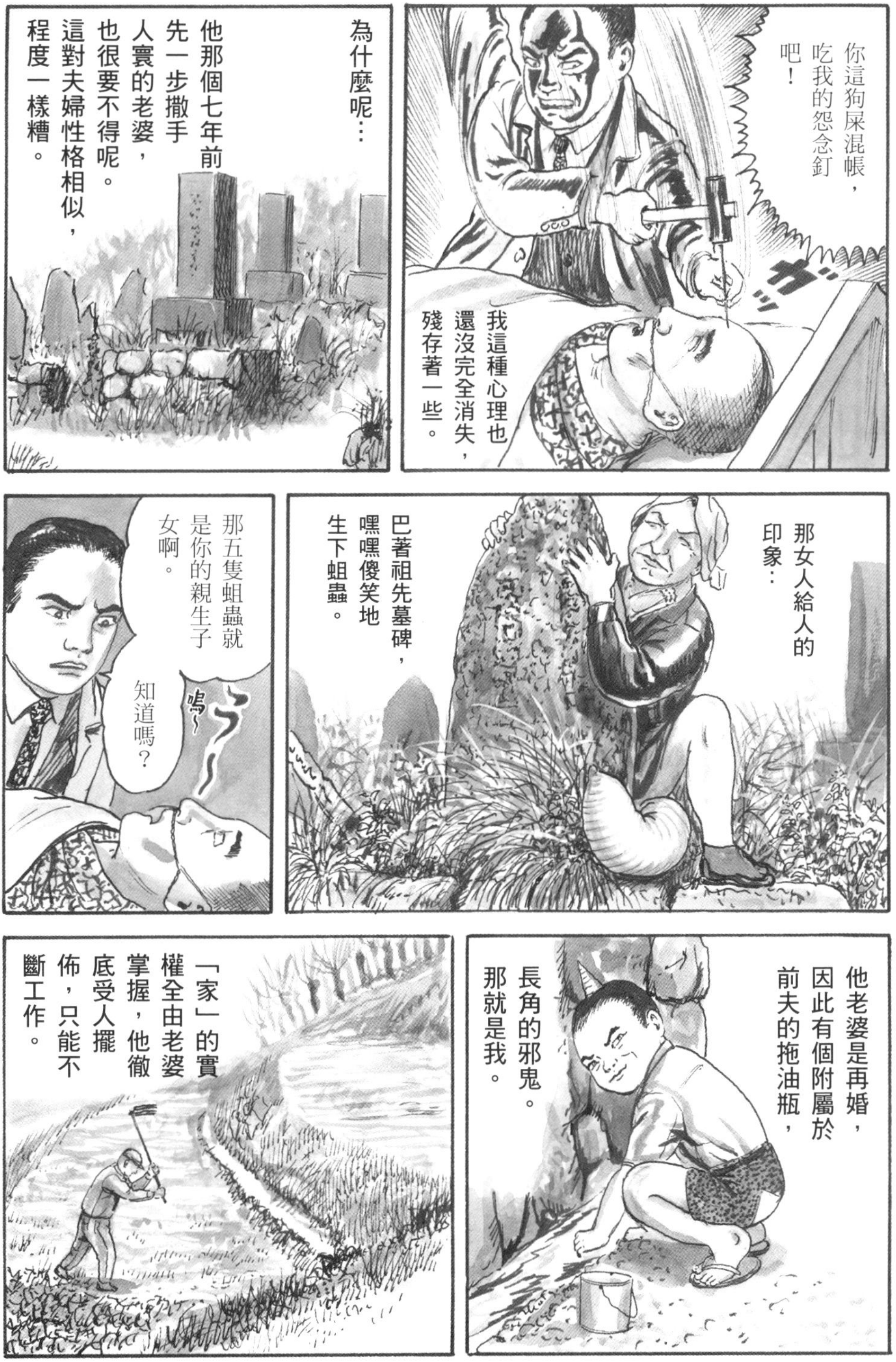
你這狗屎混帳，吃我的怨念釘吧！
喀
我這種心理也還沒完全消失，殘存著一些。
為什麼呢……
他那個七年前先一步撒手人寰的老婆，也很要不得呢。
這對夫婦性格相似，程度一樣糟。
那女人給人的印象……
巴著祖先墓碑，嘿嘿傻笑地生下蛆蟲。
那五隻蛆蟲就是你的親生子女啊。
知道嗎？
嗚~
他老婆是再婚，因此有個附屬於前夫的拖油瓶，
長角的邪鬼，那就是我。
「家」的實權全由老婆掌握，他徹底受人擺佈，只能不斷工作。

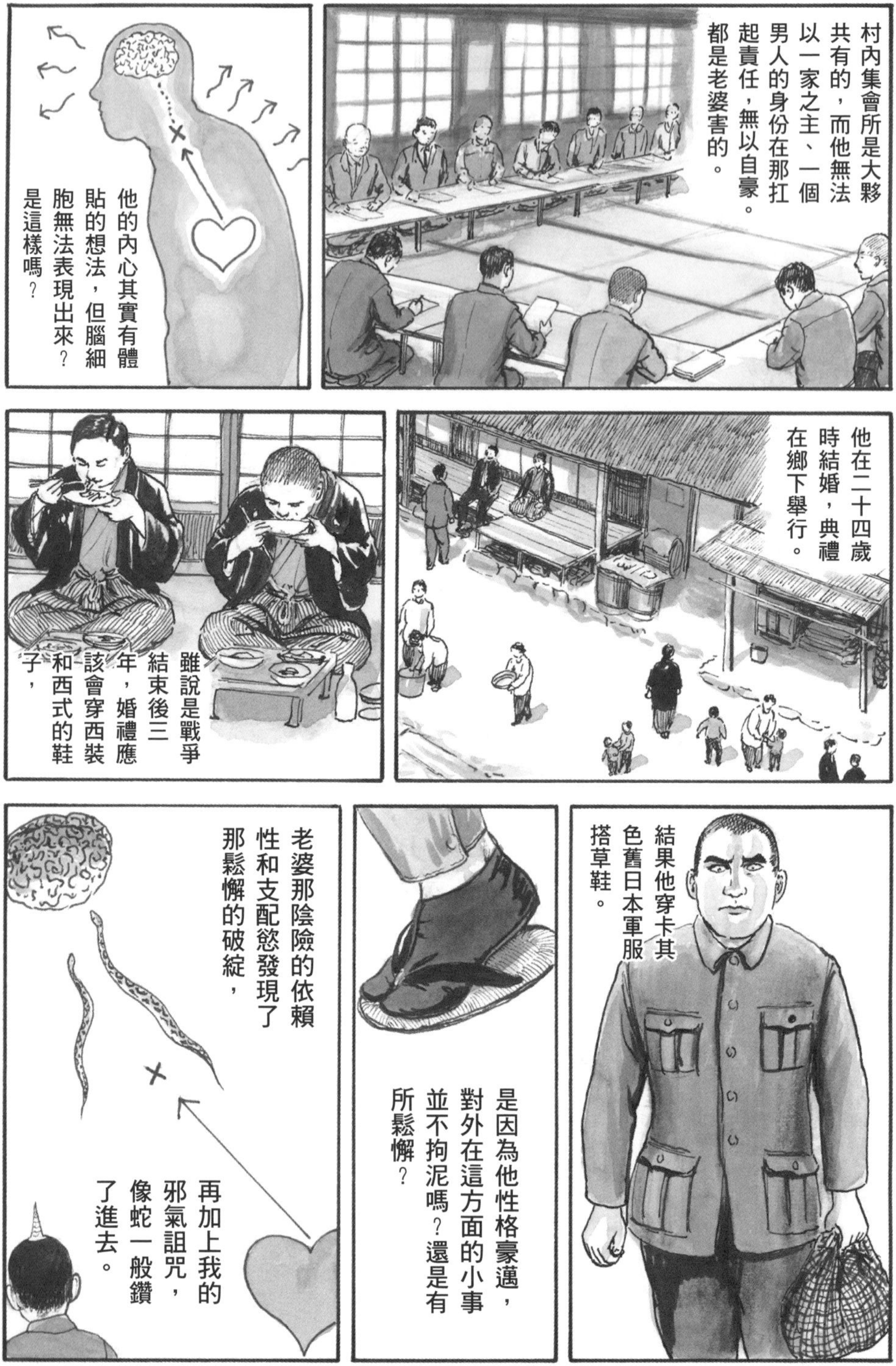

村內集會所是大夥共有的，而他無法以一家之主、一個男人的身份在那扛起責任，無以自豪。都是老婆害的。
他的內心其實有體貼的想法，但腦細胞無法表現出來？是這樣嗎？
他在二十四歲時結婚，典禮在鄉下舉行。
雖說是戰爭結束後三年，婚禮應該會穿西裝和西式的鞋子，
結果他穿卡其色舊日本軍服搭草鞋。
是因為他性格豪邁，對外在這方面的小事並不拘泥嗎？還是有所鬆懈？
老婆那陰險的依賴性和支配慾發現了那鬆懈的破綻，
再加上我的邪氣詛咒，像蛇一般鑽了進去。

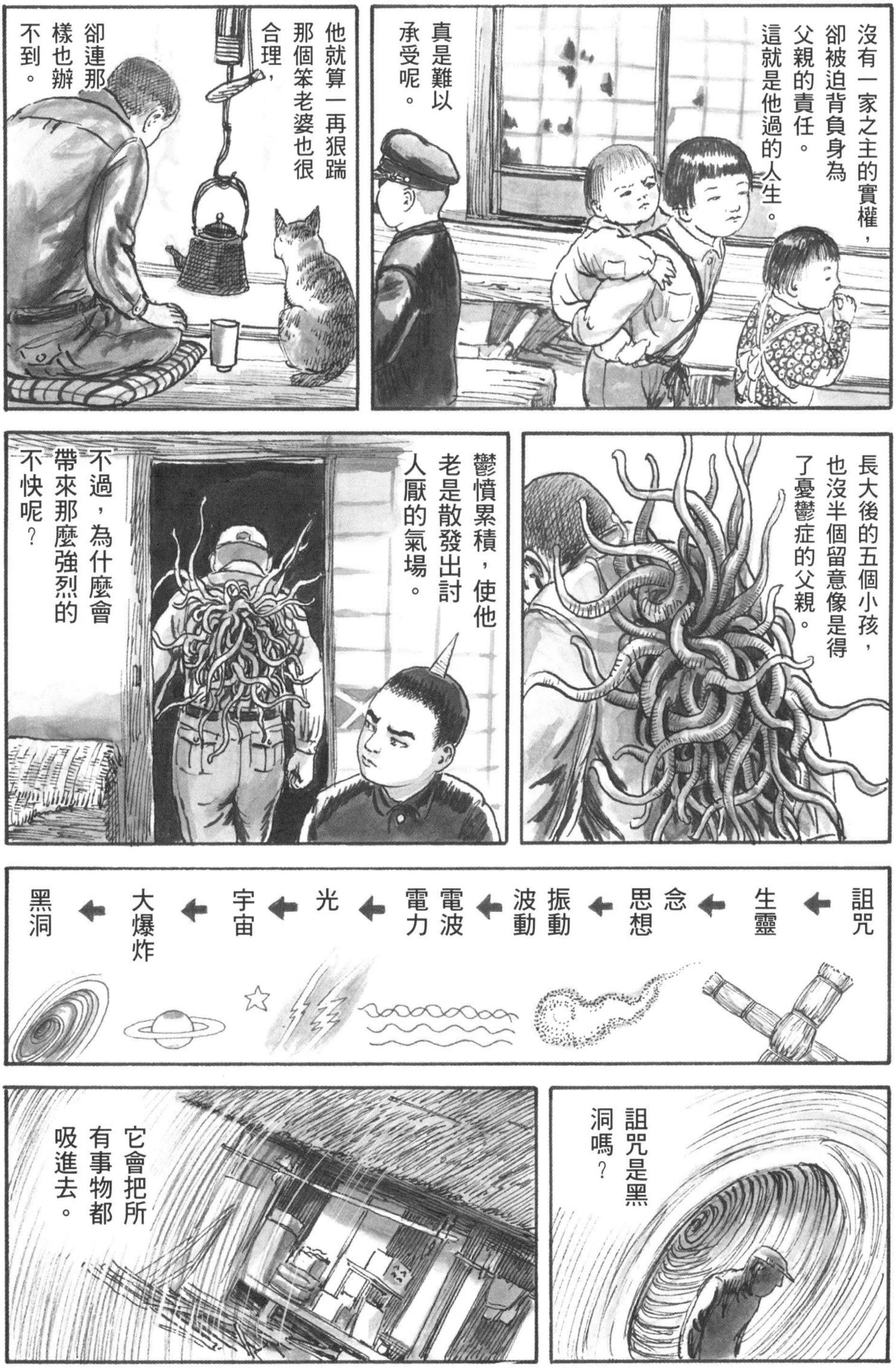
沒有一家之主的實權，卻被迫背負身為父親的責任。這就是他過的人生。
真是難以承受呢。
他就算一再狠踹那個笨老婆也很合理，
卻連那樣也辦不到。
長大後的五個小孩，也沒半個留意像是得了憂鬱症的父親。
鬱憤累積，使他老是散發出討人厭的氣場。
不過，為什麼會帶來那麼強烈的不快呢？
詛咒
生靈
念
思想
振動
波動
電波
電力
光
宇宙
大爆炸
黑洞
詛咒是黑洞嗎？
它會把所有事物都吸進去。

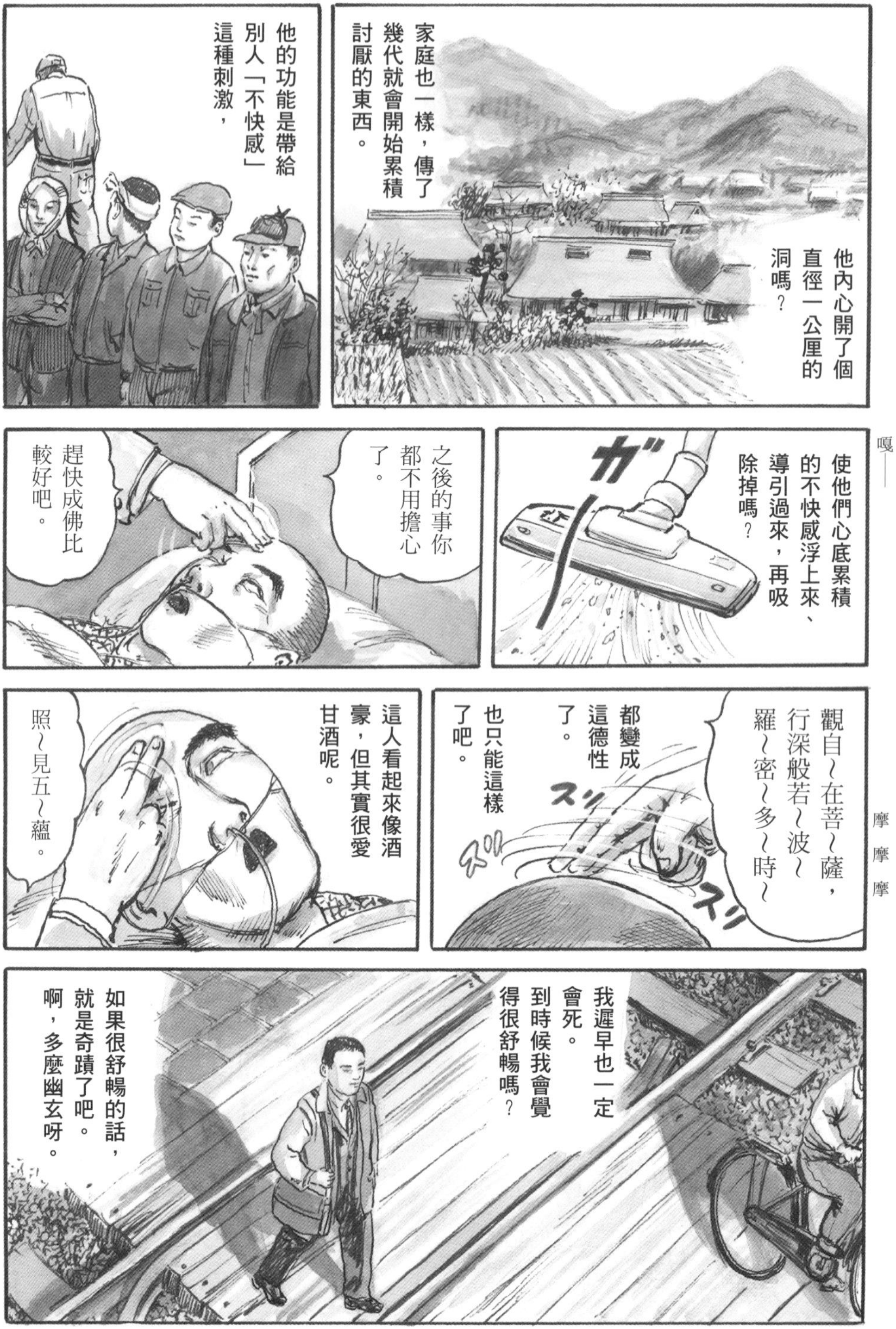

他內心開了個直徑一公厘的洞嗎？
家庭也一樣，傳了幾代就會開始累積討厭的東西。
他的功能是帶給別人「不快感」這種刺激，
使他們心底累積的不快感浮上來、導引過來，再吸除掉嗎？
嘎——
ガー
之後的事你都不用擔心了。
趕快成佛比較好吧。
觀自～在菩～薩，行深般若～波～羅～密～多～時～
摩摩摩
都變成這德性了。
也只能這樣了吧。
這人看起來像酒豪，但其實很愛甘酒呢。
照～見五～蘊。
我遲早也一定會死。
到時候我會覺得很舒暢嗎？
如果很舒暢的話，就是奇蹟了吧。
啊，多麼幽玄呀。

殖民地

しょくみんち

地平線另一頭，是還沒有人到過的未知世界。
那裡到底有什麼呢？

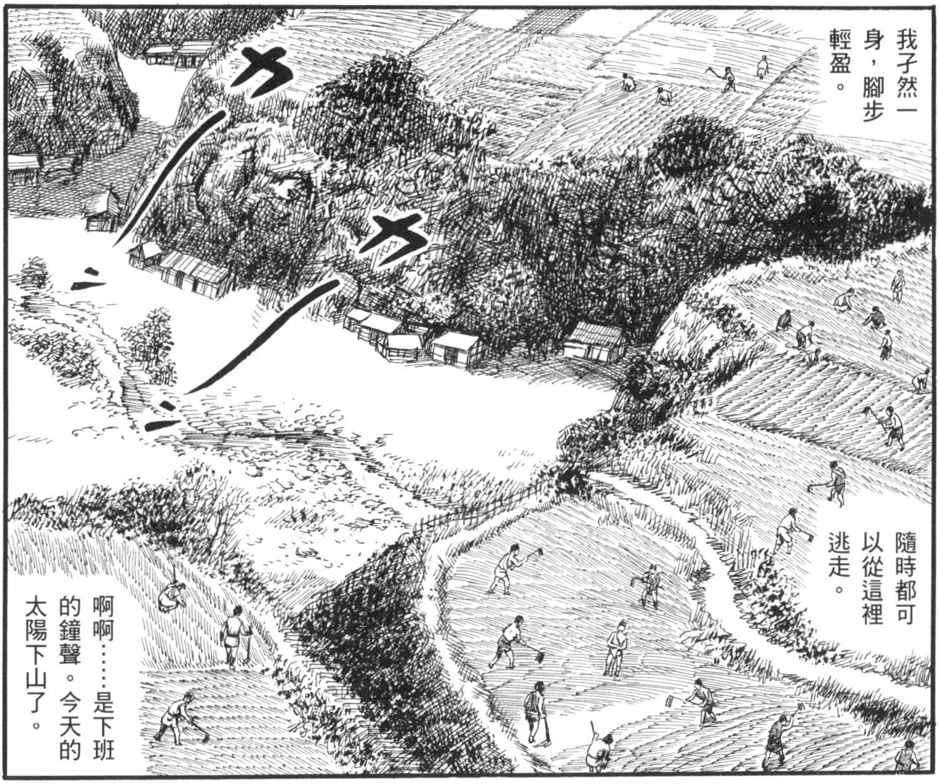
噹——噹——
我孑然一身，腳步輕盈。
隨時都可以從這裡逃走。
啊啊……是下班的鐘聲。今天的太陽下山了。

每天的生活一再反覆。
大家的言行舉止沒有表現出來，但每個人都已經到極限了。
我們需要祭典。
只有祭典的日子可以喝酒，可以盡情解放、好好喘口氣。
大家都期待著祭典。
祭典需要英雄。
沒有英雄出現，就不會有祭典。

為了仔細確認自己有多幸福，
我們會將哭喊的英雄吞下肚。過程拉得越長，場面越是淒慘，祭典的氣氛就會越熱烈。
已經十年沒有舉辦祭典了。大家都到達極限了。
十年前，我差點就能成為榮譽民了。
隔壁的岩吉和母親一起住。
他每天都將配給的穀物省一點下來，
於是邀我找機會逃離這裡⋯⋯
但我遲遲無法下定決心。

還是當榮譽民好！
我好不容易下定決心，跑向裂縫大人那裡，結果……
我有事要鄭重向裂縫大人稟告。
那是！
水車房的久留美。
被她搶先一步了。
岩吉母子在天花板內側偷藏逃亡用的食物……
裂縫大人認定久留美一家為榮譽民，
他們於是在榮譽岩上欣賞祭典，似乎無比開懷。
隔天，久留美一家便搬進了丘塔內，他們可以在那裡一輩子玩耍過活。

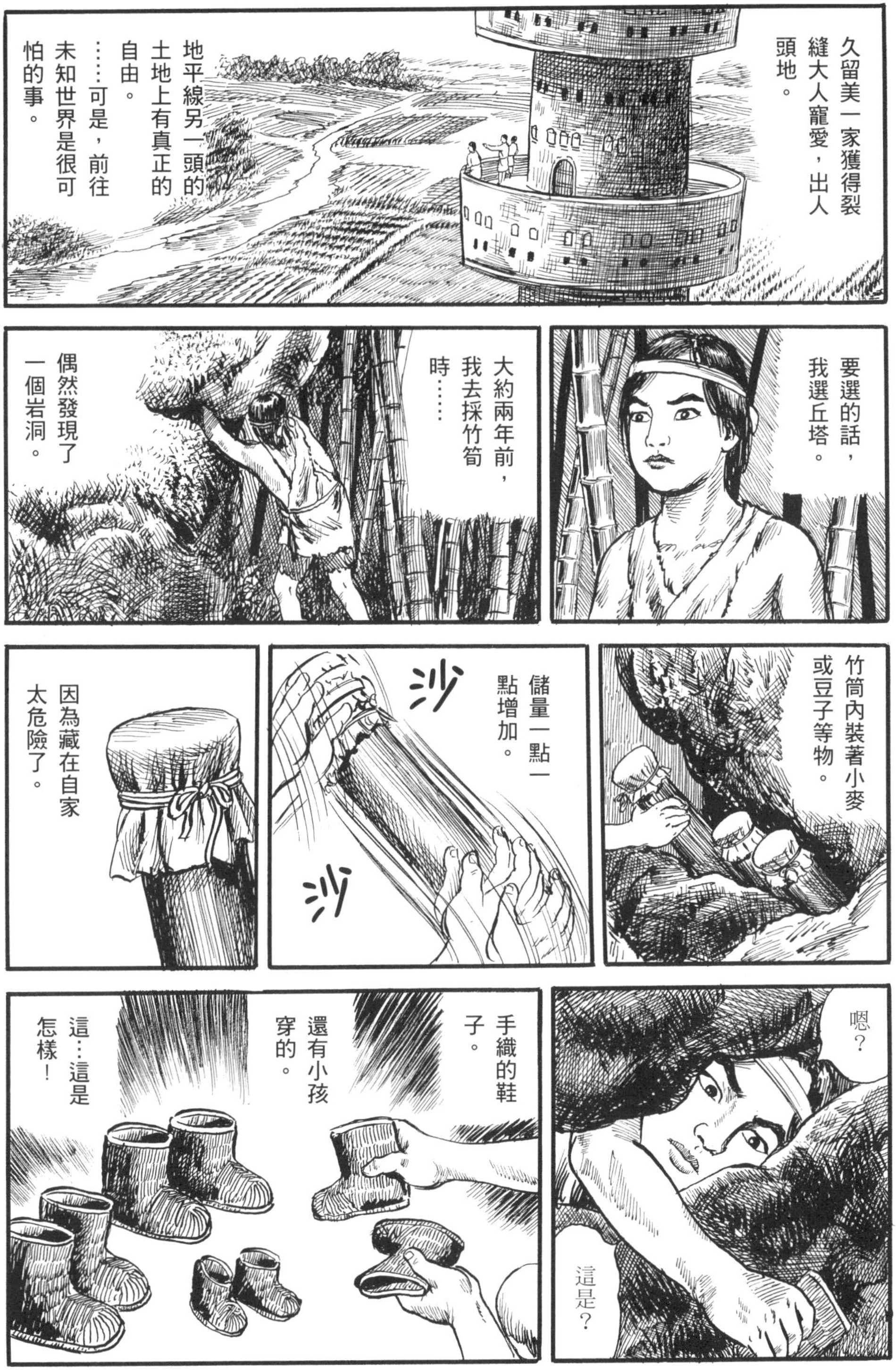
久留美一家獲得裂縫大人寵愛，出人頭地。
地平線另一頭的土地上有真正的自由。……可是，前往未知世界是很可怕的事。
要選的話，我選丘塔。
大約兩年前，我去採竹筍時……
偶然發現了一個岩洞。
竹筒內裝著小麥或豆子等物。
儲量一點一點增加。
沙
沙
因為藏在自家太危險了。
嗯？
這是？
手織的鞋子。
還有小孩穿的。
這…這是怎樣！

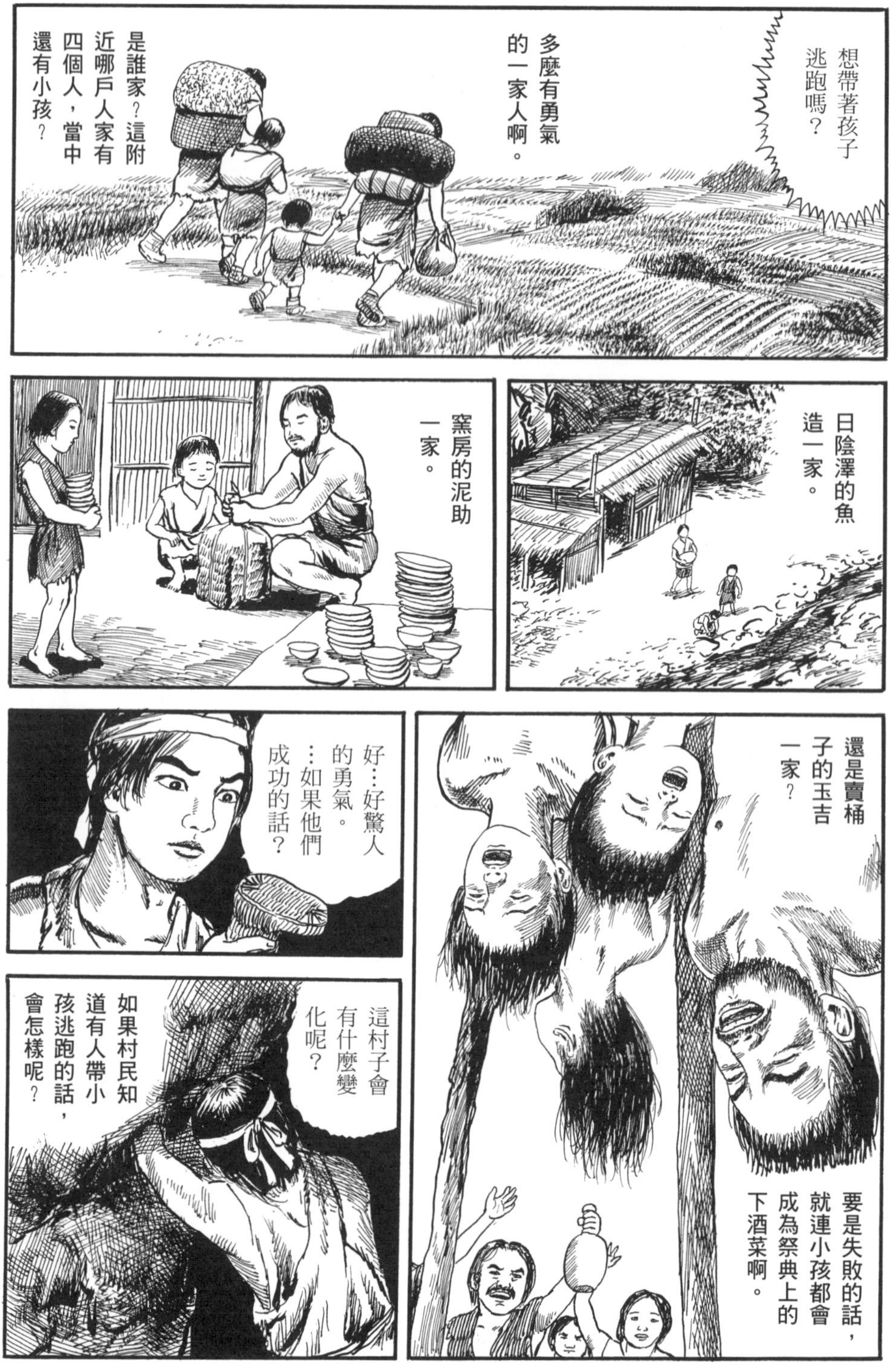
想帶著孩子逃跑嗎？
多麼有勇氣的一家人啊。
是誰家？這附近哪戶人家有四個人，當中還有小孩？
日陰澤的魚造一家。
窯房的泥助一家。
還是賣桶子的玉吉一家？
要是失敗的話，就連小孩都會成為祭典上的下酒菜啊。
好…好驚人的勇氣。…如果他們成功的話？
這村子會有什麼變化呢？
如果村民知道有人帶小孩逃跑的話，會怎樣呢？

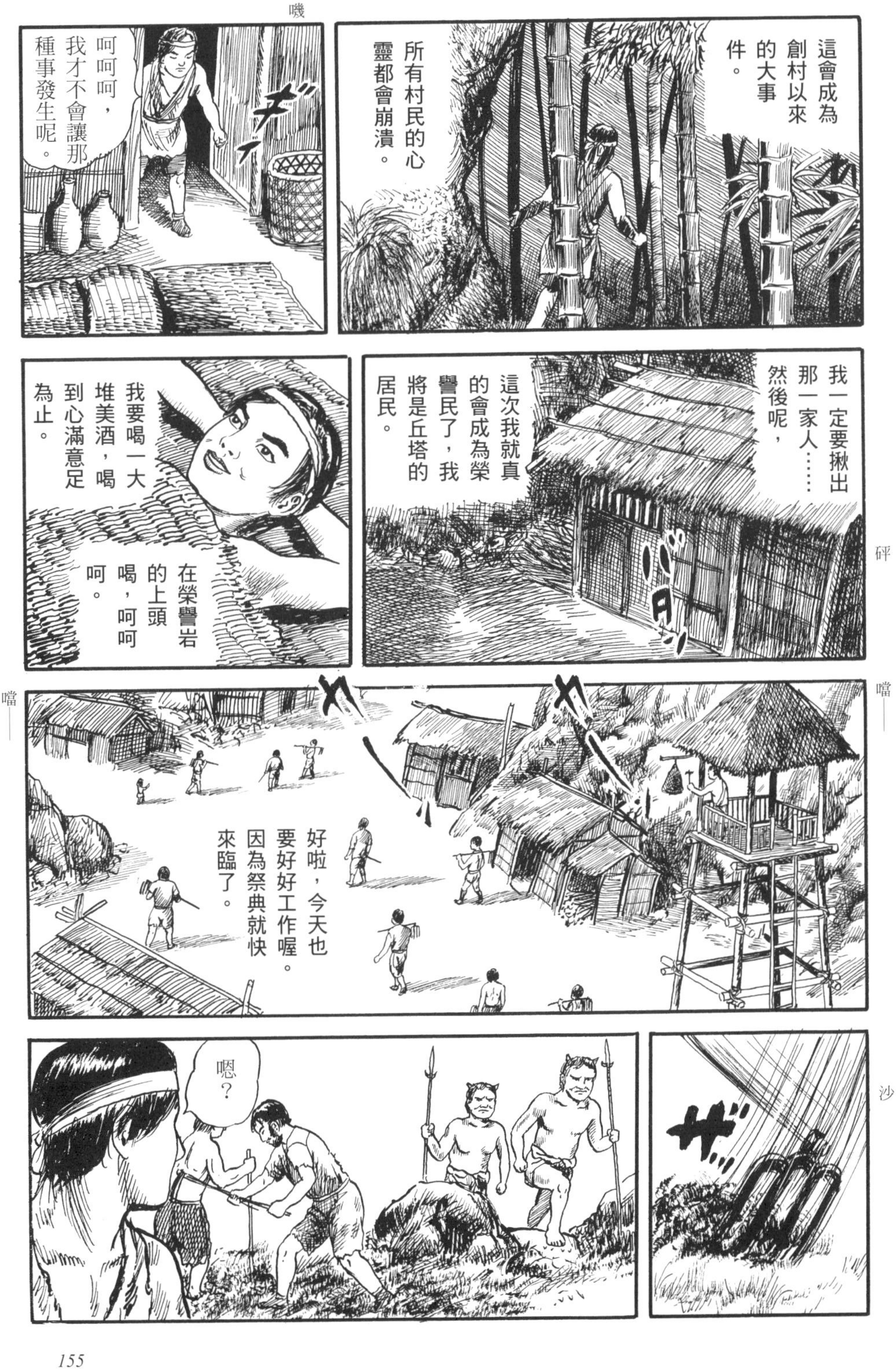
嘰
這會成為創村以來的大事件。
所有村民的心靈都會崩潰。
呵呵呵，我才不會讓那種事發生呢。
我一定要揪出那一家人……然後呢，
這次我就真的會成為榮譽民了，我將是丘塔的居民。
砰
我要喝一大堆美酒，喝到心滿意足為止。
在榮譽岩的上頭喝，呵呵呵。
噹——
噹——
好啦，今天也要好好工作喔。因為祭典就快來臨了。
沙
嗯？

喂，你過來一下。
咦？
你最近似乎老是在半夜往竹林跑呢。
這事大家都知道喔。
不……不是的！
不是我！你們搞錯人了！
太好了！
祭典！酒！
總算等到啦！
原來是賣桶子的玉吉一家啊。
上啊！上啊！
讚啦！

地球

ちきゅう

從前從前，富貴又信仰虔誠的人在臨終時，
會有一條線將他和佛畫裡的佛祖連結起來，
在那線的引導下，
他會毫無迷惘地往生極樂。

二〇二二年春天，天空真實教長年等待的真實船終於出現，來教團後山接他們了。
眾人眼睜睜看著彩虹般放出美麗光芒的真實船逐漸下降，放下一條拉繩。

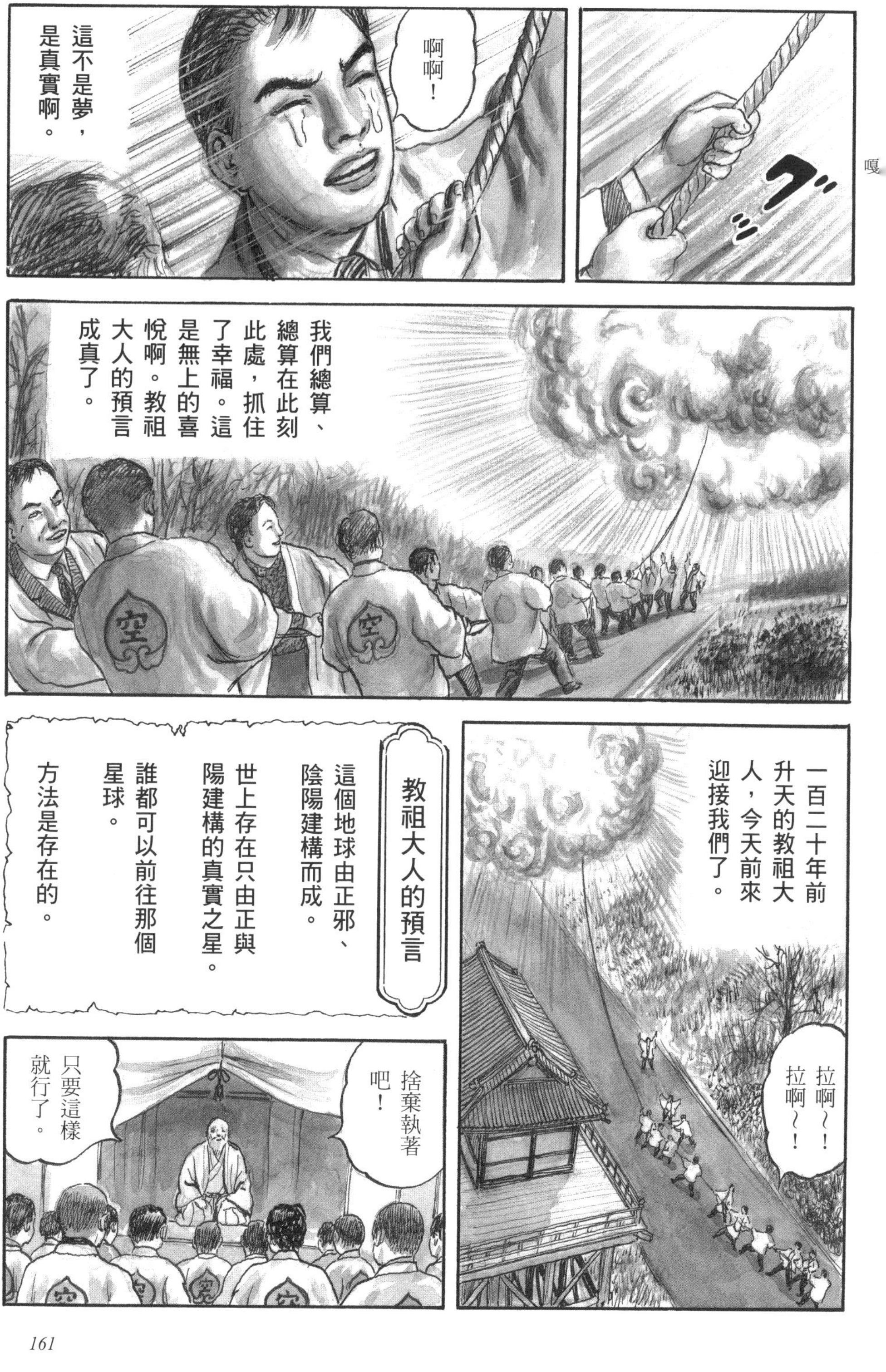
啊啊！
這不是夢，是真實啊。
嘎
我們總算、總算在此刻此處，抓住了幸福。這是無上的喜悅啊。教祖大人的預言成真了。
一百二十年前升天的教祖大人，今天前來迎接我們了。
拉啊～！拉啊～！
教祖大人的預言
這個地球由正邪、陰陽建構而成。
世上存在只由正與陰陽建構的真實之星。
誰都可以前往那個星球。
方法是存在的。
捨棄執著吧！
只要這樣就行了。

地球上，幸福的人只有0.7％。
其他人都很不幸，忍耐過完一生。因為這個地球是錯誤的星球。
只有正和陽建構出的星球，
跨越時空後馬上就能抵達。
只要捨棄執著，就可在有生之年，
前往那個真實、幸福的星球。
我不久後就要高升到那裡去了，
不過等到大家都捨棄執著時，我會乘著光雲，
前來迎接各位。
教祖大人！

再一下就到昇天殿了。
拉啊～拉啊～
咻ー
咻ー
繩子被風吹晃了喔。
抓緊啊！
不可以放手喔～
沙…沙沙
ズ…ズズ
喀
ドスッ
ガッ
嗚嗚！
咚

啊啊！有人放手！
好不容易才抓住的幸福啊。
才被風吹一下，信仰竟然就產生了動搖！
放手～！
快點～
刻不容緩啊！
趕快放手～！
叫人放手，
就跟要人捨棄信仰沒兩樣不是嗎？
這是執著！他們對汙穢的地球還有執著。
我們正在被篩選，有人會被剔除。
並不是所有信徒都會得救。
心靈世界真是嚴苛啊。
快點放手～！
快點，快點～！
啊啊，我一直都深信，
宗教和信仰的世界是不會有失誤、故障或意外的。

…不過我們教團又如何呢？
並沒有漫長的歷史和實績吧。
我現在明白了。
沒我的份啊。
這艘船失控了啊。
這是故障吧。
啊啊！繩子！繩子要斷啦！
劈
劈哩哩…
誰快主動放手吧！
不要放手～！
牢牢抓緊啊～！
我會祈禱你得救。
…怎麼這麼說。
救贖沒我的份啊。
那我先走了。

嚓
ブチッ
哇啊～！斷掉啦～！
啊啊！大家都被淘汰掉了嗎？
也就是說，我在教團之中，最有忍耐力，信仰最堅定嗎？
ウギャー
嗚嘎～
…可是，如果這艘船就這樣飛，不降落到地上的話…
沙…沙沙
代表我對這條繩子的執著最強囉？
我到底是有信仰？還是執著太深？
我會得救嗎？還是不會得救？
我是正確的嗎？還是錯誤的？
嗚嗚～！好…好可怕！我被搞迷糊了。
船被風越吹越高，完全沒有準備要降落到地面的氣息。
到底有沒有救啦～～～！

盂蘭盆蟲

おぼんむし

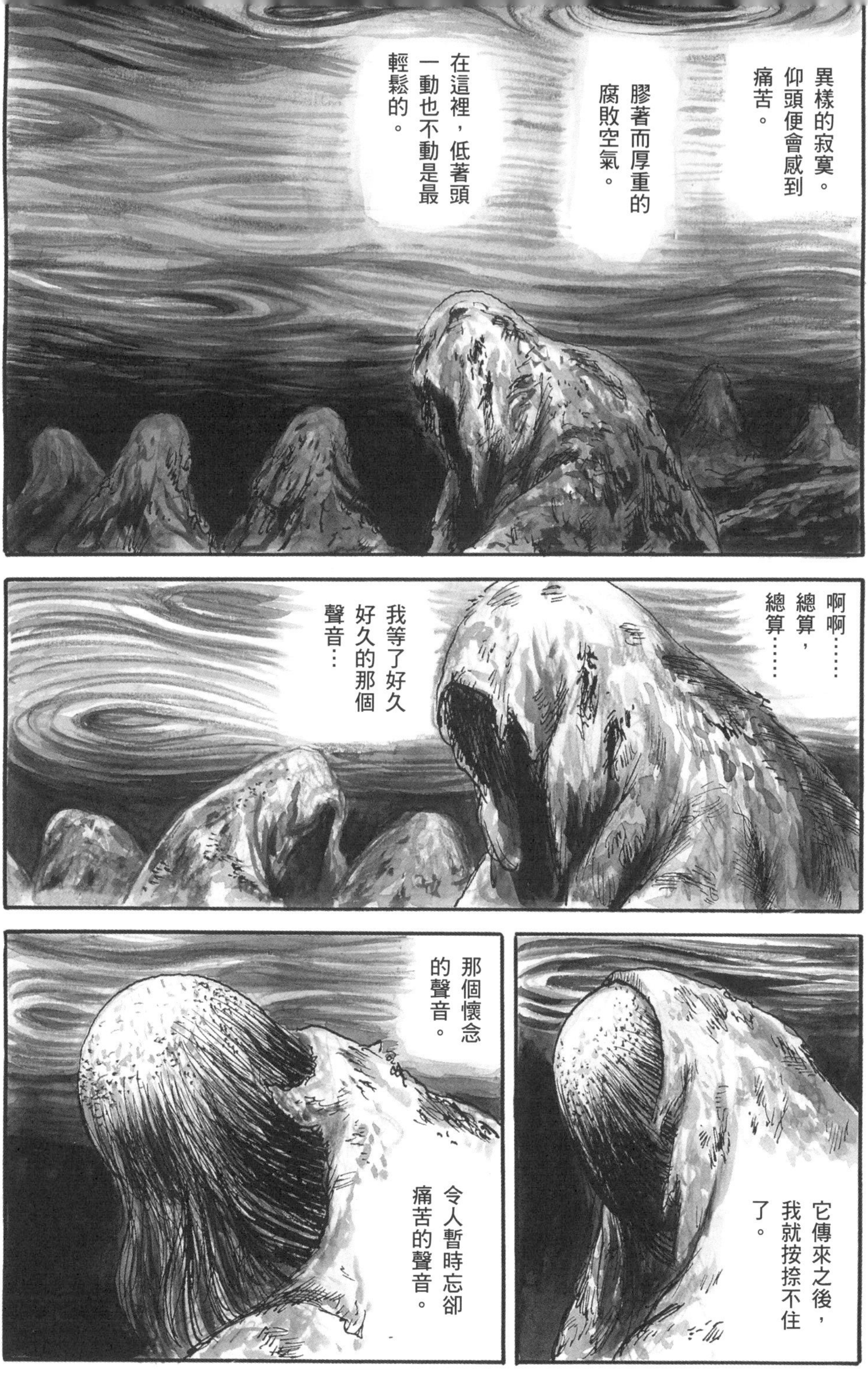
異樣的寂寞。仰頭便會感到痛苦。
膠著而厚重的腐敗空氣。
在這裡，低著頭一動也不動是最輕鬆的。
啊啊……總算，總算……
我等了好久好久的那個聲音…
那個懷念的聲音。
令人暫時忘卻痛苦的聲音。
它傳來之後，我就按捺不住了。

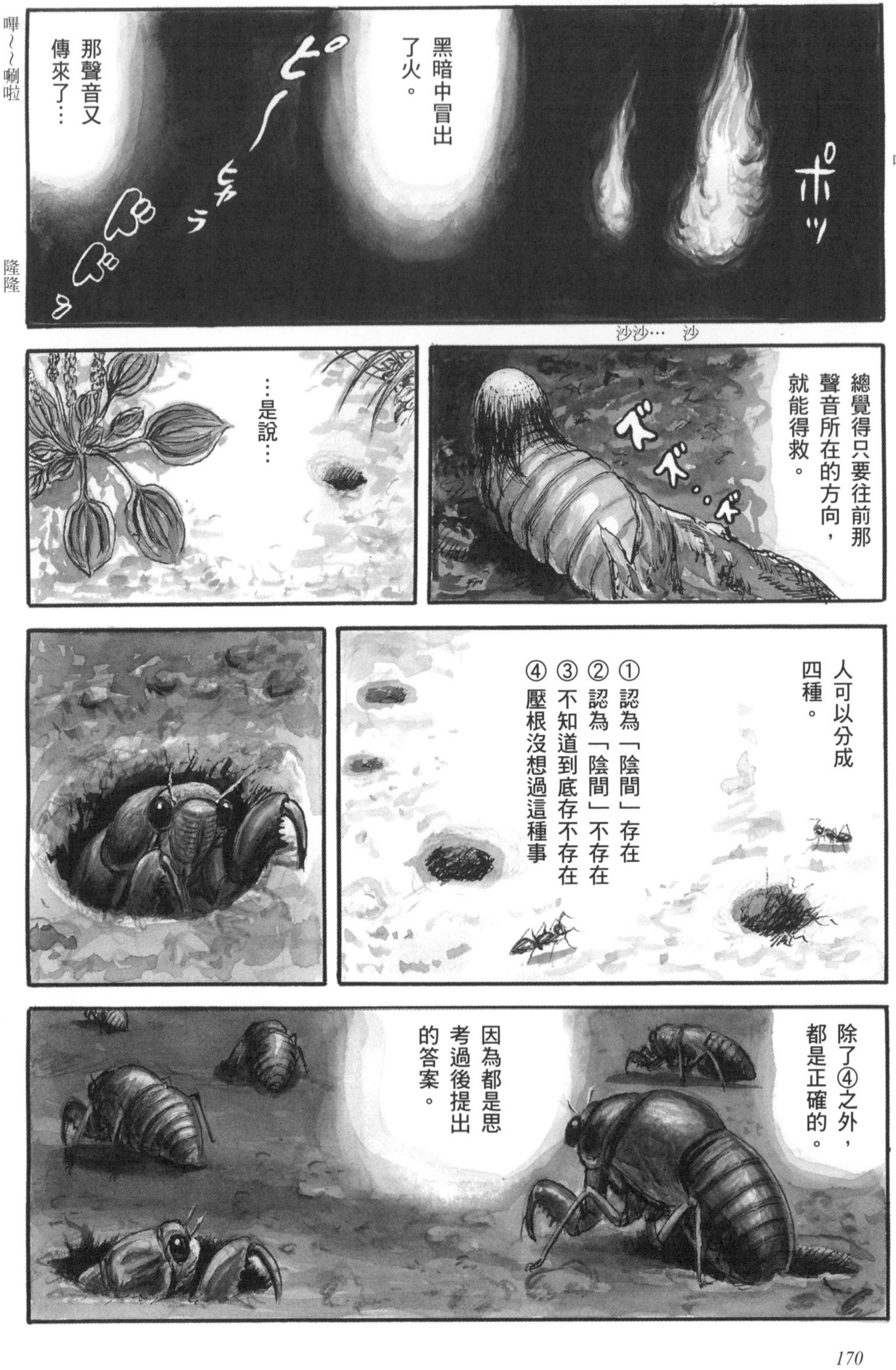
ポッ
啵
黑暗中冒出了火。
那聲音又傳來了…
嗶～～唰啦
隆隆
沙沙… 沙
總覺得只要往前那聲音所在的方向，就能得救。
…是說…
人可以分成四種。
①認為「陰間」存在
②認為「陰間」不存在
③不知道到底存不存在
④壓根沒想過這種事
除了④之外，都是正確的。
因為都是思考過後提出的答案。

認為「存在」的人，死後也真的會來到如他所想的陰間，
而認為「不存在」的人，會像是無夢地熟睡著，完全沒有意識。
「不知道」的人，死後也還是不知道，這並不成問題，可以接受。
有問題的是④，壓根不曾想過的人。
這種人也真的存在。
那麼，我們來看看④的例子，A子小姐吧。
但我們能說他這樣不會有問題嗎？
六十二歲時，她的意識在醫院病床上飄遠，最後的念頭是：
「嗯？…啊？」

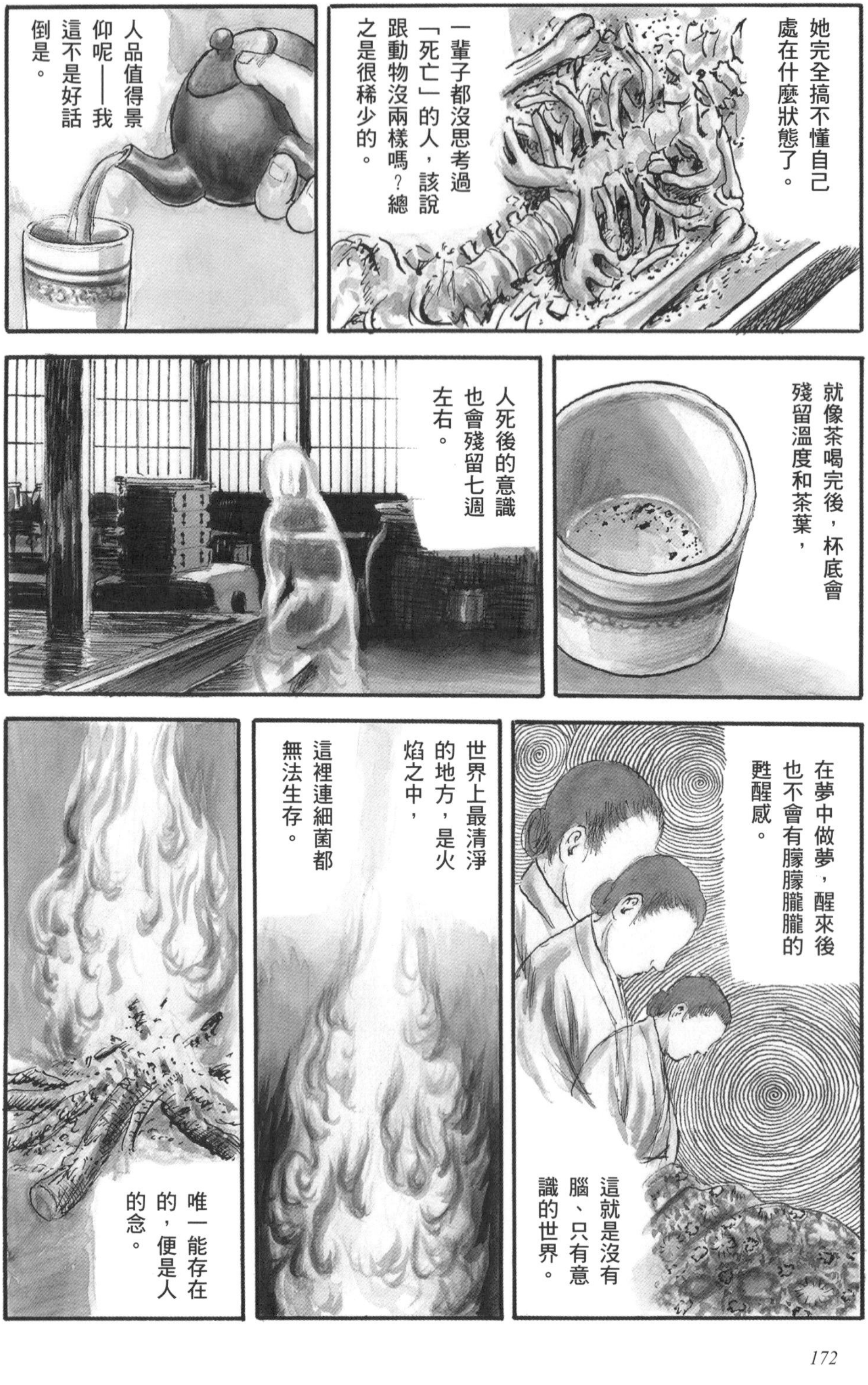
她完全搞不懂自己處在什麼狀態了。
一輩子都沒思考過「死亡」的人，該說跟動物沒兩樣嗎？總之是很稀少的。
人品值得景仰呢——我這不是好話倒是。
就像茶喝完後，杯底會殘留溫度和茶葉，
人死後的意識也會殘留七週左右。
在夢中做夢，醒來後也不會有朦朦朧朧的甦醒感。
這就是沒有腦、只有意識的世界。
世界上最清淨的地方，是火焰之中，
這裡連細菌都無法生存。
唯一能存在的，便是人的念。

生前從來不曾思考「死亡」的A子小姐，看待他者的方式也一樣。
她根本不在乎別人，只重視自己。
ドン
ドン
ピーヒャラ
因此她的背沒燒掉，剩了下來。
念或怨念多數累積，會變成很要命的東西。
它會飛過來，像最容易沾黏的透明煤焦油那樣吸附在人的背上。
只有「念」是燒不掉的，因此背會殘留下來。
生前，她對土地的執著極為強烈，度過了備受憎恨、汙衊的人生。
一招再招，招了又招。
——我是說怨恨——
ムクムクムク

嗶～～喇啦

腫脹

諷刺的是，她在生前執著的那片土地……
的一角，年年聽著盂蘭盆舞聲遠去，
年年在固定的地方被車輾過。
…而明年，這事也會重演。
她搞不懂自己是死了還是沒死。
由於從未動腦思考過「陰間」存在與否，
她永遠無從得知：自己劇烈的痛苦其實是源自黏附詛咒、沒有燒盡的背部。

隆隆

たるしるたま

芝族珠

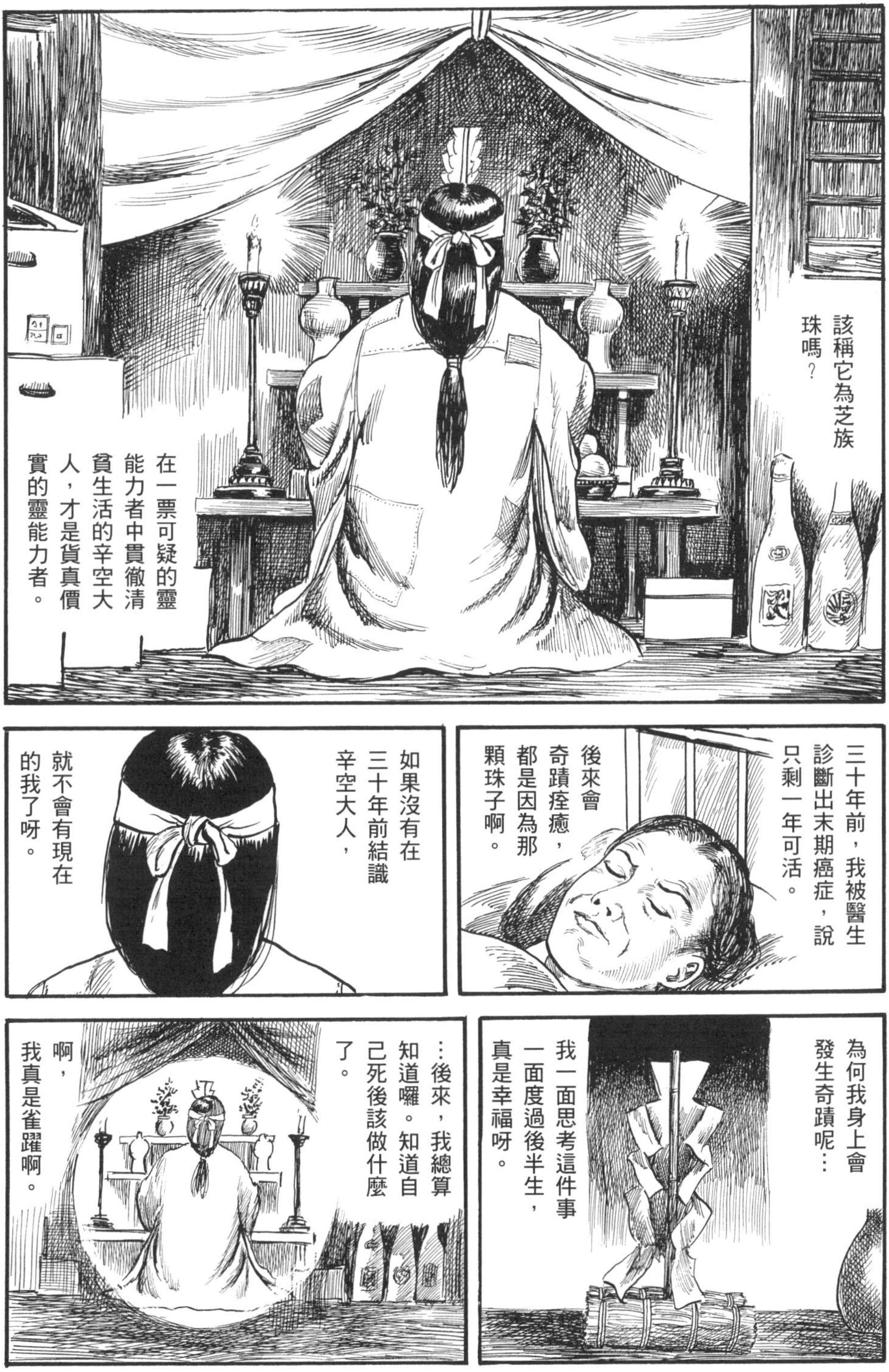
該稱它為芝族珠嗎？
在一票可疑的靈能力者中貫徹清貧生活的辛空大人，才是貨真價實的靈能力者。
三十年前，我被醫生診斷出末期癌症，說只剩一年可活。
後來會奇蹟痊癒，都是因為那顆珠子啊。
如果沒有在三十年前結識辛空大人，
就不會有現在的我了呀。
為何我身上會發生奇蹟呢……
我一面思考這件事一面度過後半生，真是幸福呀。
……後來，我總算知道囉。知道自己死後該做什麼了。
啊，我真是雀躍啊。

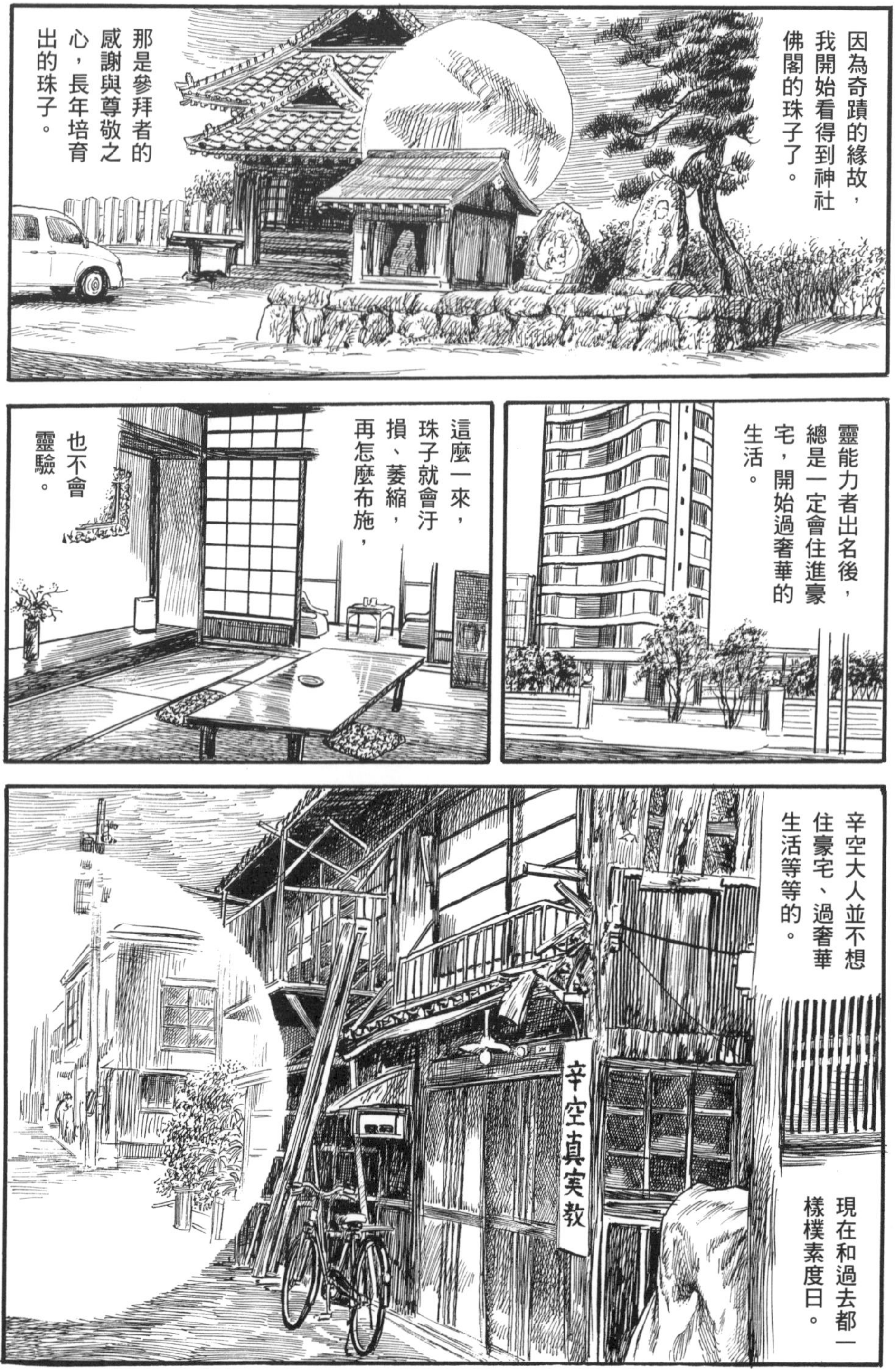
因為奇蹟的緣故，我開始看得到神社佛閣的珠子了。
那是參拜者的感謝與尊敬之心，長年培育出的珠子。
靈能力者出名後，總是一定會住進豪宅，開始過奢華的生活。
這麼一來，珠子就會汙損、萎縮，再怎麼布施，
也不會靈驗。
辛空大人並不想住豪宅、過奢華生活等等的。
辛空真実教
現在和過去都一樣樸素度日。

我這三十年，每天都真的過得很充實。
三十年後的現在，我還像現在這樣患病，但還是真的很開心呢。
因為，捨棄這沉重肉體的那一天總算快到了。
我很清楚，辛空大人每天都在為我祈禱。
辛空真実教
真是感謝呢。
……不過，我已經不希望奇蹟發生了。
辛空真実
我要去芝族珠那裡。
啊啊，好想趕快進入那個芝族珠。
讓珠更大、更強，好保護辛空大人。
我要回報他一直以來的大恩啊。

靈能力者被媒體報導、出名後，客群就會產生變化。
藝人、名人、財經人士、政治家等等的都會跑來。
辛空大人不會輕忽窮人、獨尊富人。
窮人的怨恨是很深的啊，因為他們每天都吃粗茶淡飯，只能忍耐。
大富翁一生病就會求助名醫。
他們求助靈能力者，是為了毀掉敵人，使他們失勢。
哎，簡單說就是詛咒呢。
他們既然有治病、使人活命的能力，
反過來說，當然有令人患病、搞垮對方的能力啊。
祈願如果有問題，自己也會遭到報應。
這是靠「靈」做生意、討生活者的宿命啊。

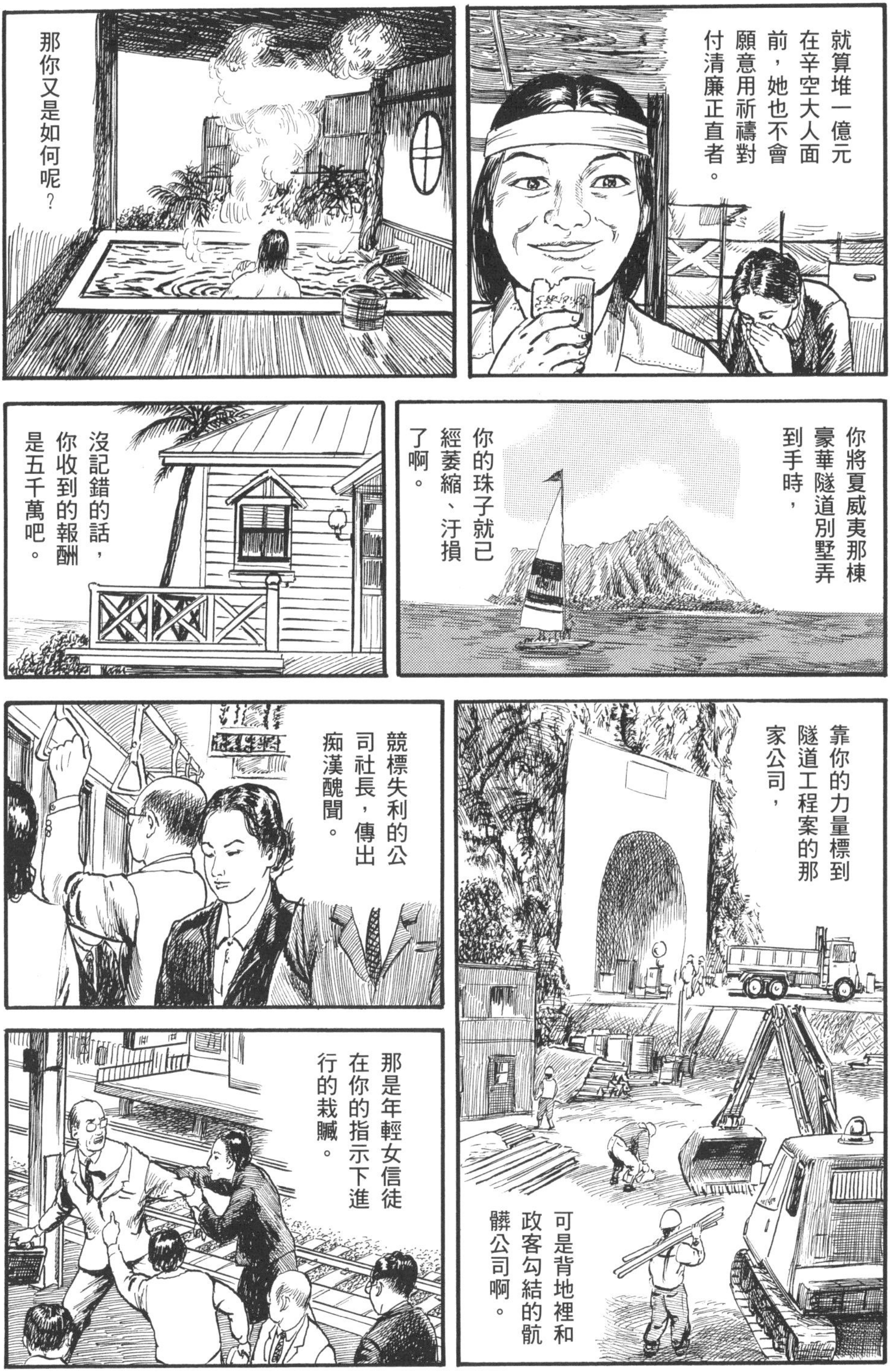
就算堆一億元
在辛空大人面
前，她也不會
願意用祈禱對
付清廉正直者。
那你又是如何呢？
你將夏威夷那棟
豪華隧道別墅弄
到手時，
你的珠子就已
經萎縮、汙損
了啊。
沒記錯的話，
你收到的報酬
是五千萬吧。
靠你的力量標到
隧道工程案的那
家公司，
可是背地裡和
政客勾結的骯
髒公司啊。
競標失利的公
司社長，傳出
痴漢醜聞。
那是年輕女信徒
在你的指示下進
行的栽贓。

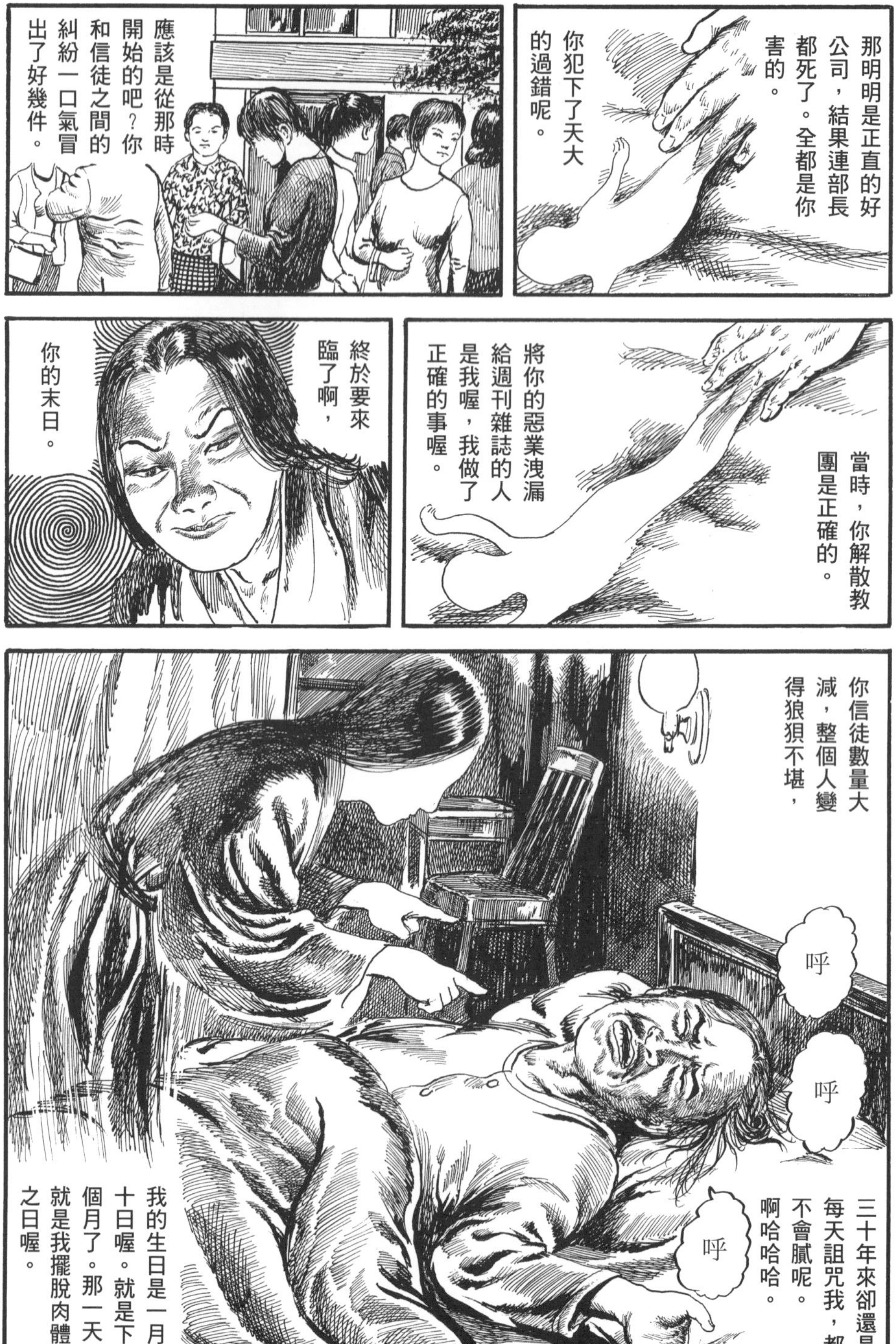
那明明是正直的好公司，結果連部長都死了。全都是你害的。
你犯下了天大的過錯呢。
應該是從那時開始的吧？你和信徒之間的糾紛一口氣冒出了好幾件。
當時，你解散教團是正確的。
將你的惡業洩漏給週刊雜誌的人是我喔，我做了正確的事喔。
終於要來臨了啊，
你的末日。
你信徒數量大減，整個人變得狼狽不堪，
呼
呼
三十年來卻還是每天詛咒我，都不會膩呢。
啊哈哈哈。
呼
我的生日是一月十日喔。就是下個月了。那一天，就是我擺脫肉體之日喔。

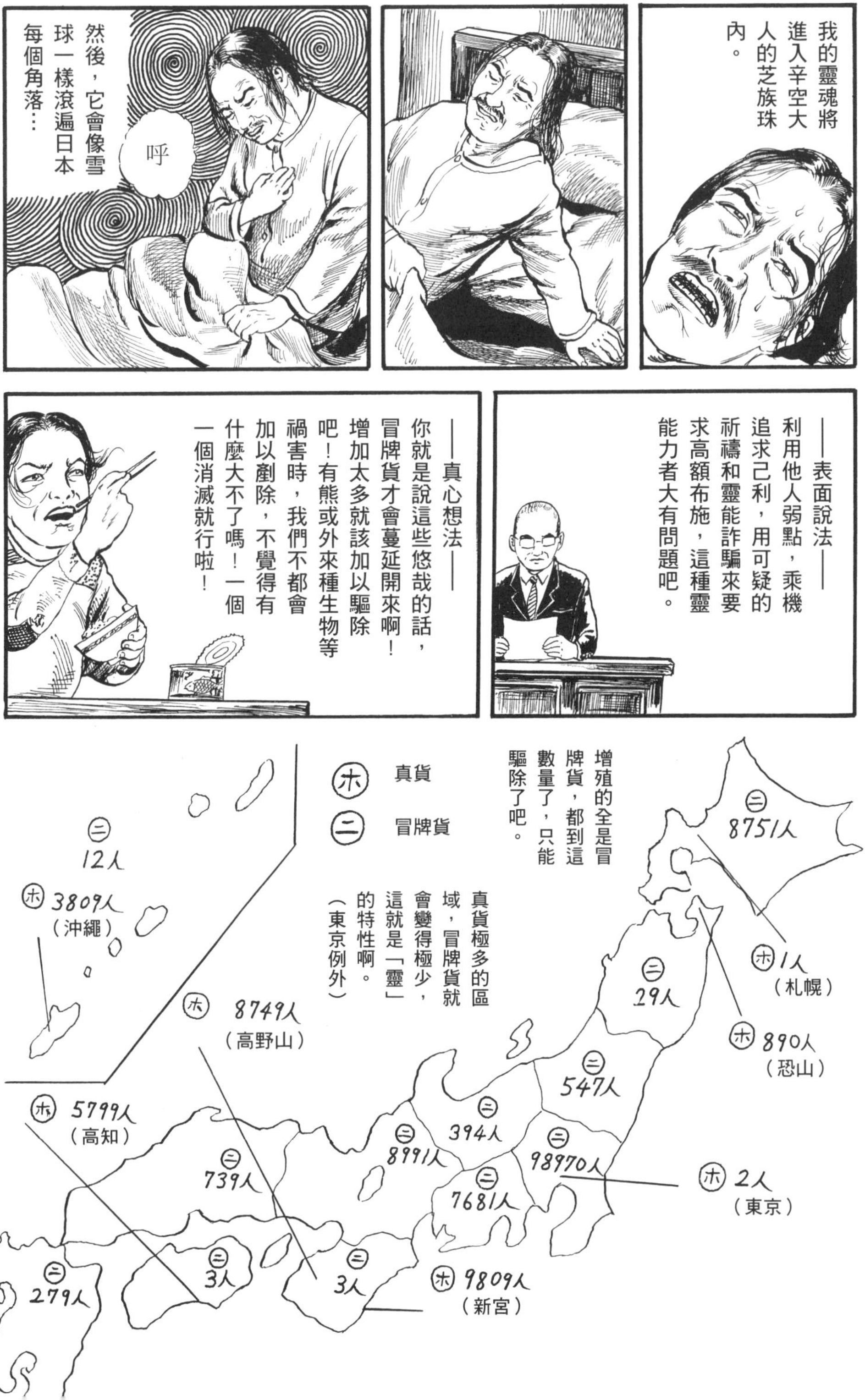

我的靈魂將進入辛空大人的芝族珠內。
然後，它會像雪球一樣滾遍日本每個角落…
呼
—表面說法—
利用他人弱點，乘機追求己利，用可疑的祈禱和靈能詐騙來要求高額布施，這種靈能力者大有問題吧。
—真心想法—
你就是說這些悠哉的話，冒牌貨才會蔓延開來啊！增加太多就該加以驅除吧！有熊或外來種生物等禍害時，我們不都會加以剷除，不覺得有什麼大不了嗎！一個一個消滅就行啦！
增殖的全是冒牌貨，都到這數量了，只能驅除了吧。
㋭ 真貨
㊁ 冒牌貨
真貨極多的區域，冒牌貨就會變得極少，這就是「靈」的特性啊。
（東京例外）
㊁ 8751人
㋭ 1人（札幌）
㊁ 29人
㋭ 890人（恐山）
㊁ 547人
㊁ 394人
㊁ 98970人
㋭ 2人（東京）
㊁ 7681人
㊁ 8991人
㋭ 8749人（高野山）
㊁ 739人
㋭ 5799人（高知）
㊁ 3人
㊁ 3人
㋭ 9809人（新宮）
㊁ 279人
㊁ 12人
㋭ 3809人（沖繩）

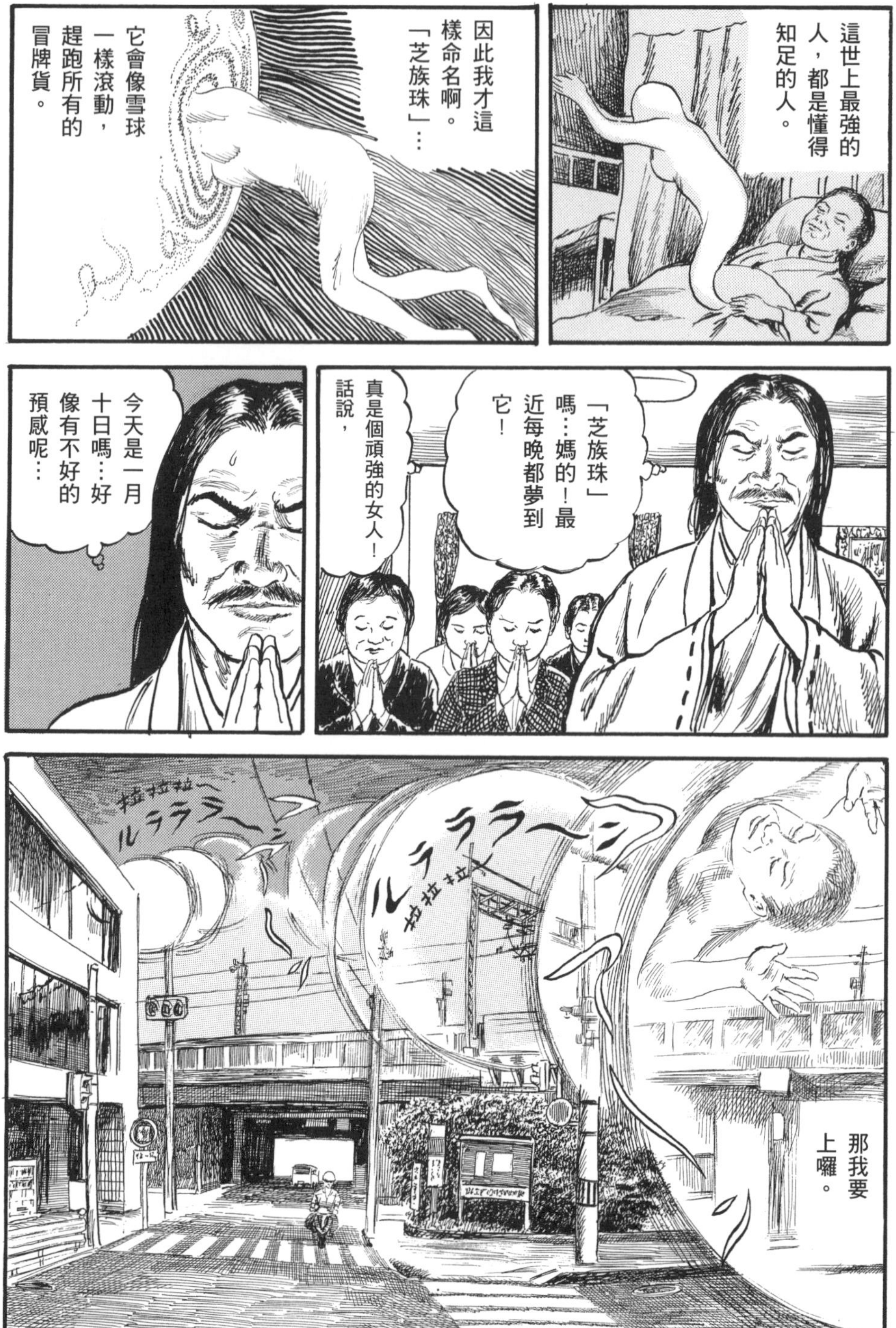
這世上最強的人，都是懂得知足的人。
因此我才這樣命名啊。「芝族珠」…
它會像雪球一樣滾動，趕跑所有的冒牌貨。
「芝族珠」嗎…媽的！最近每晚都夢到它！
真是個頑強的女人！話說，
今天是一月十日嗎…好像有不好的預感呢…
拉拉拉〜
ルラララ〜ン
ルラララ〜ン
拉拉拉〜
那我要上囉。

靈動說

れいどうせつ

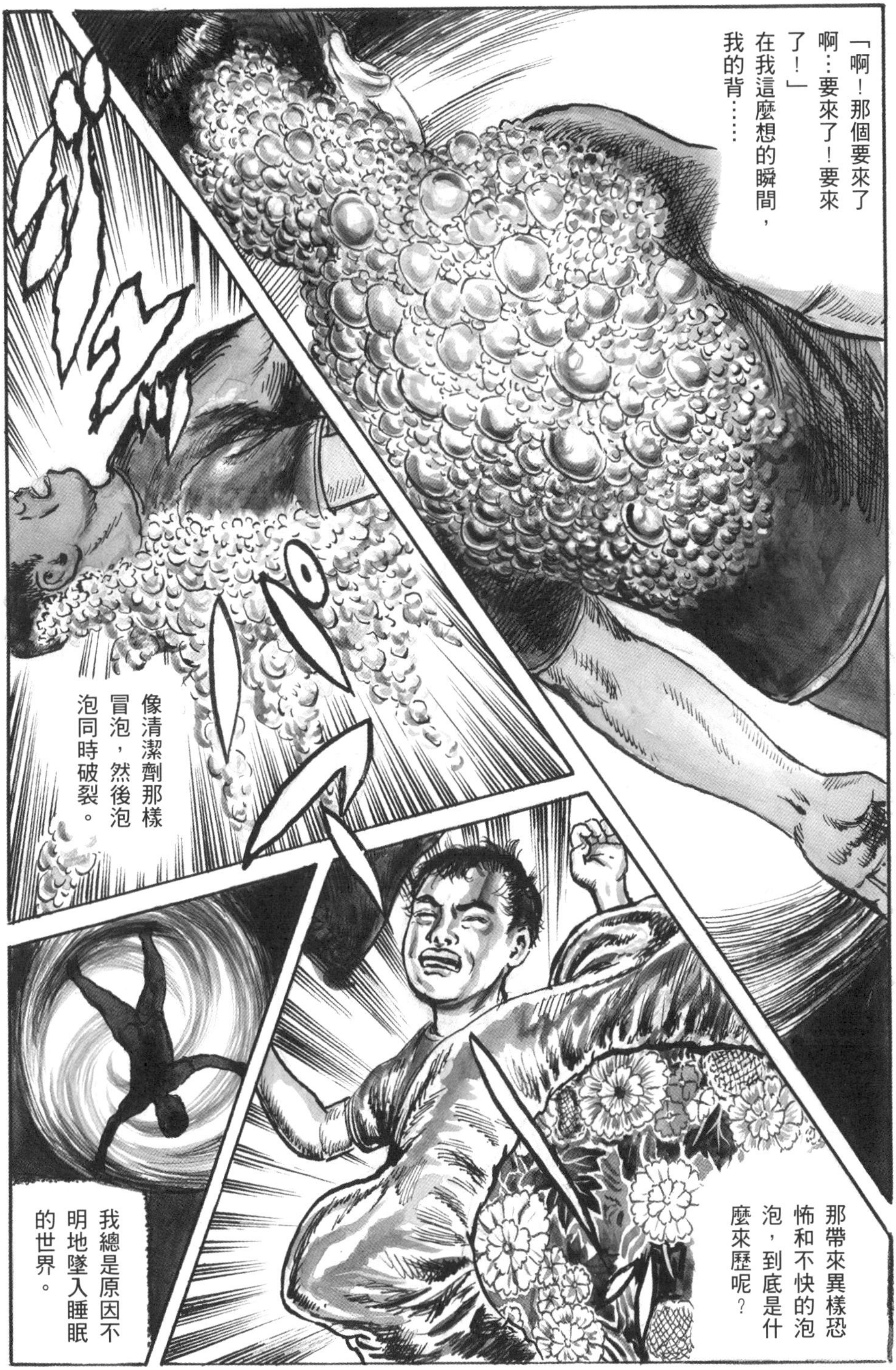
「啊！那個要來了啊…要來了！要來了！」
在我這麼想的瞬間，我的背……
像清潔劑那樣冒泡，然後泡泡同時破裂。
那帶來異樣恐怖和不快的泡泡，到底是什麼來歷呢？
我總是原因不明地墜入睡眠的世界。

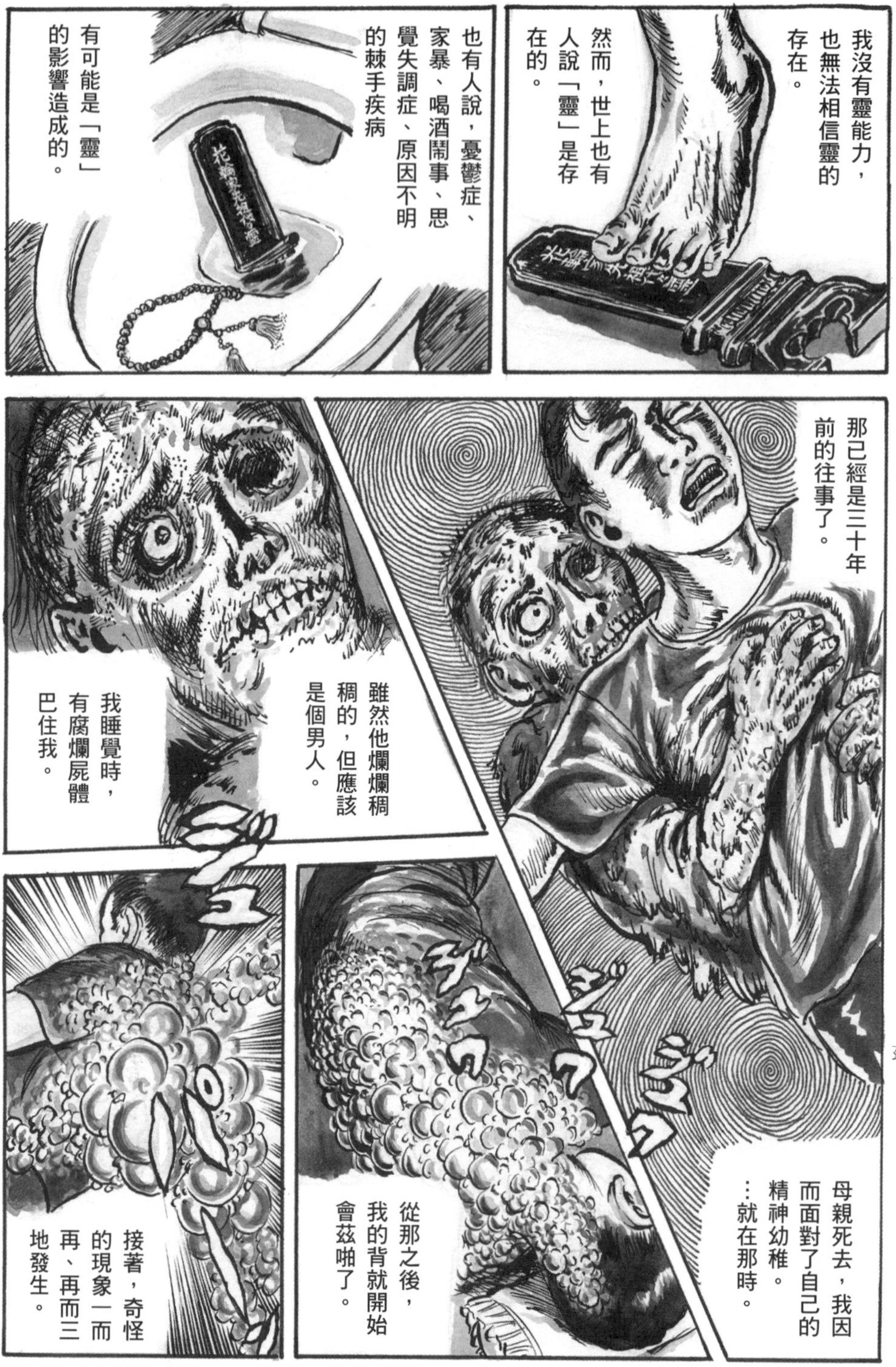
我沒有靈能力，也無法相信靈的存在。
然而，世上也有人說「靈」是存在的。
也有人說，憂鬱症、家暴、喝酒鬧事、思覺失調症、原因不明的棘手疾病
有可能是「靈」的影響造成的。
那已經是三十年前的往事了。
母親死去，我因而面對了自己的精神幼稚。
……就在那時。
雖然他爛爛稠稠的，但應該是個男人。
我睡覺時，有腐爛屍體巴住我。
從那之後，我的背就開始會茲啪了。
接著，奇怪的現象一而再、再而三地發生。
茲啪──
茲

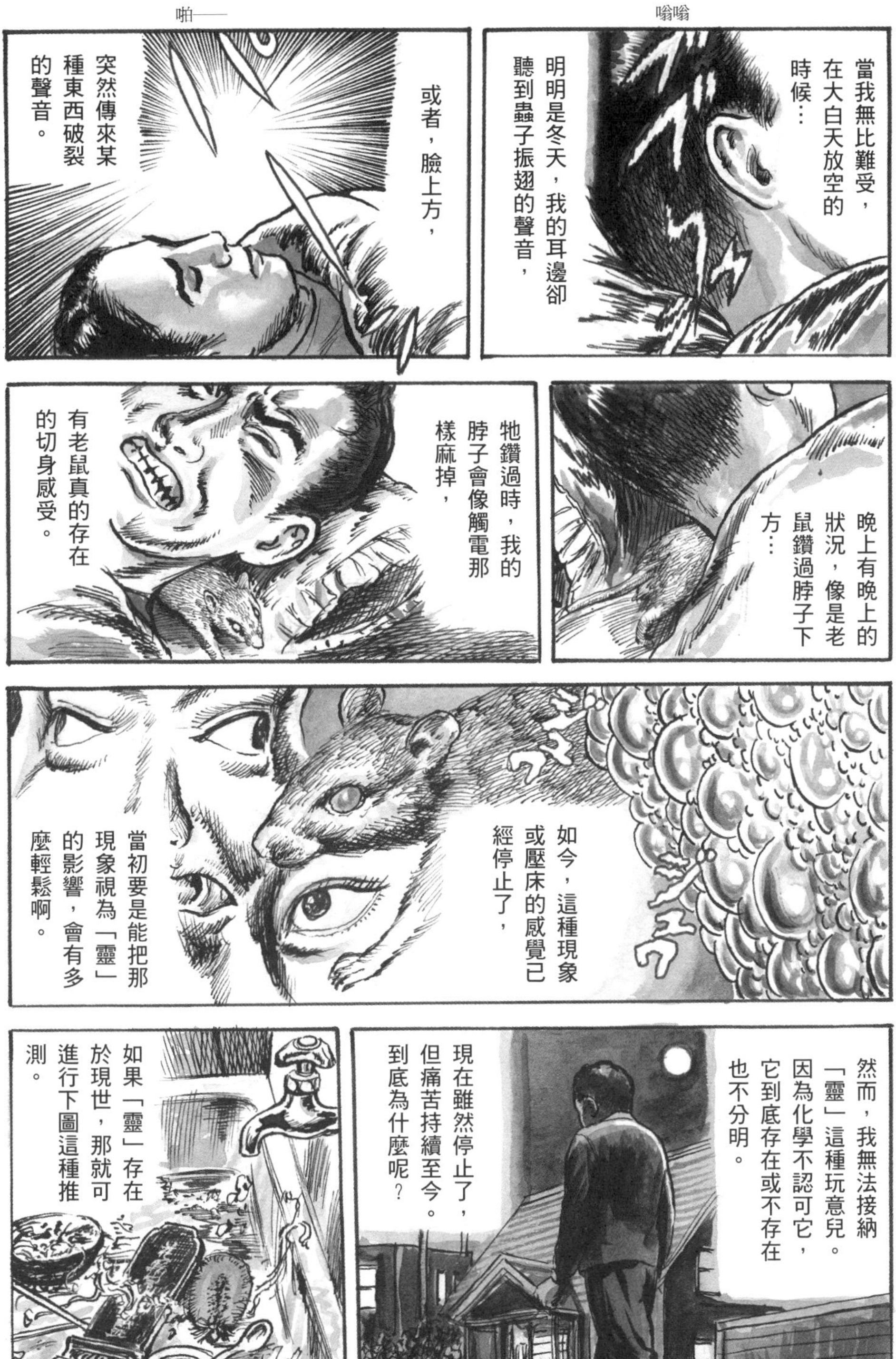
嗡嗡
當我無比難受，在大白天放空的時候……
明明是冬天，我的耳邊卻聽到蟲子振翅的聲音，
啪——
或者，臉上方，
突然傳來某種東西破裂的聲音。
晚上有晚上的狀況，像是老鼠鑽過脖子下方……
牠鑽過時，我的脖子會像觸電那樣麻掉，
有老鼠真的存在的切身感受。
如今，這種現象或壓床的感覺已經停止了，
當初要是能把那現象視為「靈」的影響，會有多麼輕鬆啊。
然而，我無法接納「靈」這種玩意兒。因為化學不認可它，它到底存在或不存在也不分明。
現在雖然停止了，但痛苦持續至今。到底為什麼呢？
如果「靈」存在於現世，那就可進行下圖這種推測。

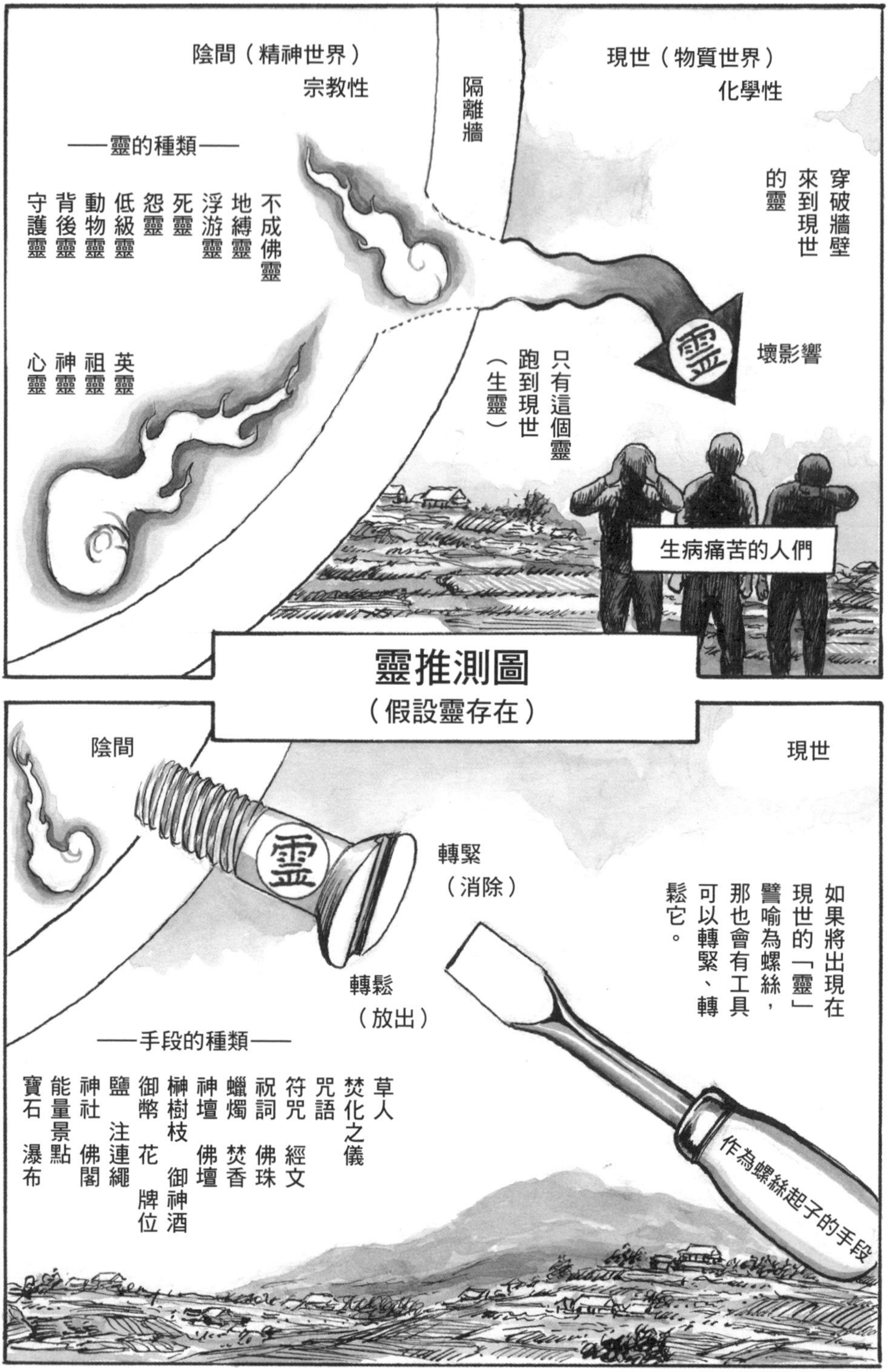
陰間（精神世界）
宗教性
隔離牆
現世（物質世界）
化學性
——靈的種類——
不成佛靈
地縛靈
浮游靈
死靈
怨靈
低級靈
動物靈
背後靈
守護靈
英靈
祖靈
神靈
心靈
穿破牆壁來到現世的靈
靈
壞影響
只有這個靈跑到現世（生靈）
生病痛苦的人們
靈推測圖
（假設靈存在）
陰間
現世
靈
轉緊（消除）
轉鬆（放出）
如果將出現在現世的「靈」譬喻為螺絲，那也會有工具可以轉緊、轉鬆它。
——手段的種類——
草人
焚化之儀
咒語
符咒　經文
祝詞　佛珠
蠟燭　焚香
神壇　佛壇
榊樹枝　御神酒
御幣　花　牌位
鹽　注連繩
神社　佛閣
能量景點
寶石　瀑布
作為螺絲起子的手段

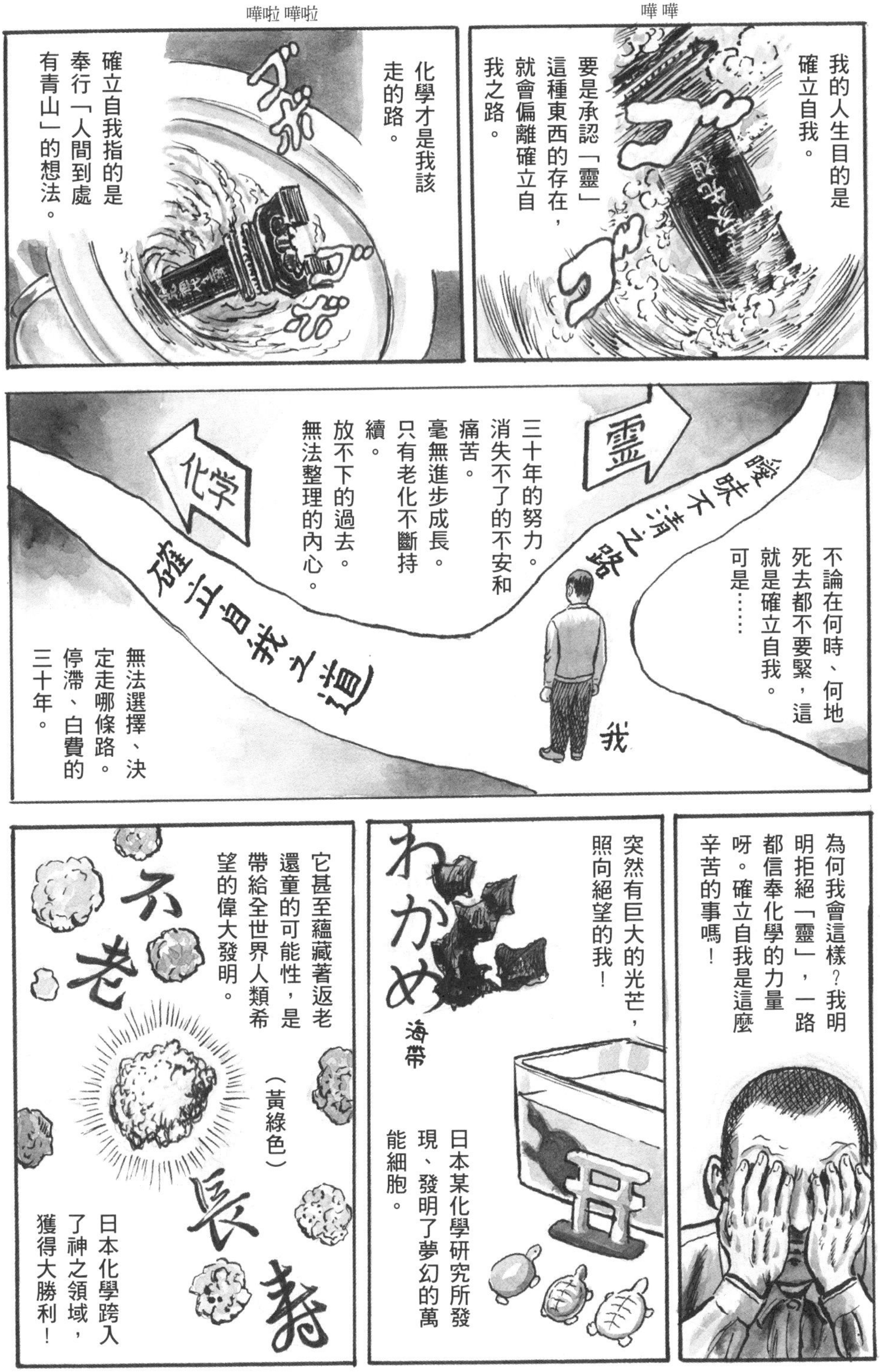
嘩嘩
我的人生目的是確立自我。
要是承認「靈」這種東西的存在，就會偏離確立自我之路。
嘩啦 嘩啦
化學才是我該走的路。
確立自我指的是奉行「人間到處有青山」的想法。
不論在何時、何地死去都不要緊，這就是確立自我。可是……
靈
曖昧不清之路
我
三十年的努力。消失不了的不安和痛苦。毫無進步成長。只有老化不斷持續。放不下的過去。無法整理的內心。
化学
確立自我之道
無法選擇、決定走哪條路。停滯、白費的三十年。
為何我會這樣？我明明拒絕「靈」，一路都信奉化學的力量呀。確立自我是這麼辛苦的事嗎！
突然有巨大的光芒，照向絕望的我！
わかめ
海帶
日本某化學研究所發現、發明了夢幻的萬能細胞。
它甚至蘊藏著返老還童的可能性，是帶給全世界人類希望的偉大發明。
不老
長壽
（黃綠色）
日本化學跨入了神之領域，獲得大勝利！

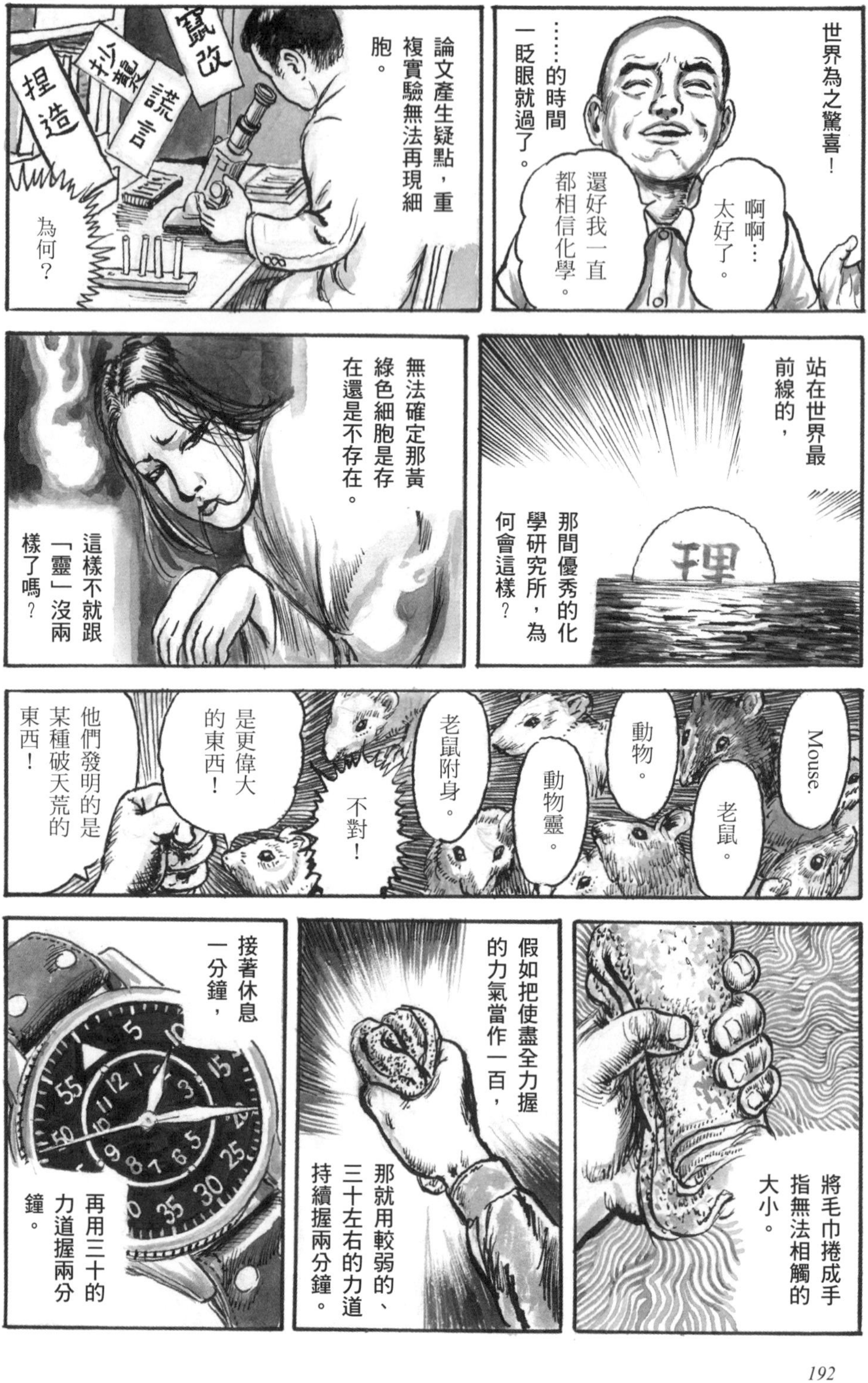
世界為之驚喜！
啊啊……太好了。
還好我一直都相信化學。
……的時間一眨眼就過了。
論文產生疑點，重複實驗無法再現細胞。
竄改
抄襲
謊言
捏造
為何？
站在世界最前線的，
那間優秀的化學研究所，為何會這樣？
理
無法確定那黃綠色細胞是存在還是不存在。
這樣不就跟「靈」沒兩樣了嗎？
Mouse.
老鼠。
動物。
動物靈。
老鼠附身。
不對！
是更偉大的東西！
他們發明的是某種破天荒的東西！
將毛巾捲成手指無法相觸的大小。
假如把使盡全力握的力氣當作一百，
那就用較弱的、三十左右的力道持續握兩分鐘。
接著休息一分鐘，
再用三十的力道握兩分鐘。

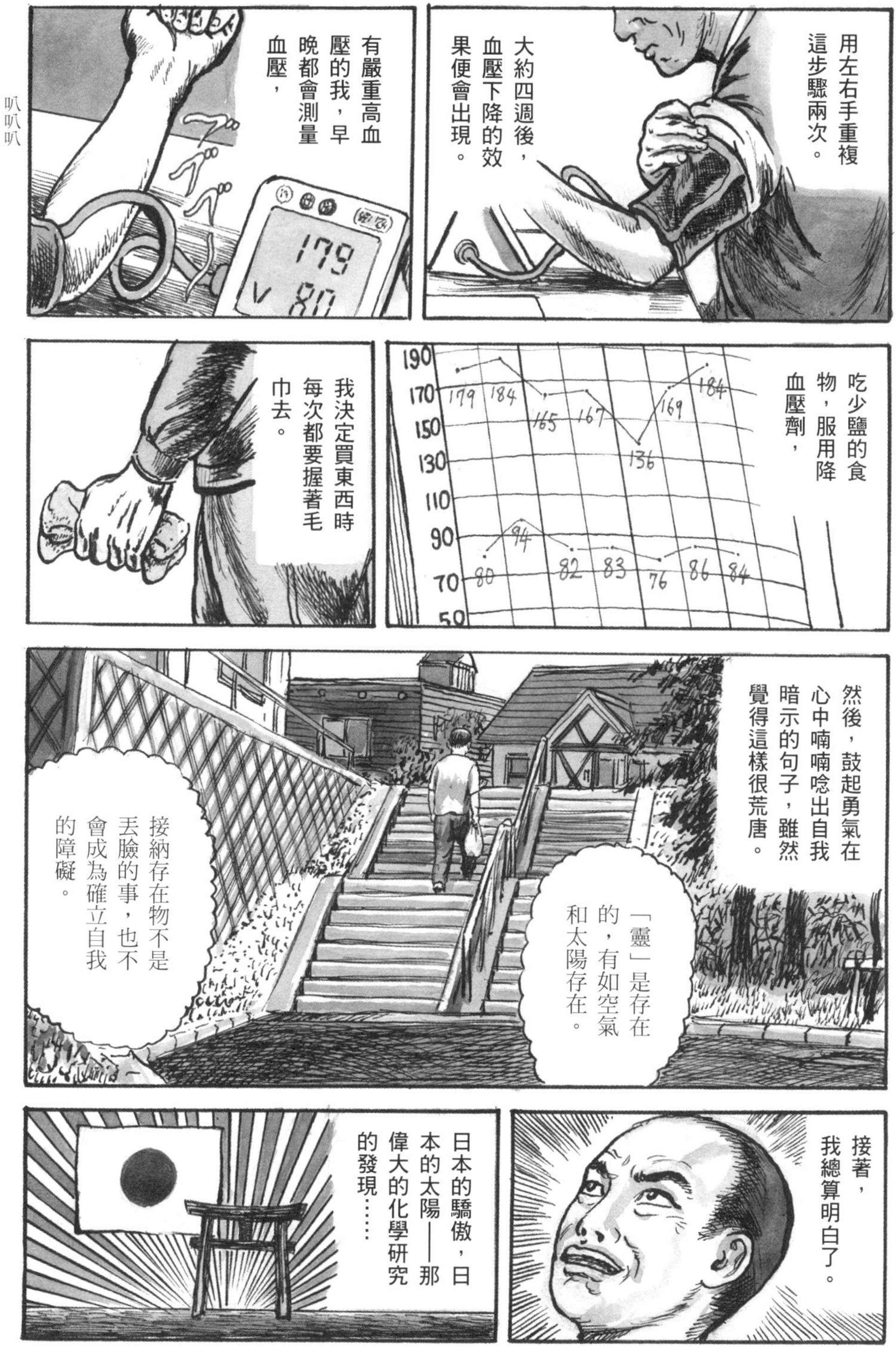
用左右手重複這步驟兩次。
大約四週後，血壓下降的效果便會出現。
有嚴重高血壓的我，早晚都會測量血壓，
叭叭叭
179
80
吃少鹽的食物，服用降血壓劑，
我決定買東西時每次都要握著毛巾去。
然後，鼓起勇氣在心中喃喃唸出自我暗示的句子，雖然覺得這樣很荒唐。
「靈」是存在的，有如空氣和太陽存在。
接納存在物不是丟臉的事，也不會成為確立自我的障礙。
接著，我總算明白了。
日本的驕傲，日本的太陽——那偉大的化學研究的發現……

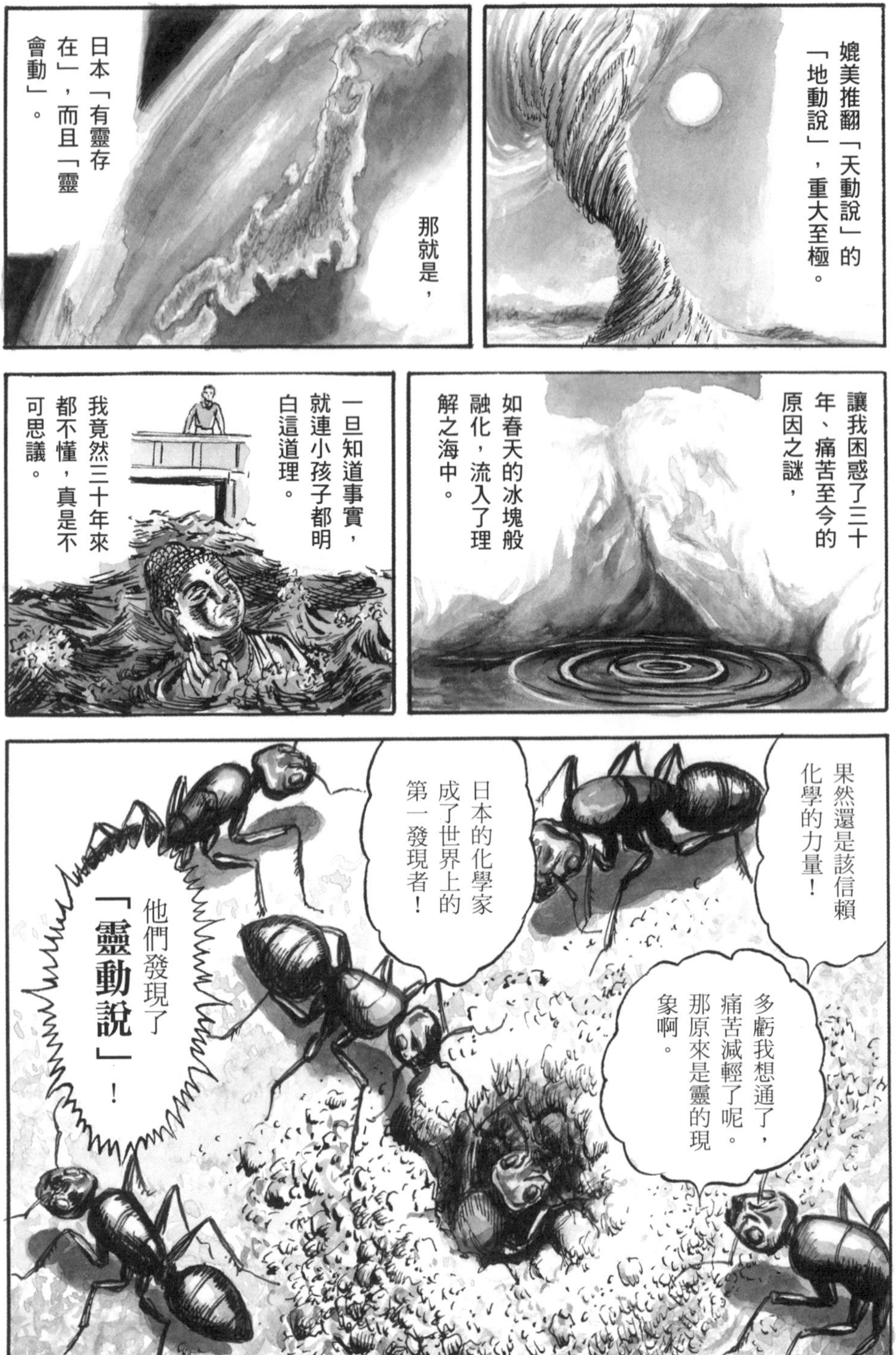
媲美推翻「天動說」的「地動說」，重大至極。
那就是，
日本「有靈存在」，而且「靈會動」。
讓我困惑了三十年、痛苦至今的原因之謎，
如春天的冰塊般融化，流入了理解之海中。
一旦知道事實，就連小孩子都明白這道理。
我竟然三十年來都不懂，真是不可思議。
果然還是該信賴化學的力量！
日本的化學家成了世界上的第一發現者！
多虧我想通了，痛苦減輕了呢。那原來是靈的現象啊。
他們發現了「靈動說」！

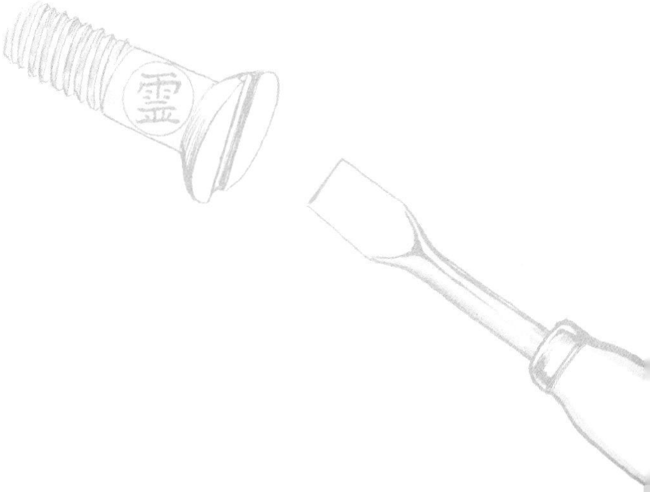
霊

亡靈墓

ぼうれいはか

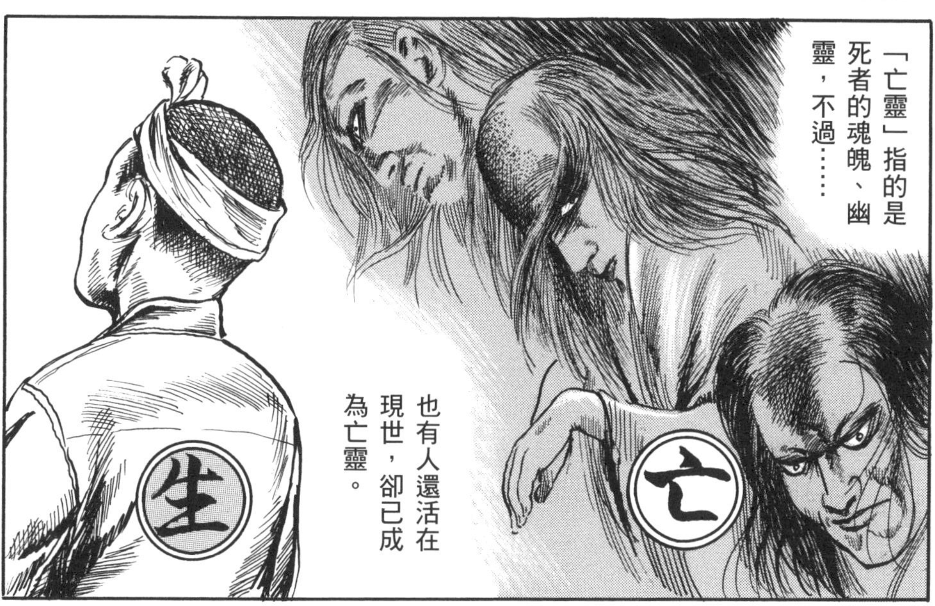
「亡靈」指的是死者的魂魄、幽靈，不過……
亡
也有人還活在現世，卻已成為亡靈。
生

這例子極為罕見，
不過A氏（六十歲）就是一個亡靈人。
到底為何呢？
ボ～
放空～
據說A氏也是到十年前才發現這點。
感覺「亡靈」就在附近，感到嫌惡時……
就在入浴時撒大量的鹽到身上和浴室浴缸裡，
然後連續十年傳送以下念頭，據說他就會消失了……
塩
塩
塩
——請你消失在清澄、帶來深沉安寧的溫暖光線中——
可是我這麼做一點效果也沒有……因為，那亡靈竟然就是我自己啊。

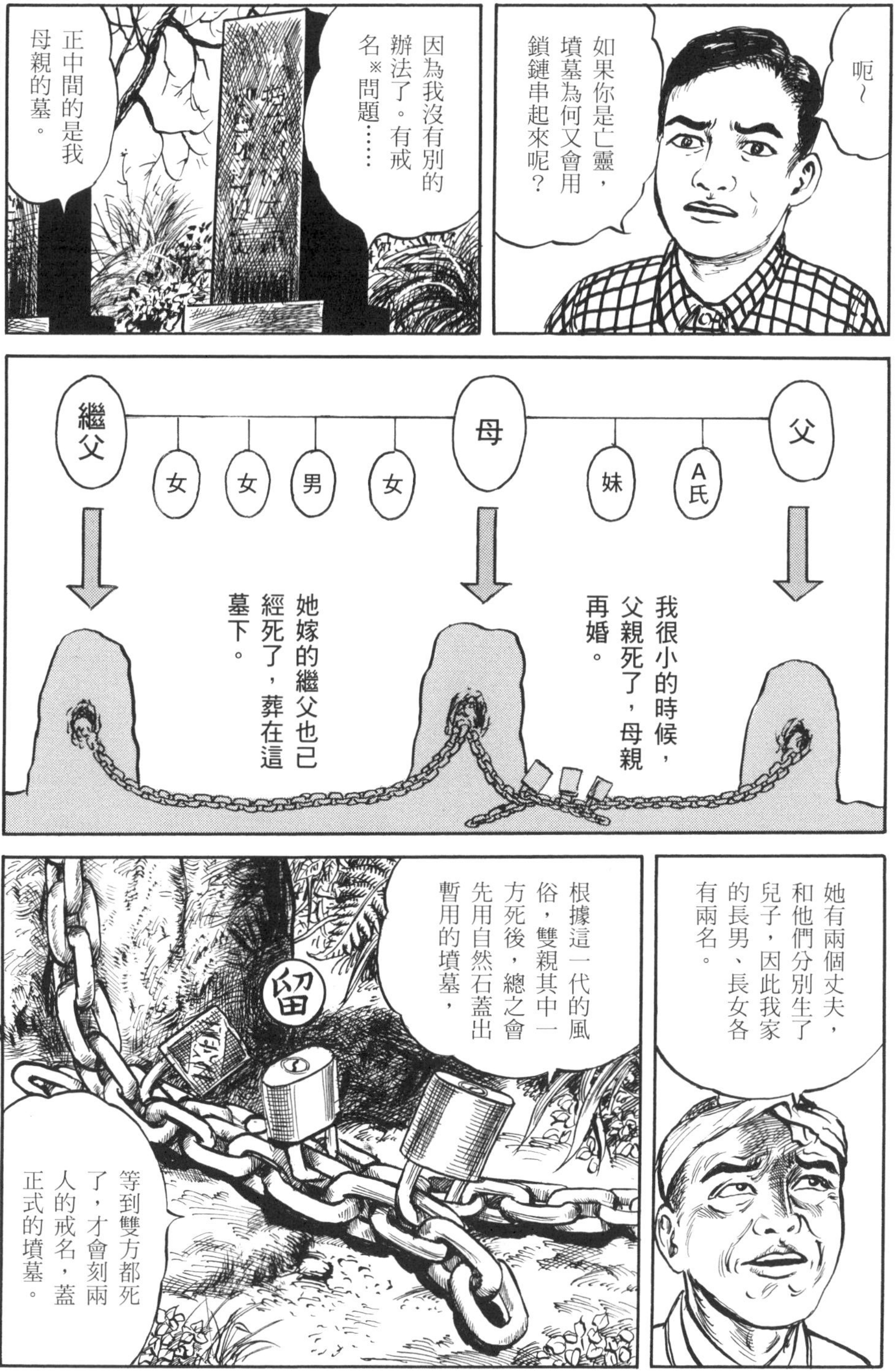
呃～
如果你是亡靈，墳墓為何又會用鎖鏈串起來呢？
因為我沒有別的辦法了。有戒名※問題……
正中間的是我母親的墓。
父
A氏
妹
母
女
男
女
女
繼父
我很小的時候，父親死了，母親再婚。
她嫁的繼父也已經死了，葬在這墓下。
她有兩個丈夫，和他們分別生了兒子，因此我家的長男、長女各有兩名。
根據這一代的風俗，雙親其中一方死後，總之會先用自然石蓋出暫用的墳墓，
留
等到雙方都死了，才會刻兩人的戒名，蓋正式的墳墓。

※幫死者取的法名。

假如招待親戚或鄰居大吃大喝、供奉死者，大家就會認定你是了不起的人、為家族爭光，給你這種好評。
不過我家的人再婚過。
可以在墓碑上刻三個戒名嗎？
印象中我沒看過那種墓啊。
我從小就很怕繼父，他在我眼裡像惡鬼。
獄
繼父一年會離家到親戚家住個一、兩次。
樂
一整年內，我們那個昏暗的家只有在他離開的夜晚才能享受真正的極樂啊。
陰
我和繼父從來不曾好好對話，時間就這樣不斷流逝。
我十幾歲時就離家到東京了。
在東京，我住的是高樓下方的四疊半公寓，一整天都曬不到太陽。

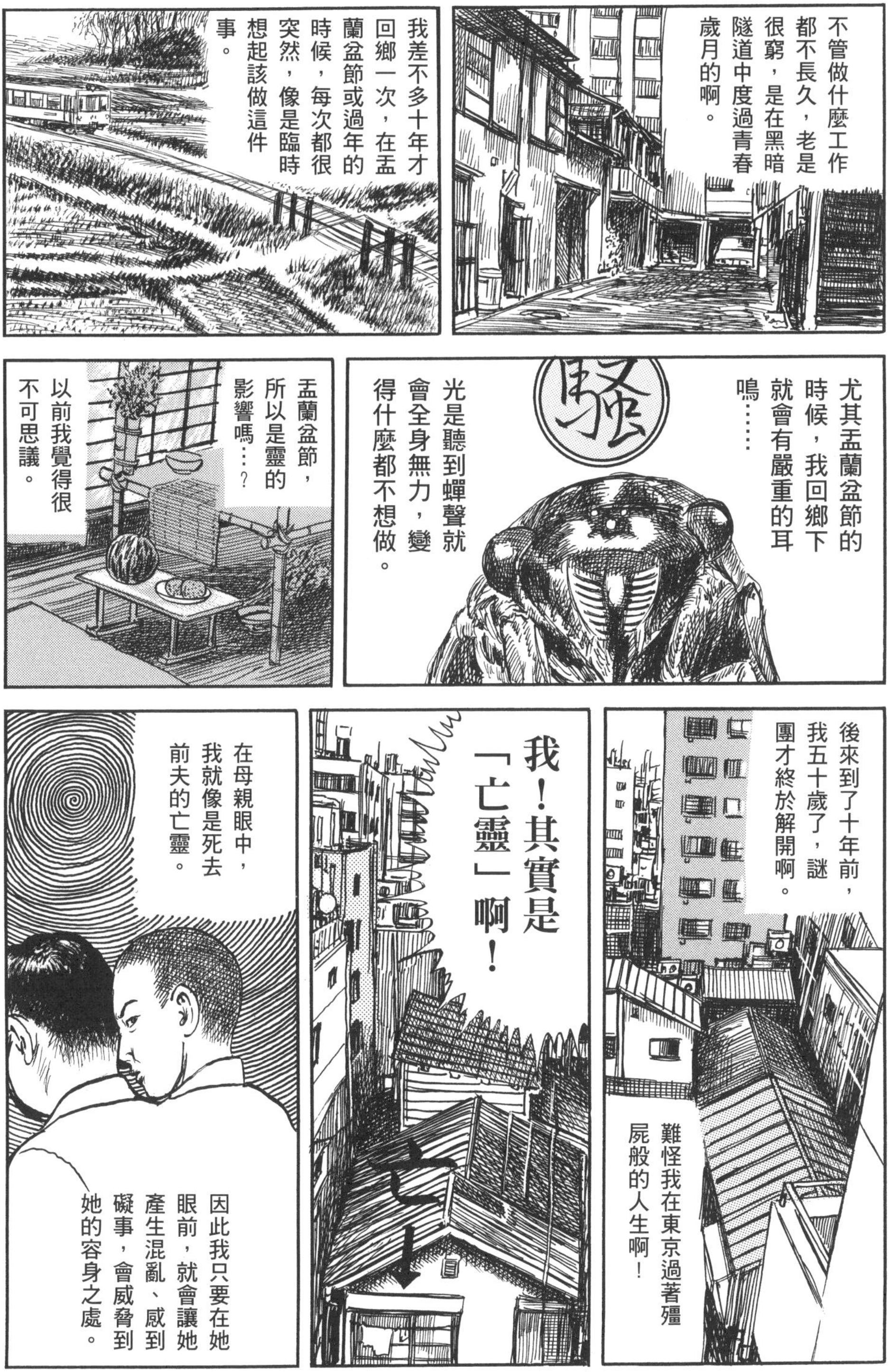
不管做什麼工作都不長久，老是很窮，是在黑暗隧道中度過青春歲月的啊。
我差不多十年才回鄉一次，在盂蘭盆節或過年的時候，每次都很突然，像是臨時想起該做這件事。
尤其盂蘭盆節的時候，我回鄉下就會有嚴重的耳鳴……
騷
光是聽到蟬聲就會全身無力，變得什麼都不想做。
盂蘭盆節，所以是靈的影響嗎…？
以前我覺得很不可思議。
後來到了十年前，我五十歲了，謎團才終於解開啊。
難怪我在東京過著殭屍般的人生啊！
我！其實是「亡靈」啊！
在母親眼中，我就像是死去前夫的亡靈。
因此我只要在她眼前，就會讓她產生混亂、感到礙事，會威脅到她的容身之處。

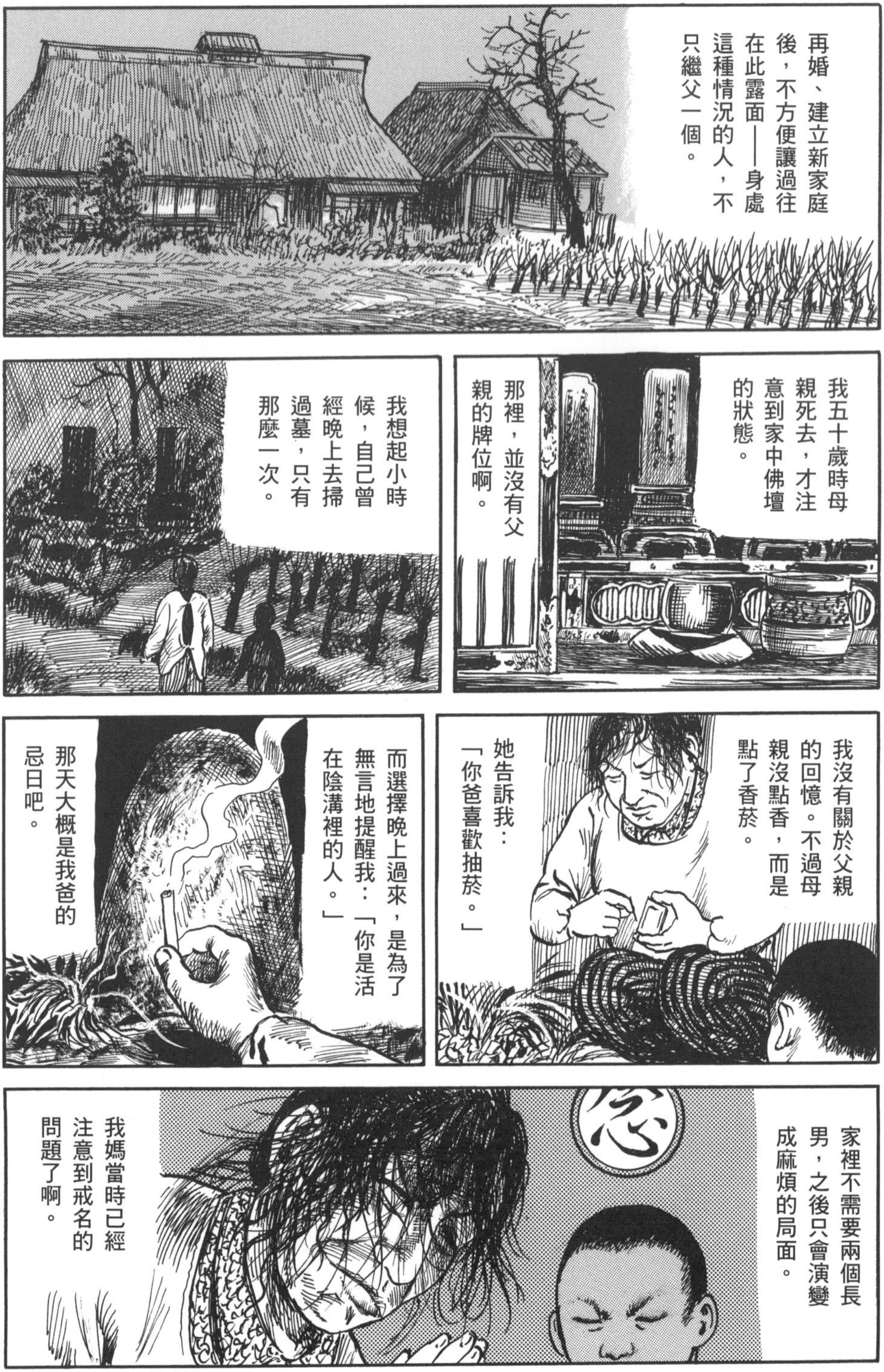

再婚、建立新家庭後，不方便讓過往在此露面——身處這種情況的人，不只繼父一個。
我五十歲時母親死去，才注意到家中佛壇的狀態。
那裡，並沒有父親的牌位啊。
我想起小時候，自己曾經晚上去掃過墓，只有那麼一次。
我沒有關於父親的回憶。不過母親沒點香，而是點了香菸。
她告訴我：「你爸喜歡抽菸。」
而選擇晚上過來，是為了無言地提醒我：「你是活在陰溝裡的人。」
那天大概是我爸的忌日吧。
家裡不需要兩個長男，之後只會演變成麻煩的局面。
我媽當時已經注意到戒名的問題了啊。

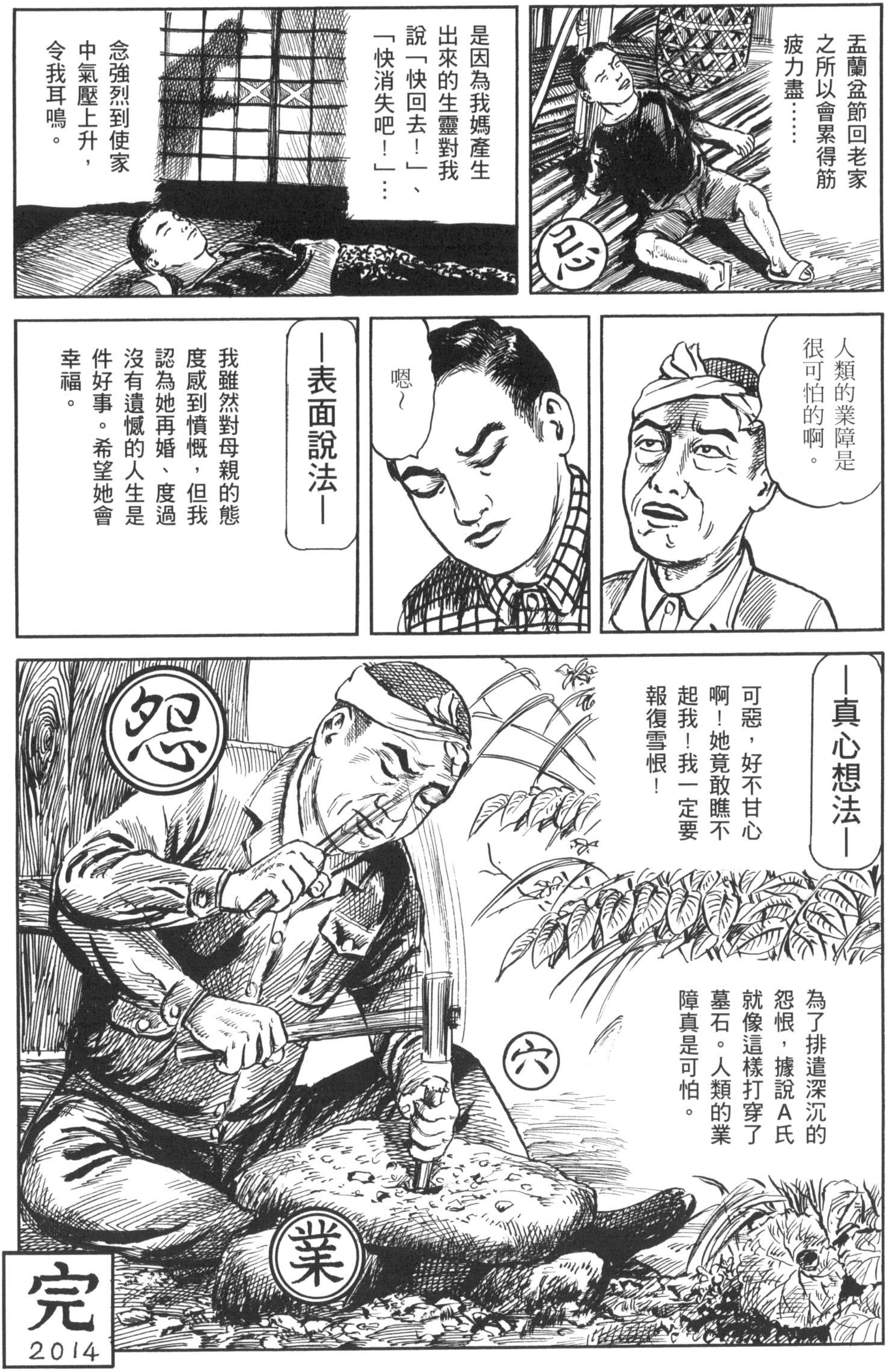
盂蘭盆節回老家之所以會累得筋疲力盡……
忌
是因為我媽產生出來的生靈對我說「快回去！」、「快消失吧！」……
念強烈到使家中氣壓上升，令我耳鳴。
人類的業障是很可怕的啊。
嗯～
—表面說法—
我雖然對母親的態度感到憤慨，但我認為她再婚、度過沒有遺憾的人生是件好事。希望她會幸福。
—真心想法—
可惡，好不甘心啊！她竟敢瞧不起我！我一定要報復雪恨！
怨
為了排遣深沉的怨恨，據說A氏就像這樣打穿了墓石。人類的業障真是可怕。
穴
業
完
2014

…然後呢？
你標了個…完？
哼…還有很多後續啦，蠢貨！
人類的「業障」可是挖也挖不完的。這用鹽巴是絕對解決不了的。
闇
A氏真情流露地說了下去。
我媽成功地把我從家中排擠了出去。
…不過，她和我繼父生的長男有點蠢，
欠了一屁股債後自殺身亡。
我出生的老家把我趕出去後，這時又把我拉了回去，
在情勢逼迫下，我不得不幫這座墓除草。
在不同地方成長、彼此連一面之緣都沒有的兩個男人，
被這蠢女人的因緣氣場吸附過來，
骨
骨
長眠於同一個地方，一起化為白骨，而我是亡靈呀。
這到底算什麼啊？
話說，繼父的四個孩子又是怎麼看我的呢？
謎

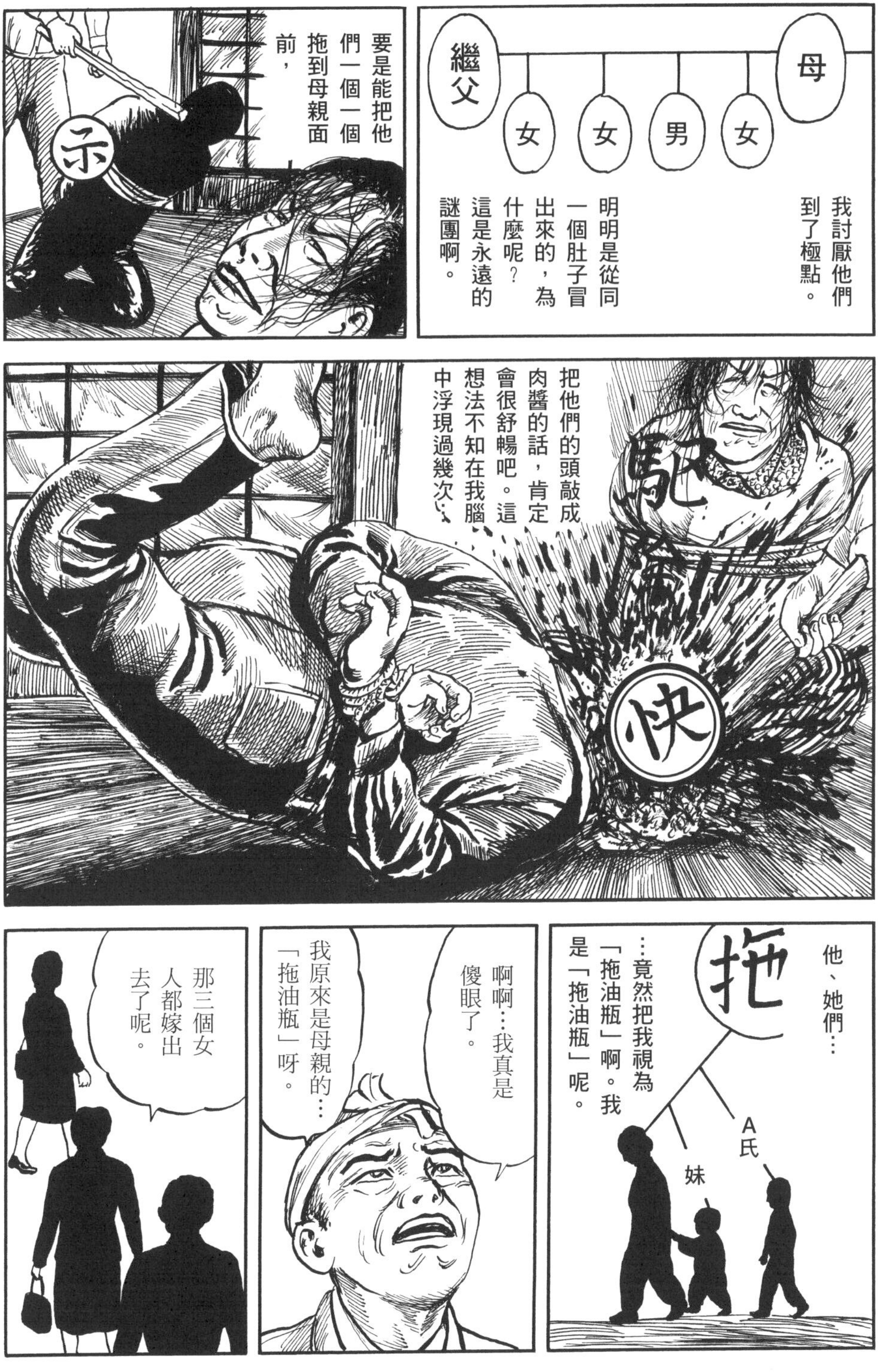
母
女
男
女
女
繼父
我討厭他們到了極點。
明明是從同一個肚子冒出來的，為什麼呢？這是永遠的謎團啊。
要是能把他們一個一個拖到母親面前，
把他們的頭敲成肉醬的話，肯定會很舒暢吧。這想法不知在我腦中浮現過幾次…
快
他、她們…
拖
…竟然把我視為「拖油瓶」啊。我是「拖油瓶」呢。
A氏
妹
啊啊…我真是傻眼了。
我原來是母親的…「拖油瓶」呀。
那三個女人都嫁出去了呢。

如果她們來掃墓的話，我想撒鹽巴把她們趕走。不過那樣她們就太悲慘了。
趕
拒
所以，我才把墳墓弄成惹人厭的模樣啊。
我想要永永遠遠向世人誇耀這三個為人父母者的因緣、業障、慘狀。
…所以才上鎖嗎？
是～～～～啊～～～～
人生只有一次，透過再婚追求「確立自我」這個目標是非常高貴的行動……但是，我家卻變成了這樣。
因果煙
也就是說，鹽巴對活著的亡靈，也就是生靈，是沒有效果的。
烈津
業業
ゴー
湧
我聽著A氏的故事，深有所感：那戶人家跟那個造孽的臭花輪家還真像啊。

※音同 let's go go go。

生

自我確立煙火

じこかくりつはなび

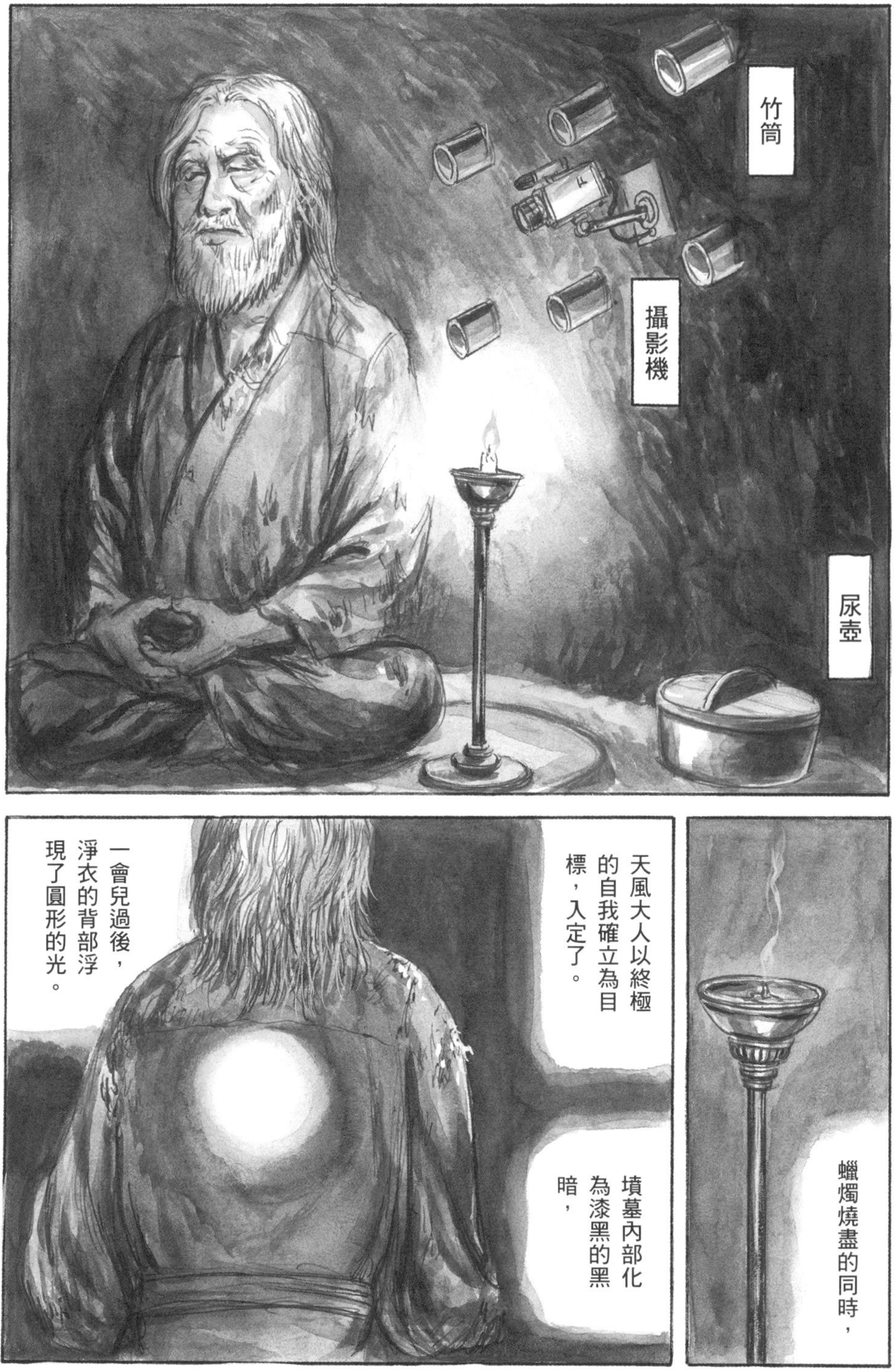
竹筒
攝影機
尿壺
蠟燭燒盡的同時，
天風大人以終極的自我確立為目標，入定了。
墳墓內部化為漆黑的黑暗，
一會兒過後，淨衣的背部浮現了圓形的光。

我們透過竹筒專心致志地盯著他的背部。
天風大人
「天昇教」教祖・天風大人的魂魄，從胸口附近穿出體外，
—內部—
以相機、麥克風收錄的影像和聲音，
被投映在教團禮拜所的大螢幕上。
只有我們這些幹部獲准透過竹筒，以肉眼觀看。
投映在他背上的…
釋迦如來像逐漸逼近，

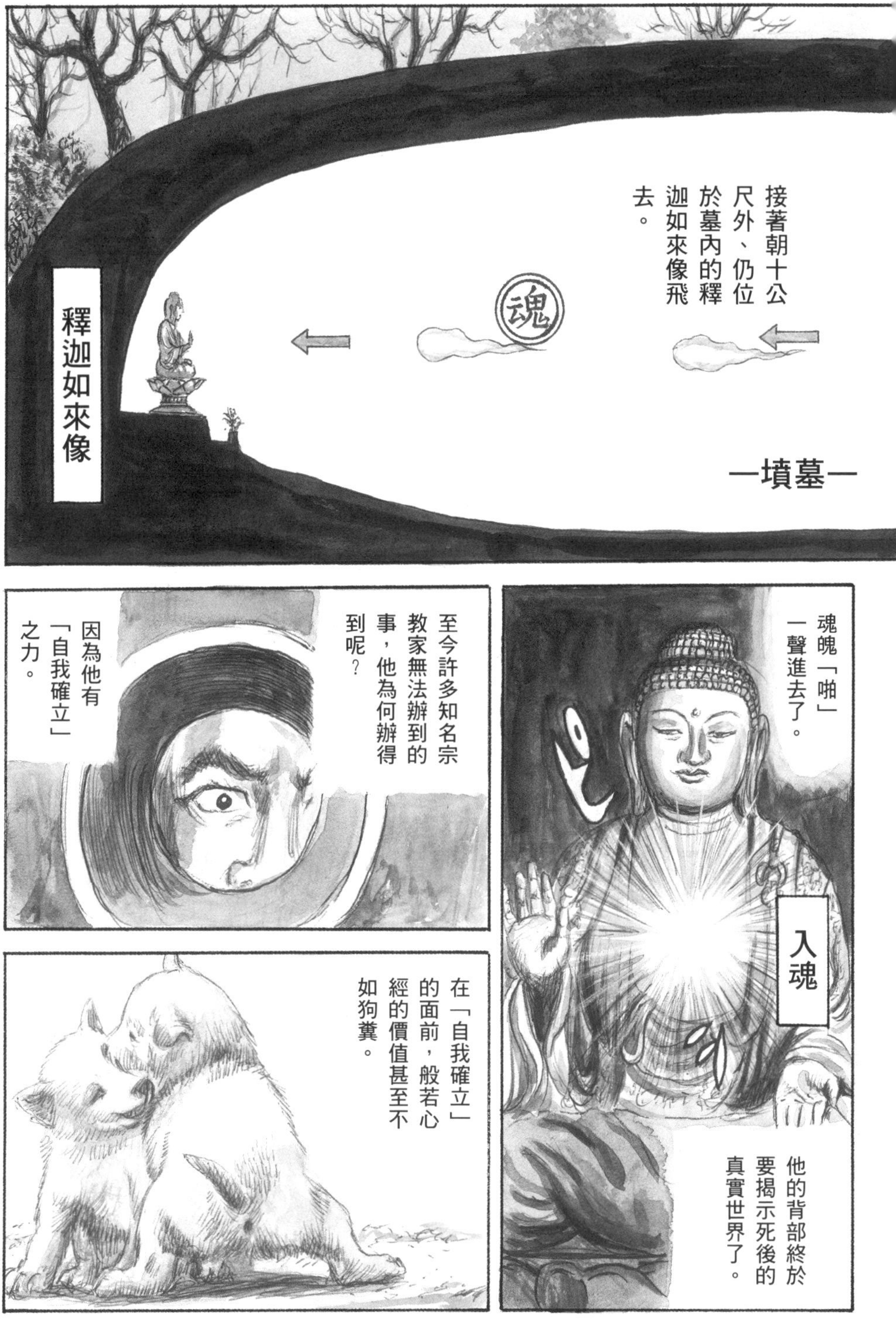
接著朝十公尺外、仍位於墓內的釋迦如來像飛去。
魂
釋迦如來像
—墳墓—
魂魄「啪」一聲進去了。
入魂
他的背部終於要揭示死後的真實世界了。
至今許多知名宗教家無法辦到的事，他為何辦得到呢？
因為他有「自我確立」之力。
在「自我確立」的面前，般若心經的價值甚至不如狗糞。

很快地，他背上那朦朧的光芒中，
出現了寬闊的河原…
啊，這是賽河原嗎？
再過去是三途川嗎？
天風大人簡歷
一九三四年出生於三重縣津市。
幼年期與雙親死別，
成為賭徒的養子。
十七歲時，他有感於人世無常，逃離養父家，前往福井縣佛教系統的「仙道研究會」。
對方讓他作為男眾（打雜小弟）留下。
他修行三年，只吃玄米加上酸梅乾、蘿蔔泥當配菜。
他確立自我後獨立門戶。

年輕時代的天風大人。
—遺訓—
自我確立才是超越世上所有宗教的人類共通願望，因此各位請以獨創的方法步步高升吧。
啊，遙遠的彼方…
有道宏偉的門…
…那難不成是天安門？
啊啊！果然是！
跟我想的一樣。
剛剛橫渡的大河其實是海洋，日本海或東中國海。
日本海
東中國海
北京
西安（長安）
天風大人的魂魄正在回溯佛教傳來的途徑呀。
目標是天竺！
靈魂真的存在呀，而且他看得見風景呢。
這是世界首見的壯舉！自我確立之力真厲害呀。

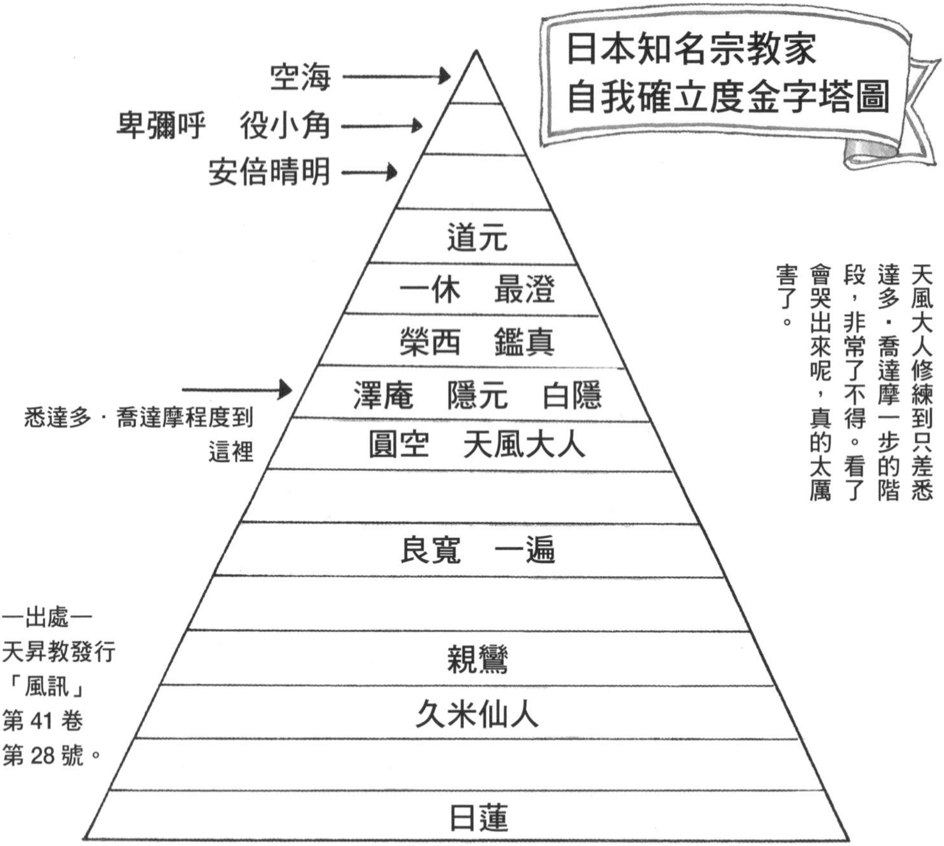
日本知名宗教家
自我確立度金字塔圖
空海
卑彌呼　役小角
安倍晴明
道元
一休　最澄
榮西　鑑真
澤庵　隱元　白隱
悉達多．喬達摩程度到這裡
圓空　天風大人
良寬　一遍
親鸞
久米仙人
日蓮
一出處一
天昇教發行
「風訊」
第 41 卷
第 28 號。
天風大人修練到只差悉達多・喬達摩一步的階段，非常了不得。看了會哭出來呢，真的太厲害了。

墳墓是信徒親手建造的。
天風大人則是在八年前進入墓中。

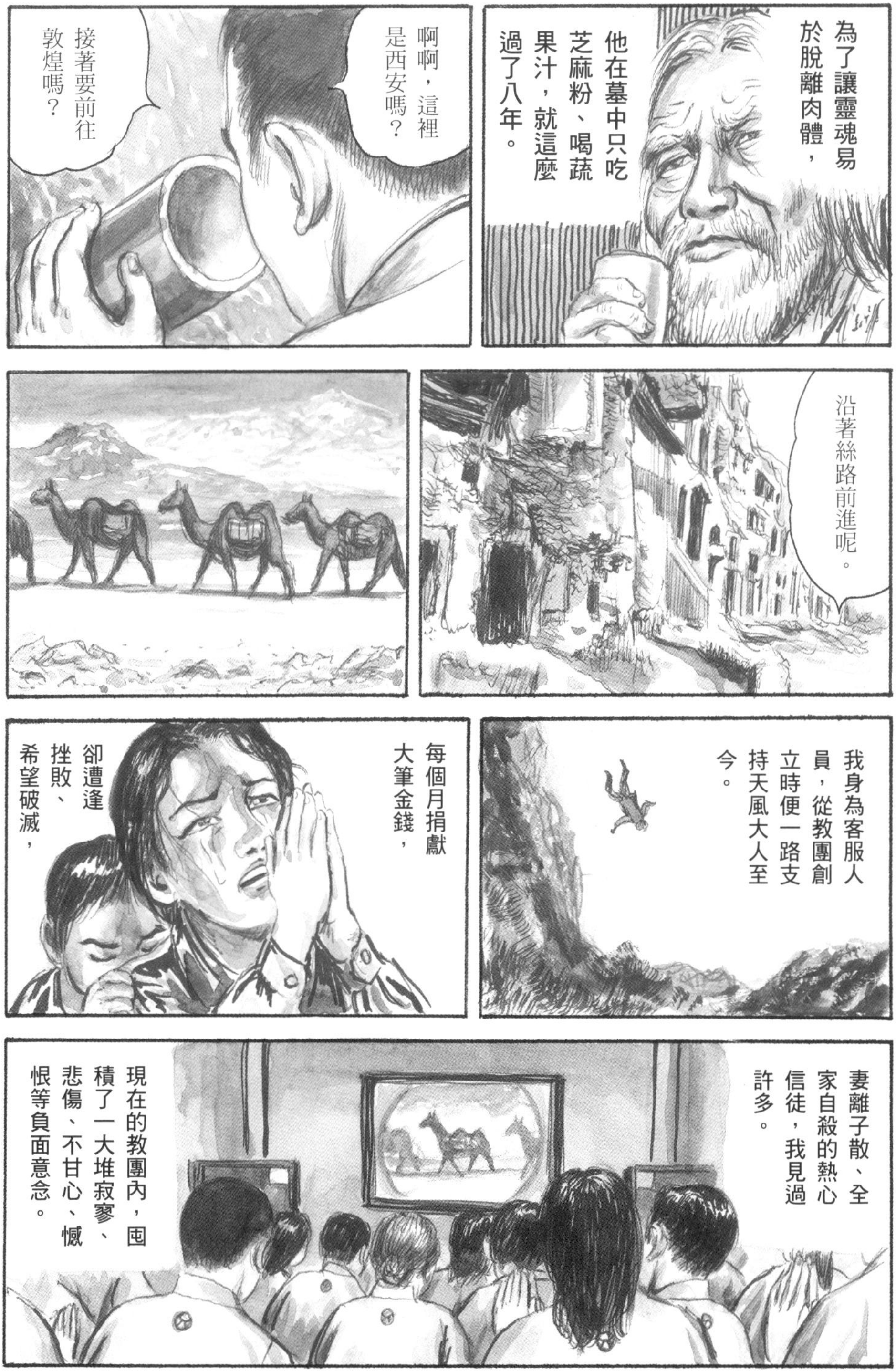
為了讓靈魂易於脫離肉體，
他在墓中只吃芝麻粉、喝蔬果汁，就這麼過了八年。
啊啊，這裡是西安嗎？
接著要前往敦煌嗎？
沿著絲路前進呢。
我身為客服人員，從教團創立時便一路支持天風大人至今。
每個月捐獻大筆金錢，
卻遭逢挫敗、希望破滅，
妻離子散、全家自殺的熱心信徒，我見過許多。
現在的教團內，囤積了一大堆寂寥、悲傷、不甘心、憾恨等負面意念。

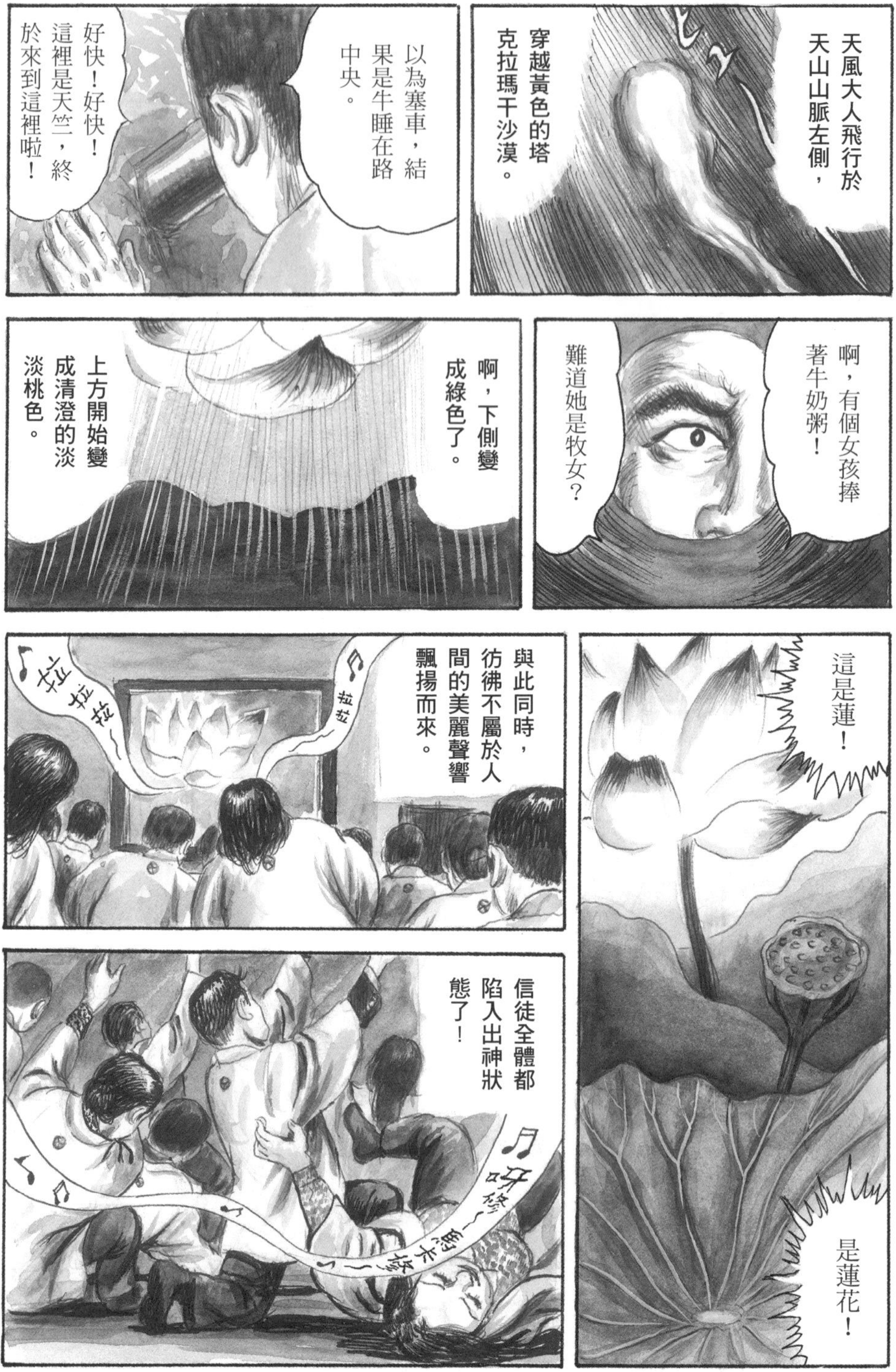
咻——
天風大人飛行於天山山脈左側，
穿越黃色的塔克拉瑪干沙漠。
以為塞車，結果是牛睡在路中央。
好快！好快！這裡是天竺，終於來到這裡啦！
啊，有個女孩捧著牛奶粥！
難道她是牧女？
啊，下側變成綠色了。
上方開始變成清澄的淡淡桃色。
這是蓮！
是蓮花！
與此同時，彷彿不屬於人間的美麗聲響飄揚而來。
拉拉
拉拉拉～
信徒全體都陷入出神狀態了！
呀修～駒卡修～

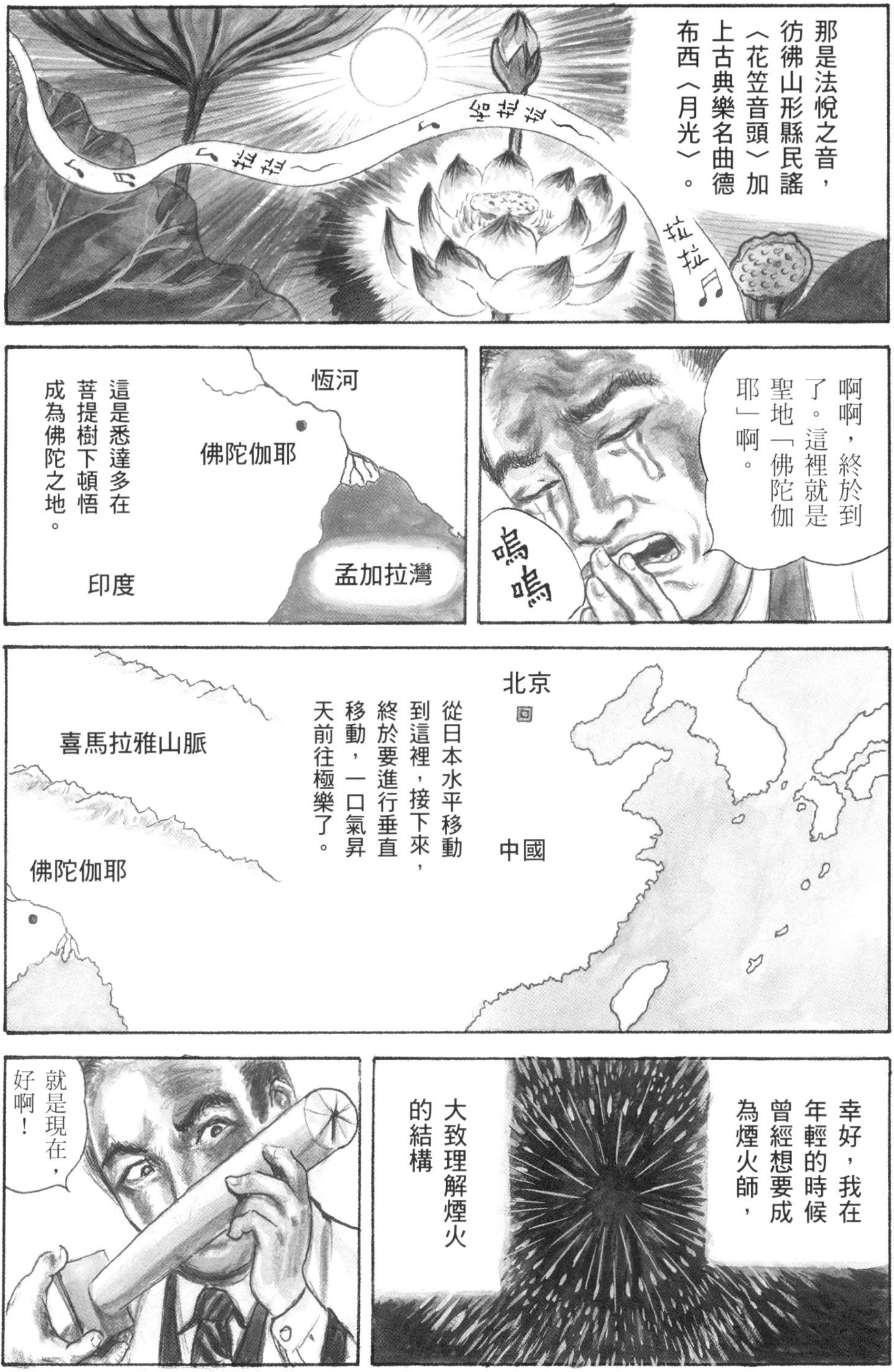
那是法悅之音，彷彿山形縣民謠〈花笠音頭〉加上古典樂名曲德布西〈月光〉。
拉拉拉
拉拉
拉拉
啊啊，終於到了。這裡就是聖地「佛陀伽耶」啊。
嗚嗚
恆河
佛陀伽耶
孟加拉灣
印度
這是悉達多在菩提樹下頓悟成為佛陀之地。
北京
中國
喜馬拉雅山脈
佛陀伽耶
從日本水平移動到這裡，接下來，終於要進行垂直移動，一口氣昇天前往極樂了。
幸好，我在年輕的時候曾經想要成為煙火師，
大致理解煙火的結構
就是現在，好啊！

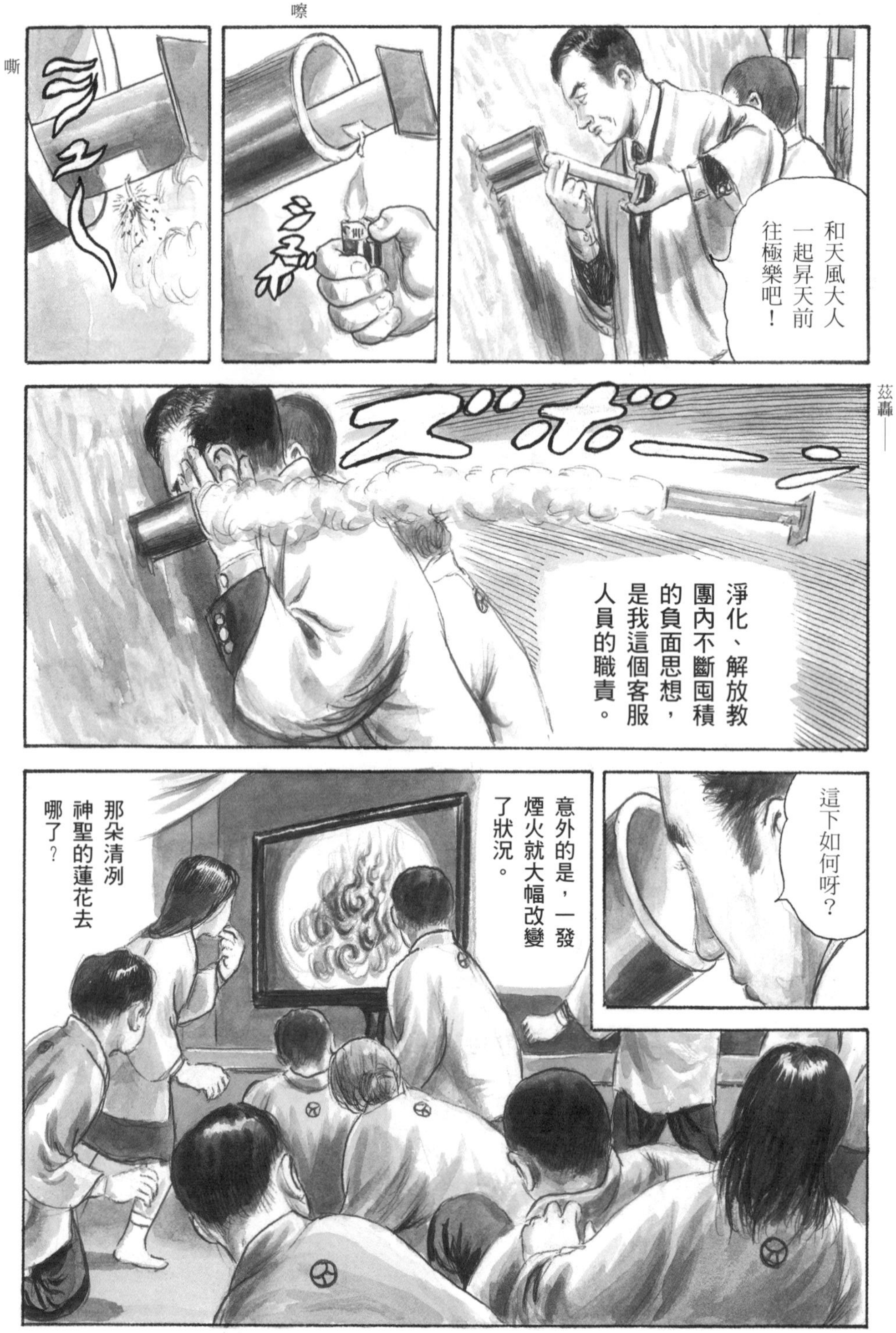
和天風大人一起昇天前往極樂吧！
嚓
嘶
茲轟——
淨化、解放教團內不斷囤積的負面思想，是我這個客服人員的職責。
這下如何呀？
意外的是，一發煙火就大幅改變了狀況。
那朵清冽神聖的蓮花去哪了？

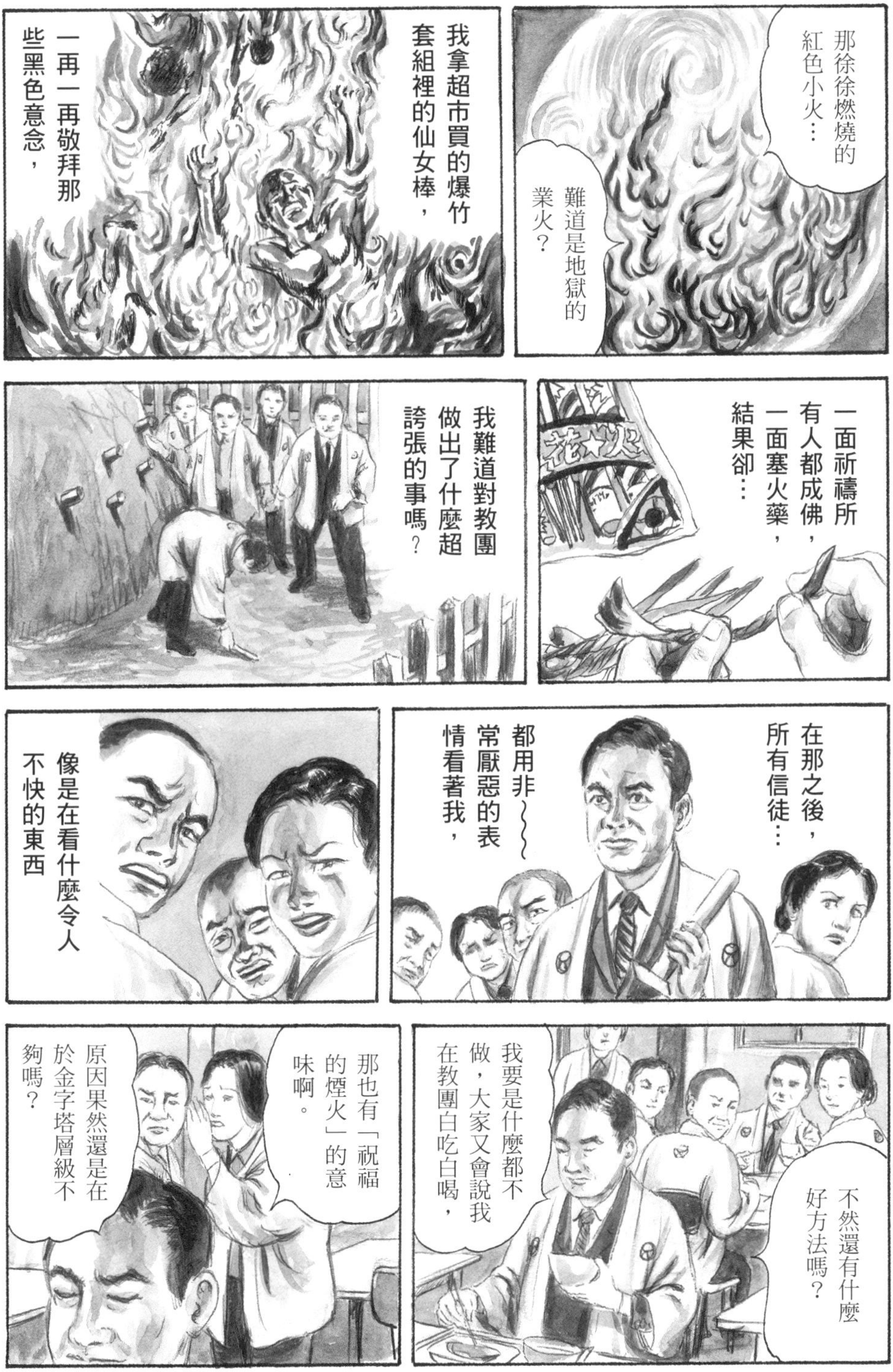
那徐徐燃燒的紅色小火…
難道是地獄的業火？
我拿超市買的爆竹套組裡的仙女棒，
一再一再敬拜那些黑色意念，
一面祈禱所有人都成佛，
一面塞火藥，
結果卻…
花★火
我難道對教團做出了什麼超誇張的事嗎？
在那之後，所有信徒…
都用非～～～常厭惡的表情看著我，
像是在看什麼令人不快的東西
不然還有什麼好方法嗎？
我要是什麼都不做，大家又會說我在教團白吃白喝，
那也有「祝福的煙火」的意味啊。
原因果然還是在於金字塔層級不夠嗎？

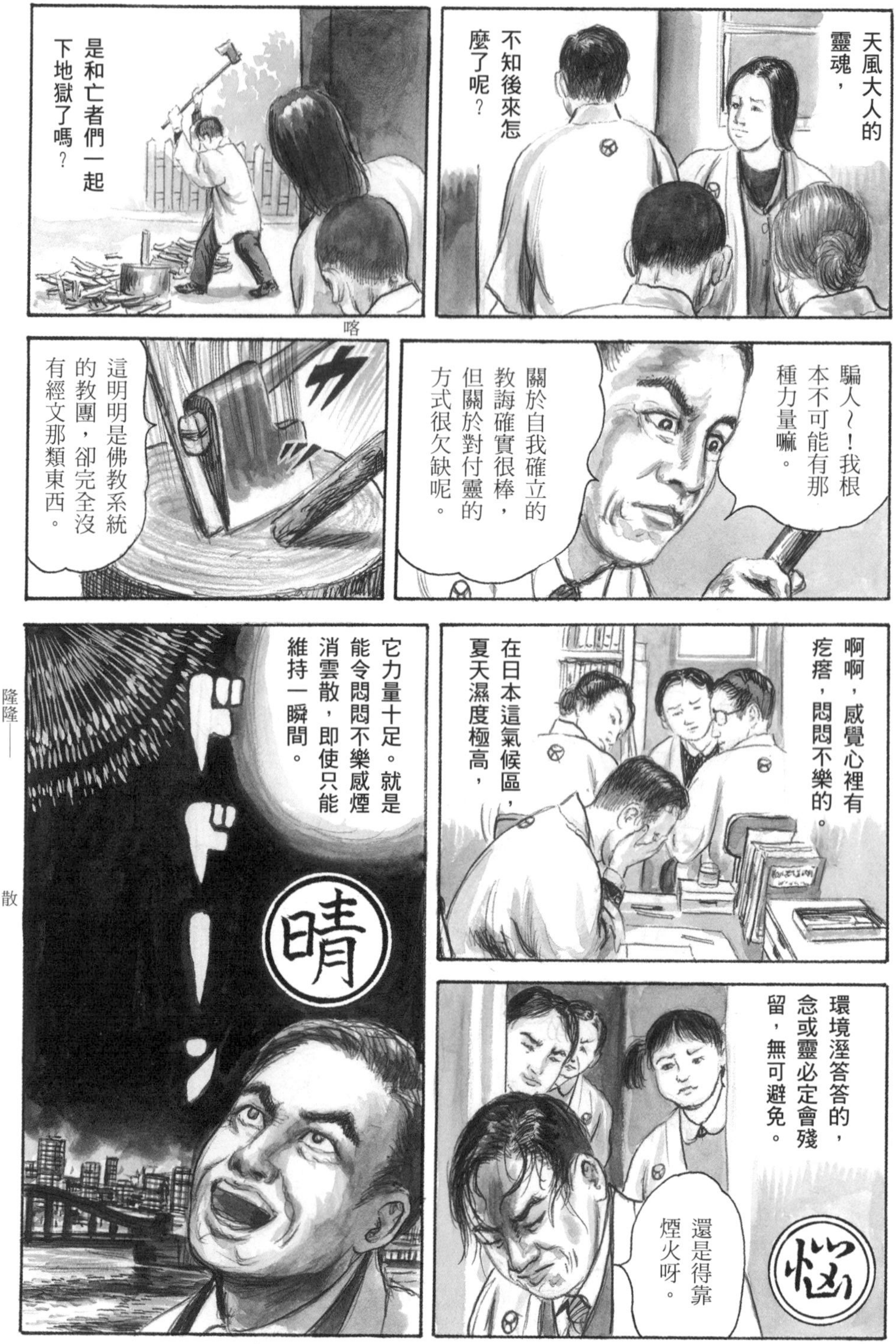
天風大人的靈魂，
不知後來怎麼了呢？
是和亡者們一起下地獄了嗎？
喀
騙人～！我根本不可能有那種力量嘛。
關於自我確立的教誨確實很棒，但關於對付靈的方式很欠缺呢。
這明明是佛教系統的教團，卻完全沒有經文那類東西。
啊啊，感覺心裡有疙瘩，悶悶不樂的。
在日本這氣候區，夏天濕度極高，
環境溼答答的，念或靈必定會殘留，無可避免。
惱
還是得靠煙火呀。
它力量十足。就是能令悶悶不樂感煙消雲散，即使只能維持一瞬間。
ドドーン
晴
隆隆——
散

針氈

はりのむしろ

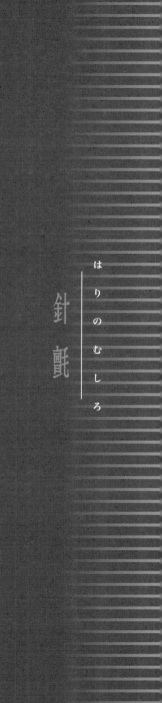

寵物貓不時會採取一些奇妙的行動。
你看了只會覺得，牠們是在對人類看不見的東西、聽不見的聲音產生反應。
想著高樓火災時受困的人們⋯
⋯因此，我拚命思考，絞盡腦汁。

雲梯車到不了，救難直升機也無法出手。
有毒氣體使喉嚨刺痛，攀住的窗框也逐漸變燙。
他們的選項只有兩個。「要跳下去嗎？」「要停留在這裡嗎？」兩者招來的結果都必然是「死」。
對於那些處在極限狀態的人們而言，地上的我們，
是多麼自由，多麼幸福啊。
…然而，我就是無法理解那點。

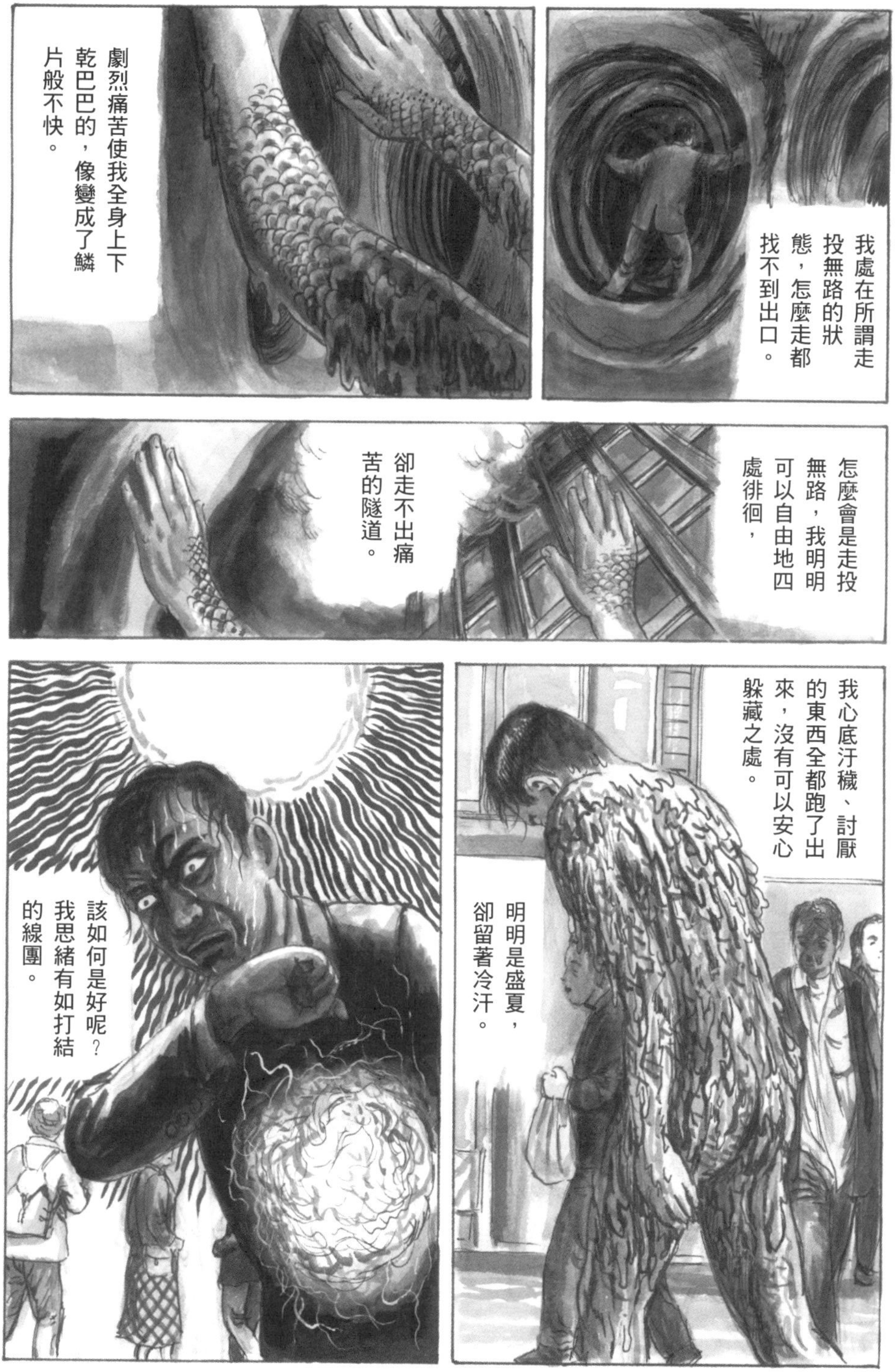
我處在所謂走投無路的狀態，怎麼走都找不到出口。
劇烈痛苦使我全身上下乾巴巴的，像變成了鱗片般不快。
怎麼會是走投無路，我明明可以自由地四處徘徊，
卻走不出痛苦的隧道。
我心底汙穢、討厭的東西全都跑了出來，沒有可以安心躲藏之處。
明明是盛夏，卻留著冷汗。
該如何是好呢？我思緒有如打結的線團。

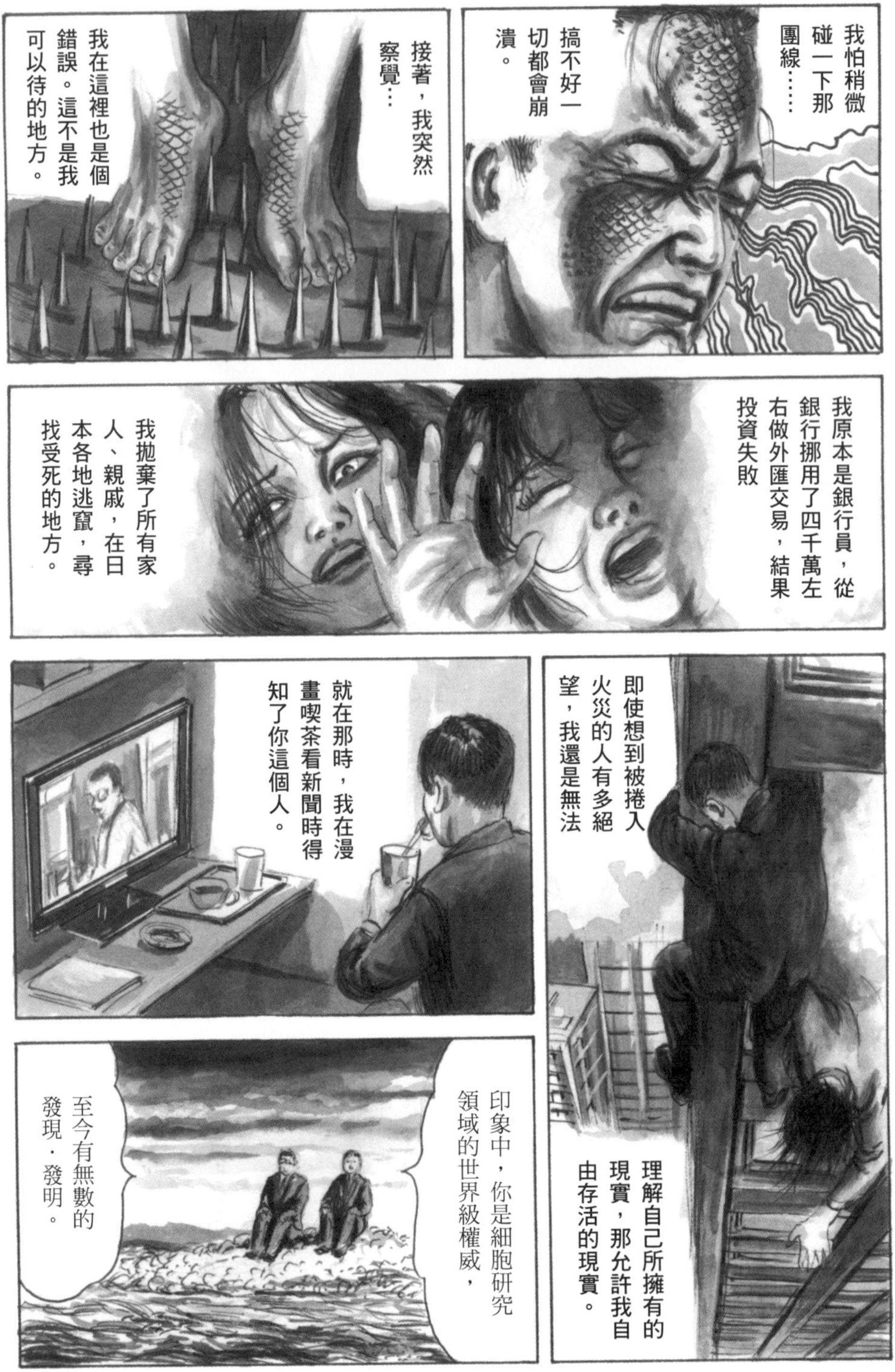
我怕稍微碰一下那團線……搞不好一切都會崩潰。
接著，我突然察覺…
我在這裡也是個錯誤。這不是我可以待的地方。
我原本是銀行員，從銀行挪用了四千萬左右做外匯交易，結果投資失敗
我拋棄了所有家人、親戚，在日本各地逃竄，尋找受死的地方。
即使想到被捲入火災的人有多絕望，我還是無法
理解自己所擁有的現實，那允許我自由存活的現實。
就在那時，我在漫畫喫茶看新聞時得知了你這個人。
印象中，你是細胞研究領域的世界級權威，
至今有無數的發現・發明。

許多海外知名大學、大企業也想招攬你。像你這麼厲害的人，
卻苦於讀高中的女兒犯下傷害案件，
最後自殺。這是為什麼呢？
身為世界知名科學家，你有地位、名譽，而且也有無比豐沛的財力呀…？
你明明跟我有天壤之別，為什麼要這樣呢？
…都一樣。
我和你完全一樣。
咦！
像你這種理系思考的大人物，也和我一樣嗎？
我也走投無路，失去了容身之處，每天都如坐針氈，
深信自己死了才會比較輕鬆。
啊啊，遇到你，讓我也覺得自殺真是太好了。
我因此得知那份苦惱不是專屬於我的特異之物。

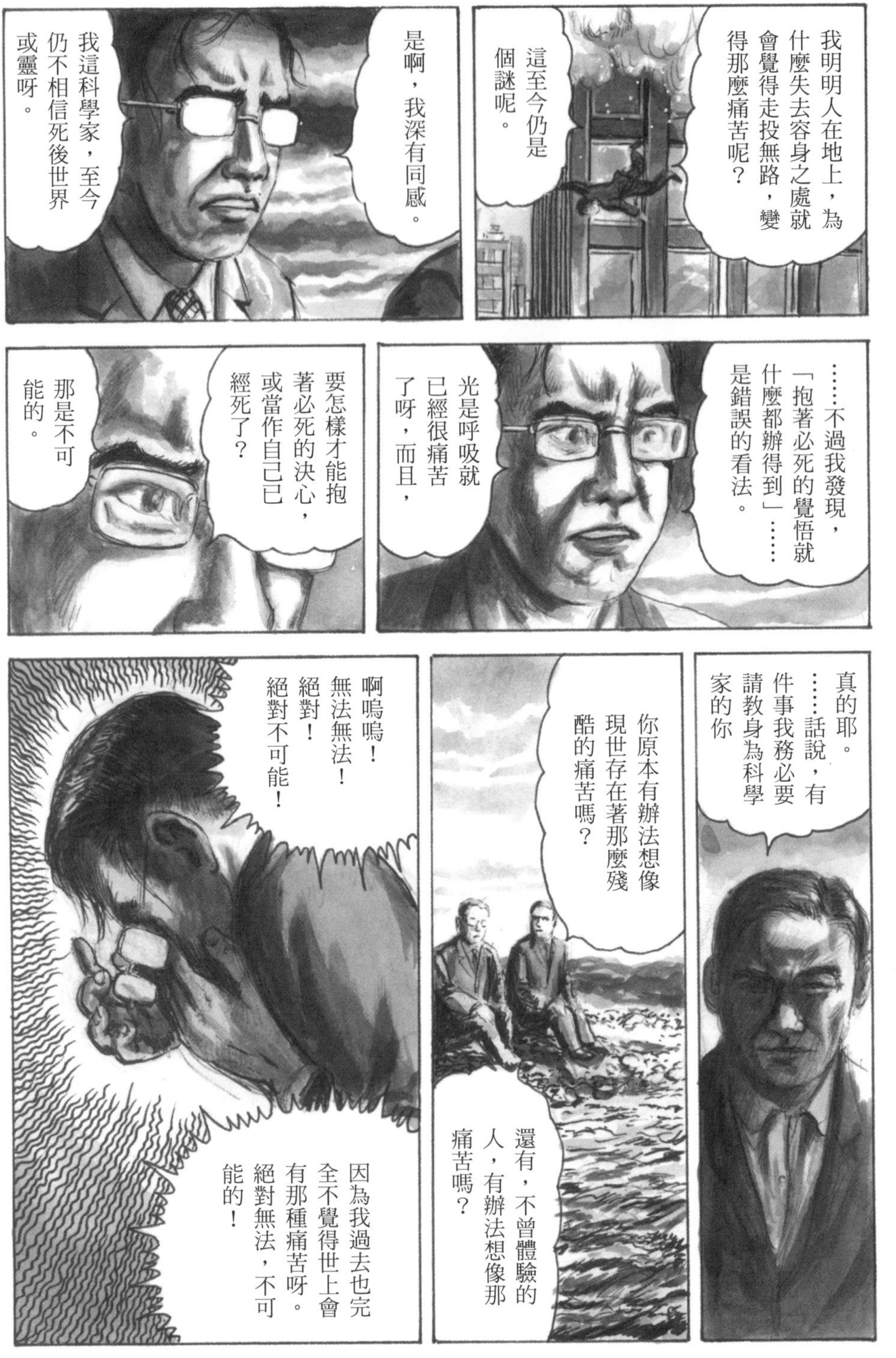
我明明人在地上，為什麼失去容身之處就會覺得走投無路，變得那麼痛苦呢？
這至今仍是個謎呢。
是啊，我深有同感。
我這科學家，至今仍不相信死後世界或靈呀。
……不過我發現，「抱著必死的覺悟就什麼都辦得到」……是錯誤的看法。
光是呼吸就已經很痛苦了呀，而且，
要怎樣才能抱著必死的決心，或當作自己已經死了？
那是不可能的。
真的耶。……話說，有件事我務必要請教身為科學家的你
你原本有辦法想像現世存在著那麼殘酷的痛苦嗎？
還有，不曾體驗的人，有辦法想像那痛苦嗎？
啊嗚嗚！無法無法！絕對！絕對不可能！
因為我過去也完全不覺得世上會有那種痛苦呀。絕對無法，不可能的！

啊～～～！果然啊！
…既然如此啊。
人甚至無法想像它「存在」的苦惱，確實存在。
搞不好陰間，也「存在」那種苦惱，對不對？
我偶爾會把意識之手伸向倖存的家人，
不過他們毫無反應呢。
大概是因為我的家人都不相信「陰間」的存在吧。
…不過，我偶爾會將那雙手伸向貓狗，牠們就會有我預期的反應。
我生前寵愛的貓咪尤其敏感…

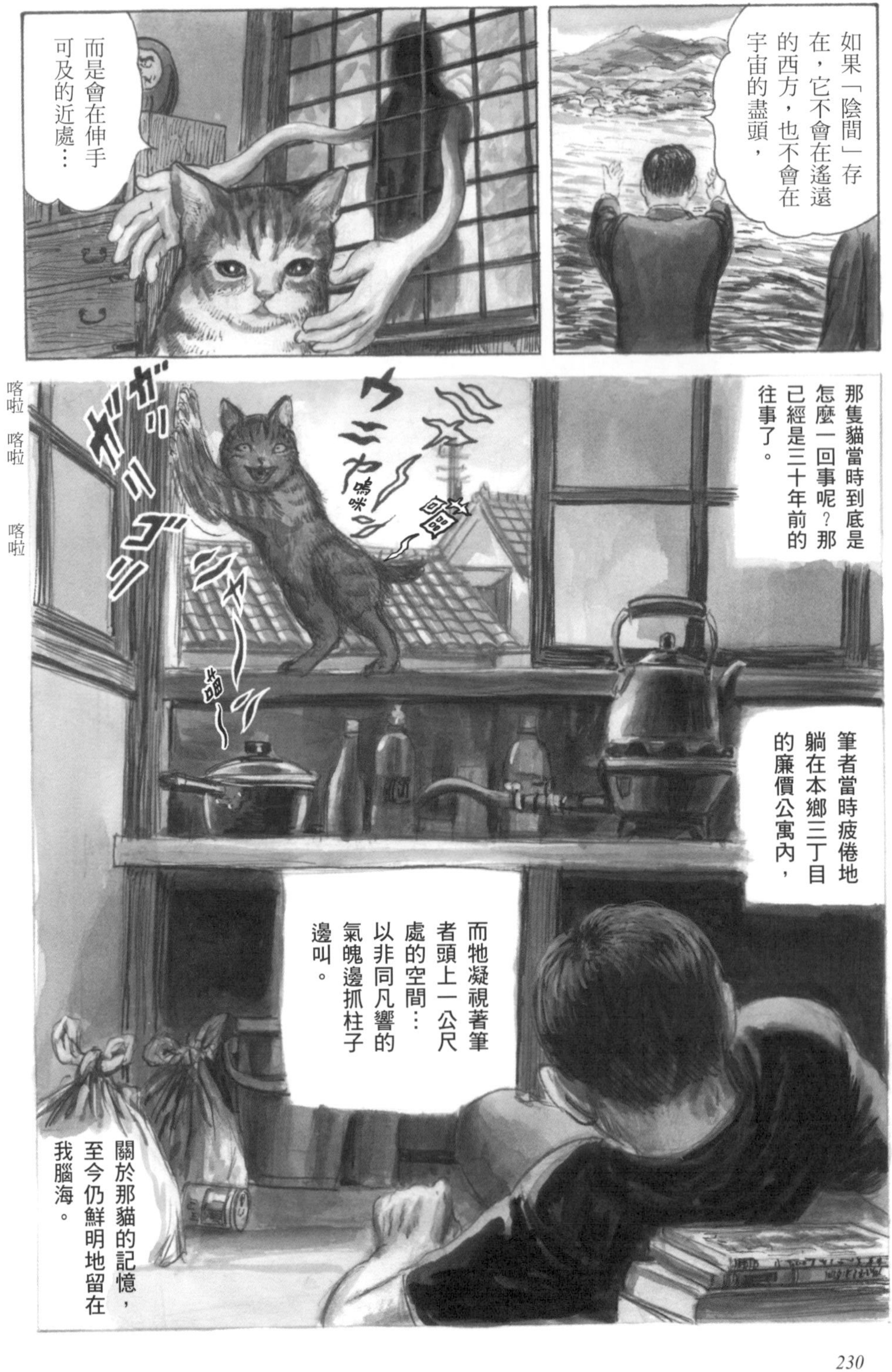
如果「陰間」存在，它不會在遙遠的西方，也不會在宇宙的盡頭，
而是會在伸手可及的近處⋯
那隻貓當時到底是怎麼一回事呢？那已經是三十年前的往事了。
喀啦 喀啦 喀啦
嗚咪
喵～
筆者當時疲倦地躺在本鄉三丁目的廉價公寓內，
而牠凝視著筆者頭上一公尺處的空間⋯以非同凡響的氣魄邊抓柱子邊叫。
關於那貓的記憶，至今仍鮮明地留在我腦海。

羽肢蟲

ひじきむし

我從前的心願，
是死後前往
「無」的世界。
茲茲
然而，每個人類都
有「個體差異」。
掉落
掉落
爬去
爬來
我也不例外。
含
呼

我先前的理想是像野生動物那樣，死期接近時就不為人知地到深山悄悄死去。
到了這年紀，我經常出席認識的人的葬禮，
一開始想像自己到時候的情形，就會感到無比害怕。
不知為何，我覺得很多人為了我聚集在一起這件事很恐怖。
我希望死掉的時候不帶給任何人困擾。

前往車站的路上，我總是會在公車窗邊心想。
要是被救護車載著走這條路就太討厭啦。
幾年前，我在深山的靈園買了最便宜的墓地。
我會在何時、用什麼方式死掉呢？
希望不會受苦，三兩下就翹辮子。
死會這麼難受嗎？
還有，死後世界會是什麼樣子呢？
我不想在浴室孤獨死，
不過在廁所孤獨死也很討厭呢。
盂蘭盆會的因緣
大約三千年前，釋迦牟尼的弟子目連尊者掛念亡母，

於是運用神通力觀十界之內，發現她落入餓鬼道受苦的身影。
他拜託釋迦牟尼拯救自己的母親，
結果對方答道：在（舊曆）七月十五日請眾多僧侶為她誦經，悉心供奉她，她便會得救。
目連尊者照做，他的母親便在天上界重生了
因為這段因緣，人們開始會在（舊曆）七月十五日舉辦盂蘭盆法會祭拜祖先。
原來如此……不過，這是真的嗎？

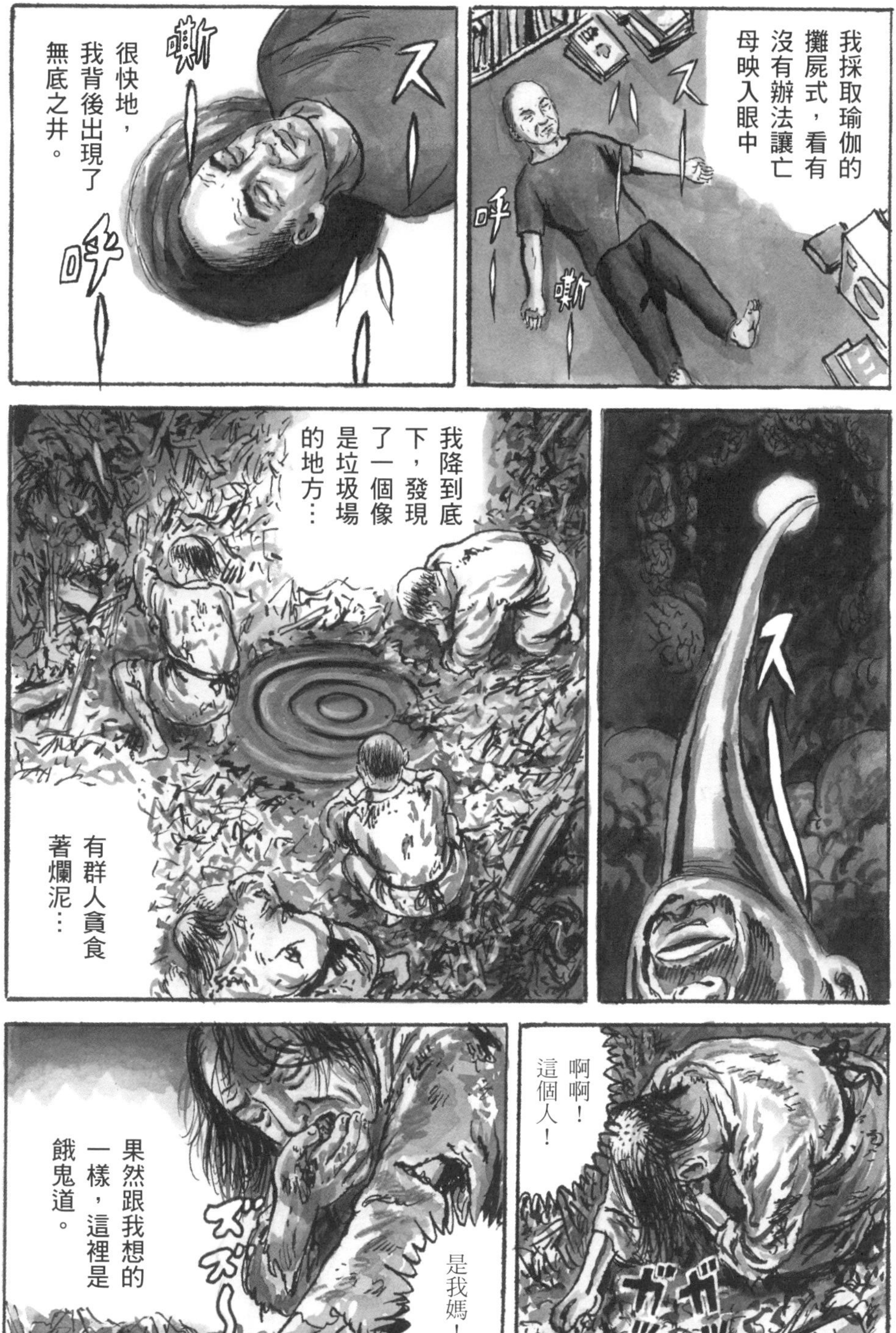
我採取瑜伽的攤屍式，看有沒有辦法讓亡母映入眼中
嘶—
呼—
很快地，我背後出現了無底之井。
嘶—
呼—
我降到底下，發現了一個像是垃圾場的地方……
有群人貪食著爛泥……
啊啊！這個人！
是我媽！
果然跟我想的一樣，這裡是餓鬼道。

嘶——

窣窣

抓 抓

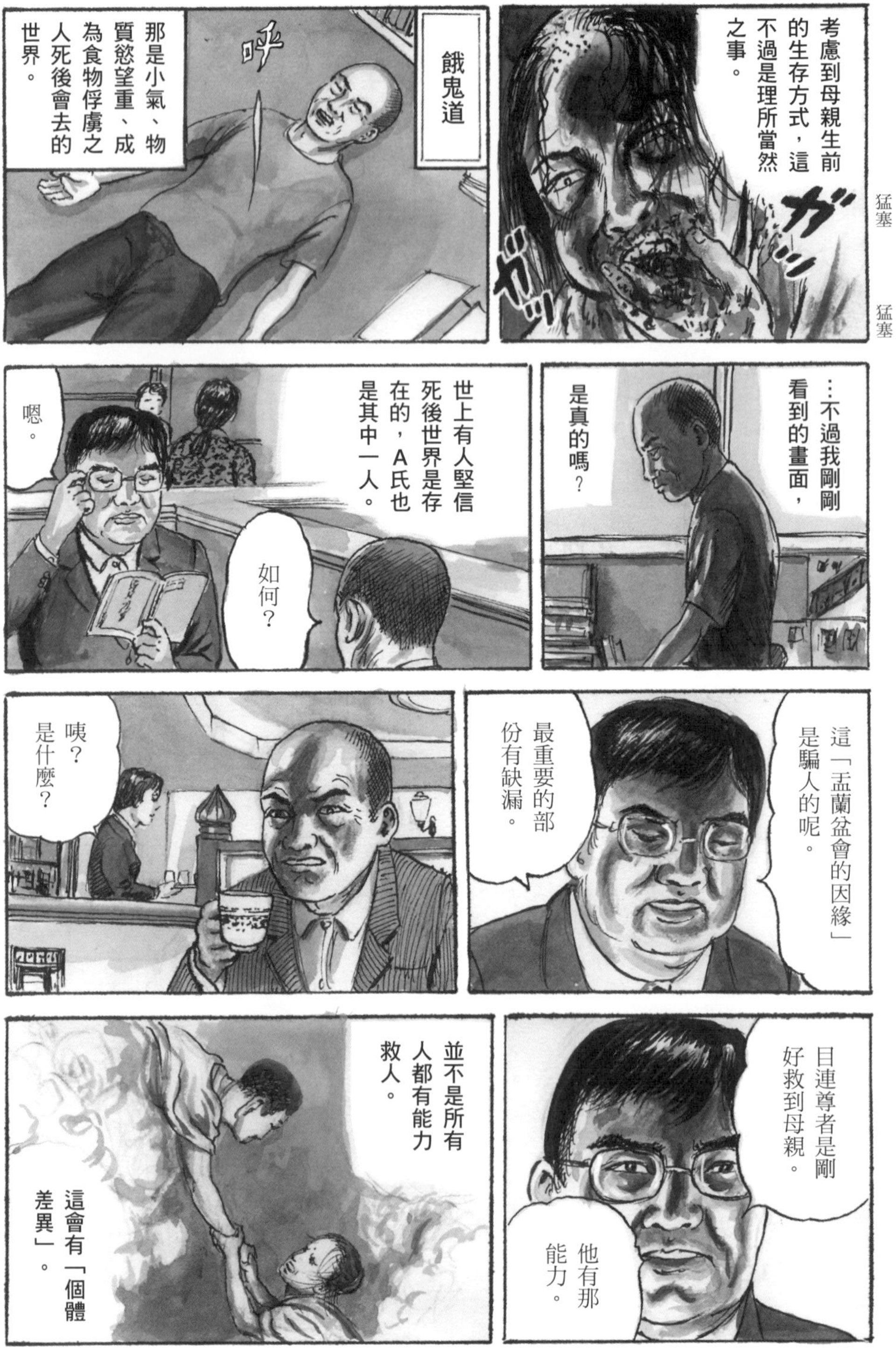
考慮到母親生前的生存方式，這不過是理所當然之事。
ガッ
ガッ
猛塞
猛塞
餓鬼道
呼
那是小氣、物質慾望重、成為食物俘虜之人死後會去的世界。
…不過我剛剛看到的畫面，
是真的嗎？
世上有人堅信死後世界是存在的，A氏也是其中一人。
如何？
嗯。
這「盂蘭盆會的因緣」是騙人的呢。
最重要的部份有缺漏。
咦？是什麼？
目連尊者是剛好救到母親。
他有那能力。
並不是所有人都有能力救人。
這會有「個體差異」。

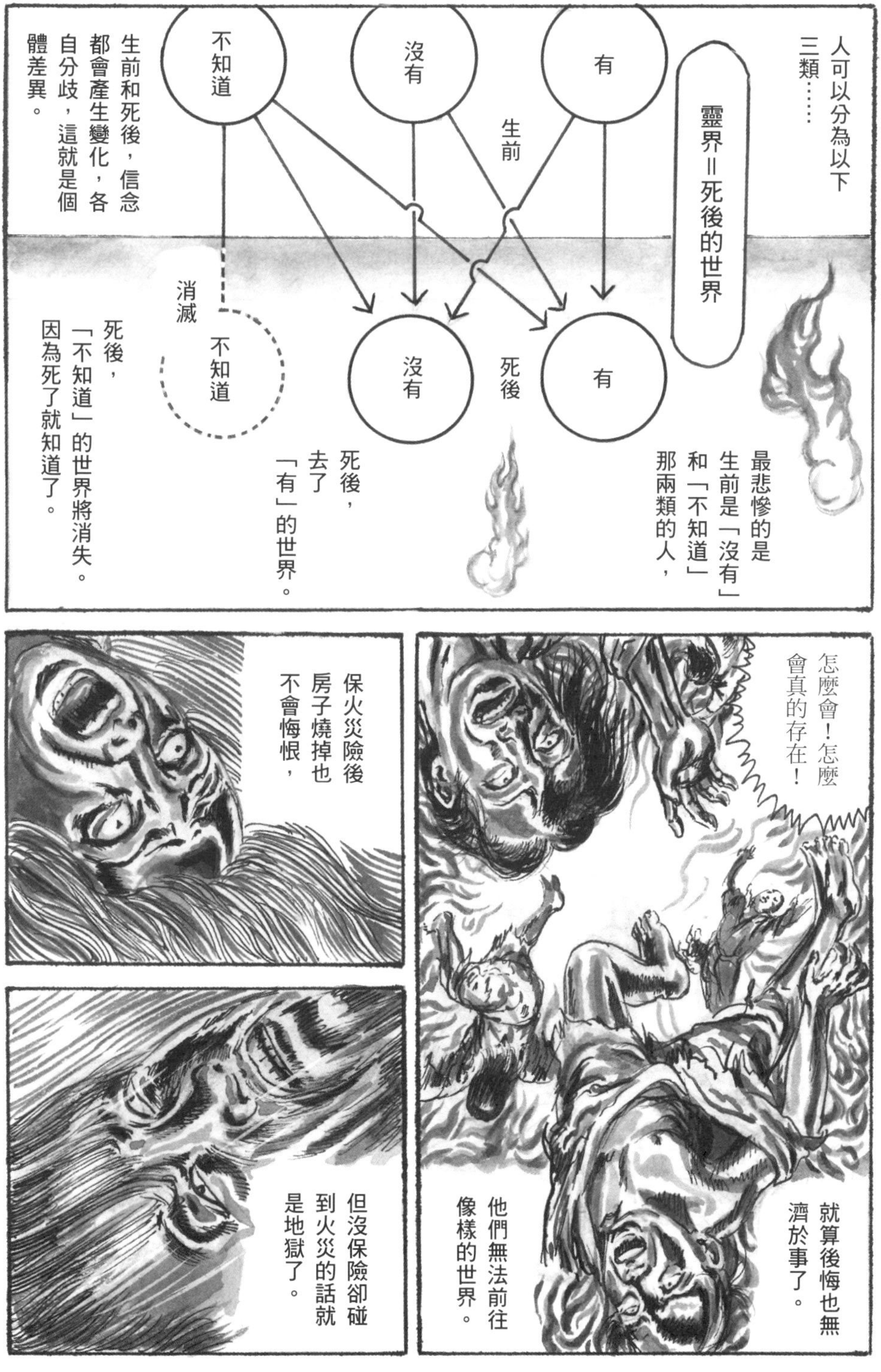

人可以分為以下三類……
靈界＝死後的世界
有
沒有
不知道
生前
死後
有
沒有
不知道
消滅
最悲慘的是生前是「沒有」和「不知道」那兩類的人，
死後，去了「有」的世界。
死後，「不知道」的世界將消失。因為死了就知道了。
生前和死後，信念都會產生變化，各自分歧，這就是個體差異。
怎麼會！怎麼會真的存在！
就算後悔也無濟於事了。
他們無法前往像樣的世界。
保火災險後房子燒掉也不會悔恨，
但沒保險卻碰到火災的話就是地獄了。

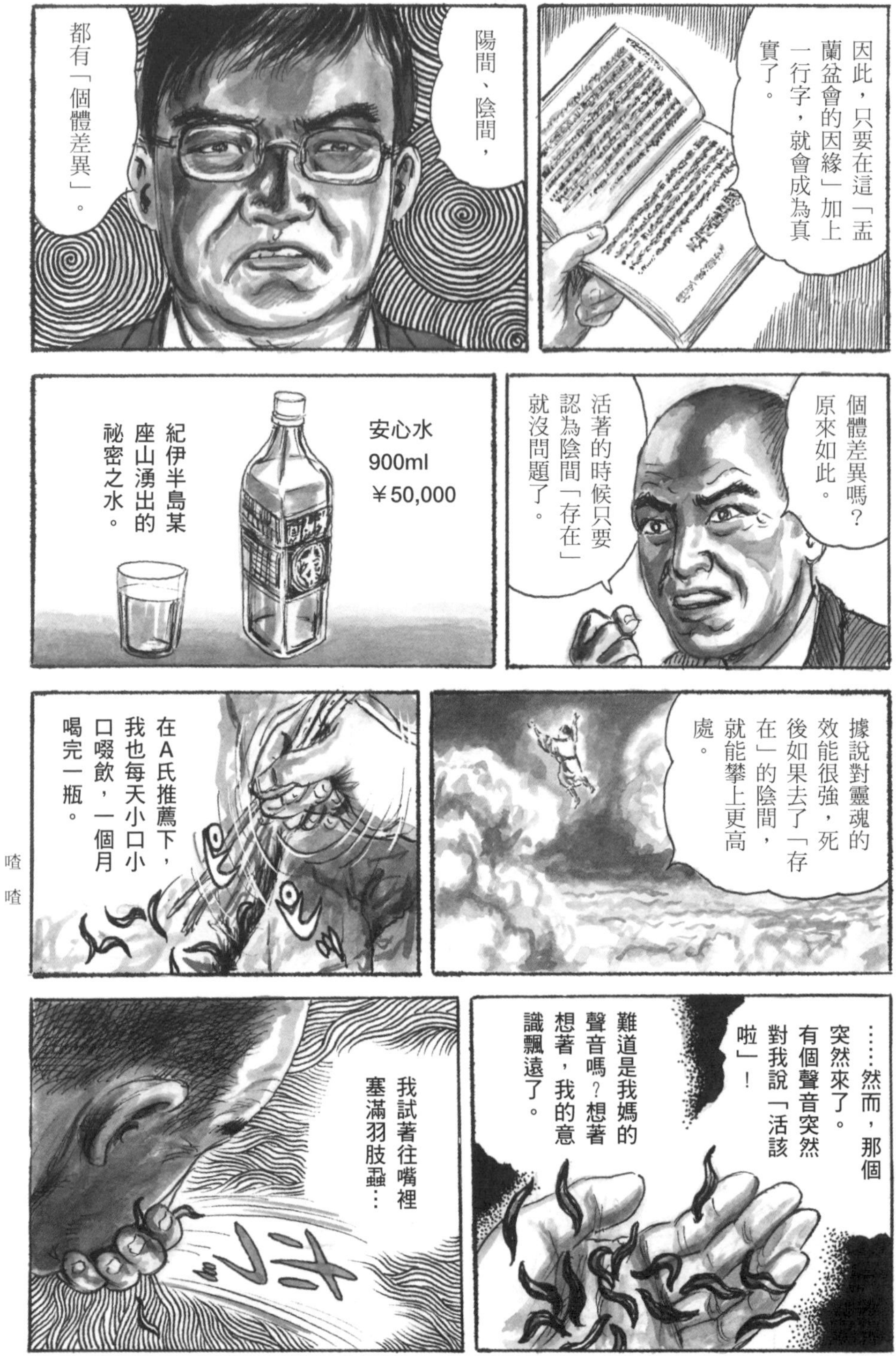
因此，只要在這「盂蘭盆會的因緣」加上一行字，就會成為真實了。
陽間、陰間，
都有「個體差異」。
個體差異嗎？原來如此。
活著的時候只要認為陰間「存在」就沒問題了。
安心水
900ml
￥50,000
紀伊半島某座山湧出的祕密之水。
據說對靈魂的效能很強，死後如果去了「存在」的陰間，就能攀上更高處。
在A氏推薦下，我也每天小口小口啜飲，一個月喝完一瓶。
喳喳
⋯⋯然而，那個突然來了。有個聲音突然對我說「活該啦」！
難道是我媽的聲音嗎？想著想著，我的意識飄遠了。
我試著往嘴裡塞滿羽肢蟲⋯
含

駭人的苦味擴散到我全身，使我麻痺、動彈不得。
嚼嚼嚼
那樣正好，因為帶給我「死去」的真實感。
我是在廁所聽到有人喊「活該啦」，
也就是說，是在廁所中孤獨死吧。
嗚噁
我要向收拾我遺體的人深深鞠躬。
那恐怖的葬禮應該也已經辦完了吧。給各位添麻煩了。
啊，我從未感到如此舒暢。
掉落
爬來爬去
沒有生老病死之苦，真驚人。
不熱也不冷。
工作、健康、疾病、每月的水電費、納稅義務，都消失了。
含吞
想像自己在廁所孤獨死的身影，令我無法忍受，但我連無法忍受的感情都消失了。
竟然這麼棒啊！
嚼啪嚼

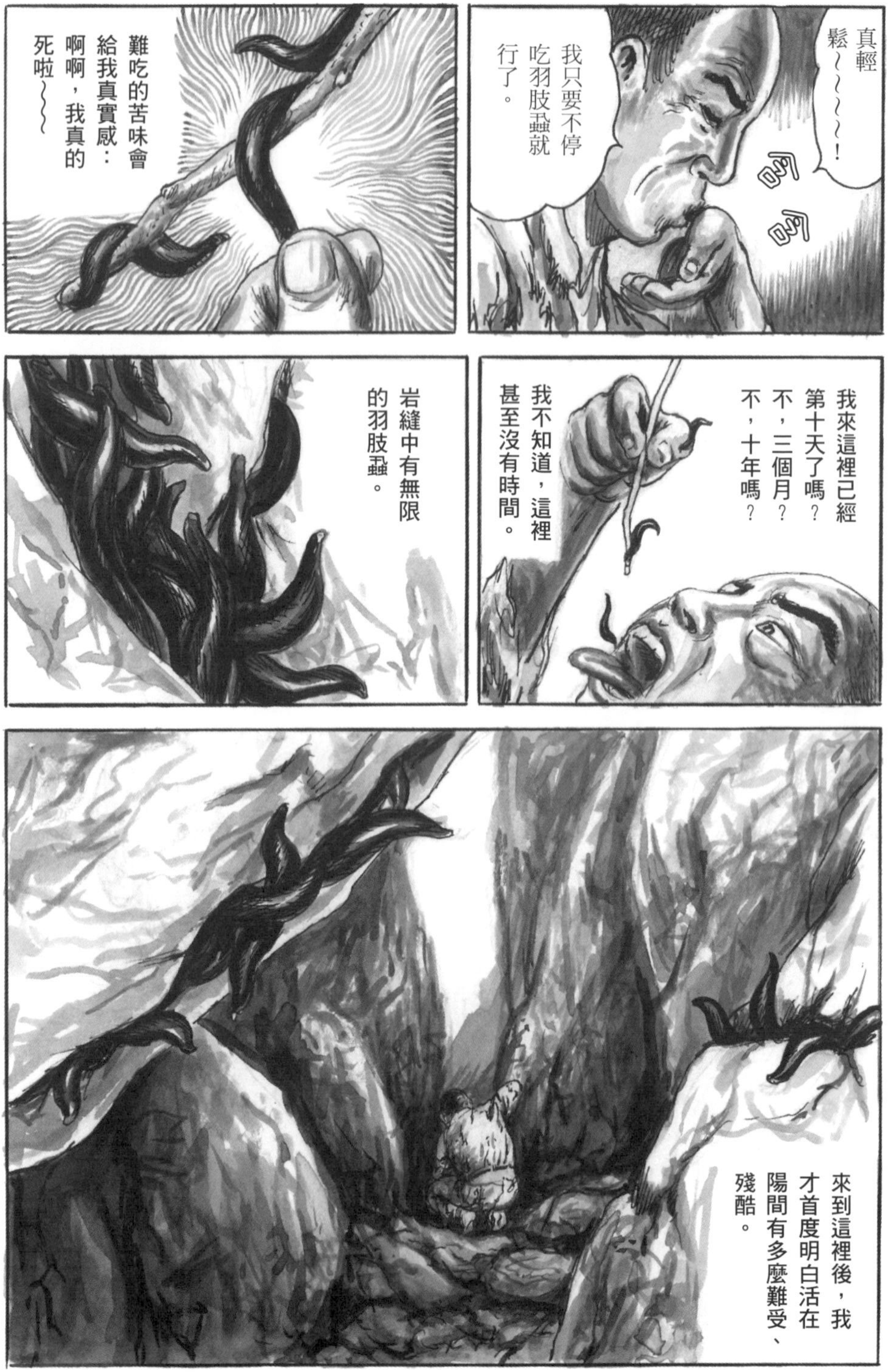
真輕鬆~~~~!
我只要不停吃羽肢蝨就行了。
難吃的苦味會給我真實感：啊啊，我真的死啦~~~
我來這裡已經第十天了嗎？不，三個月？不，十年嗎？
我不知道，這裡甚至沒有時間。
岩縫中有無限的羽肢蝨。
來到這裡後，我才首度明白活在陽間有多麼難受、殘酷。

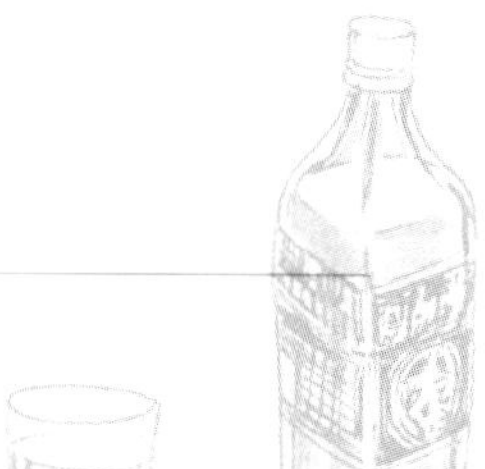

螢

ほたる

大家跑哪去了？

我到處晃，走了這麼多路，都沒遇到。

喂～
在哪？
跑哪去了。
我到處走來走去，腳都瘦了。
……話說，那是什麼？那金黃色極光般閃亮的雲朵是？
極光中不時會伸出光之絲。
地上也有光之絲往上伸。
兩根線打結後放射出美麗的光芒。

那是很崇高的光，但到底是什麼呢？
我的腳累積了疲倦感，變得癢癢的。
話說回來，「靈」在哪？
我至今見過許多照片或影片拍到的「靈」。
那些「靈」去哪了？
沒有就奇了。
剛剛那個不是，那是活人。

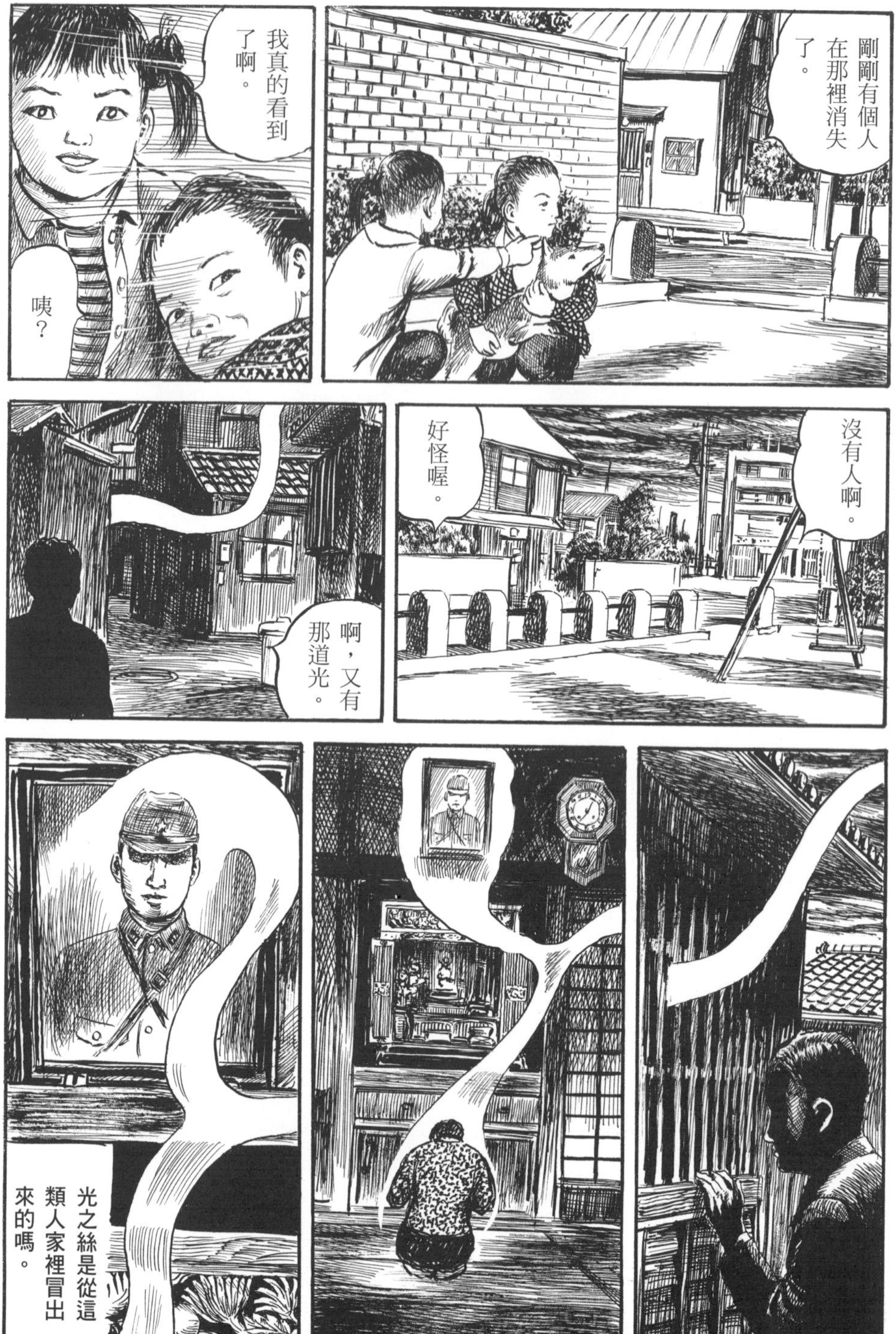
剛剛有個人在那裡消失了。
我真的看到了啊。
咦？
沒有人啊。
好怪喔。
啊，又有那道光。
光之絲是從這類人家裡冒出來的嗎。

啊啊…文和天之絲連起來了。
那高貴的天之極光到底是什麼來歷呢？
「靈」在哪？照片或影片中拍到的大量的「靈」呢？
我已經死了。我對這件事的理解是明晰的。
我也變成「靈」了。
我當然要能夠見到同伴才對啊。
啊！那些人！

「靈」們，原來聚集在山上啊。
他們的身體接連消失。
彷彿是被光雨削掉了。
大家都把業障留在腳下。
是蟲！原來業障會變成蟲啊。
業障變成了蟲，消費剩餘生命的能量。
而留在蟲身上的人生前的記憶，化成了身影，被拍進照片或影片。
我先前沒發現他們是蟲。難怪不太容易碰到「靈」。

蟲之中，只有螢火蟲是高貴的蟲，牠們的身體會發光。
只有特別的人能變成螢火蟲。
大東亞戰爭時，
有人會聽到軍靴聲和玄關打開的聲音。
這家人就這麼透過蟲的預警，得知到南方出征的兒子戰死了。
那年夏天，佛堂每晚都有螢火蟲飛來飛去。
英靈們全都變成高貴的光了。
嘩啦—
嘩啦—
……啊啊！我的身體也要溶解成光了。光雨好舒服呀。
……對我來說，是看似舒服才對。再見了，再見了，變成光的自己啊。我要轉生成蟲了。

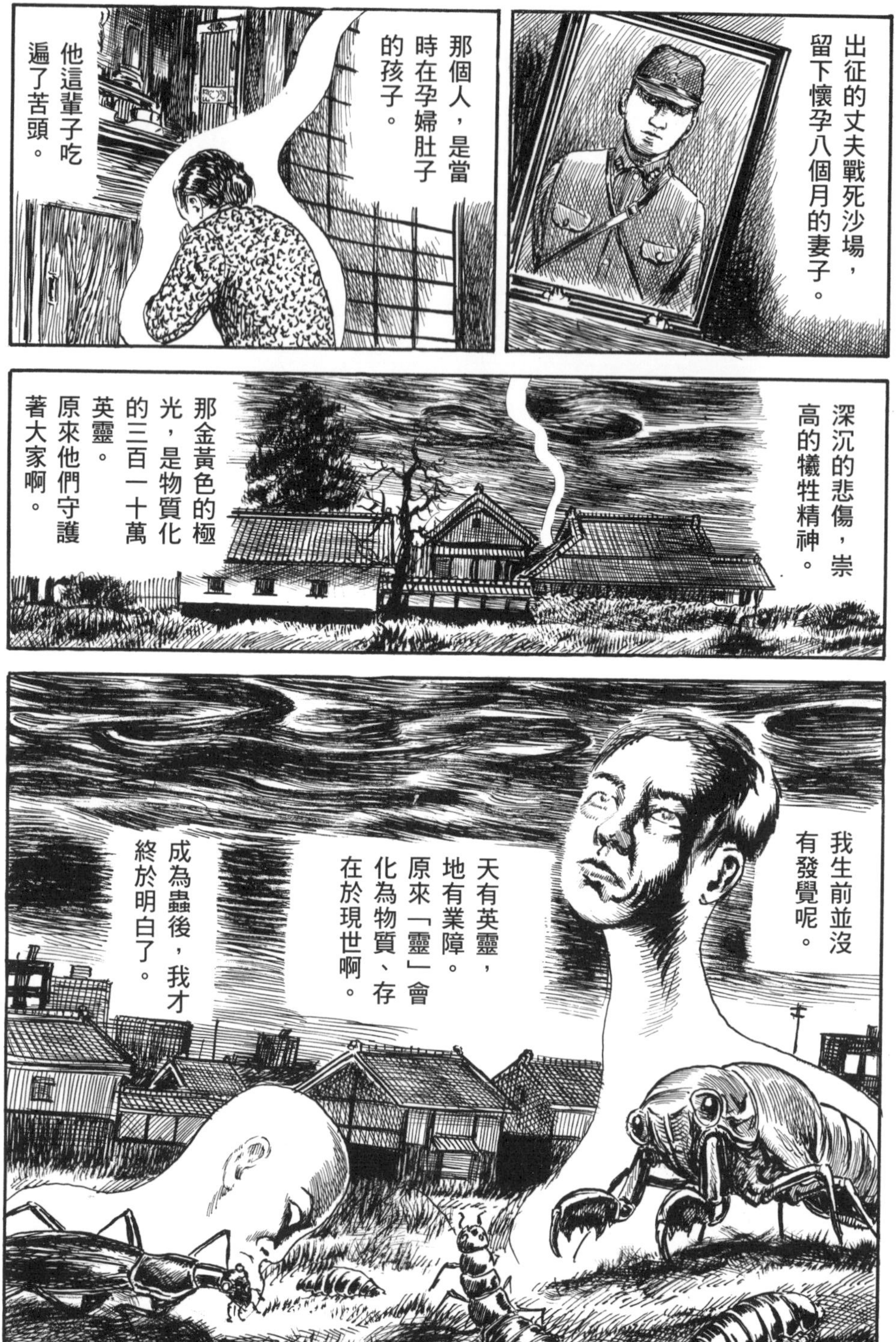
出征的丈夫戰死沙場，留下懷孕八個月的妻子。
那個人，是當時在孕婦肚子的孩子。
他這輩子吃遍了苦頭。
深沉的悲傷，崇高的犧牲精神。
那金黃色的極光，是物質化的三百一十萬英靈。
原來他們守護著大家啊。
我生前並沒有發覺呢。
天有英靈，地有業障。原來「靈」會化為物質、存在於現世啊。
成為蟲後，我才終於明白了。

雨之貓塚

あめのねこづか

唰—
唰—
唰—
安全第一
來，出來吧。
喵
乖乖乖。
喵
這…這是什麼！
喵
喵
唰—

ニャー
喵
ニャー
喵
這些小寶貝是野貓的靈魂喔。
咦~!
唰—
這座公園也會蓋奧運相關設施呢。
東京每天都在不斷發展。
發展的背後，有很多東西失落了啊。
唰—
唰—
在我小時候，這座公園花朵盛開，待起來很愉快。
蝶舞蟬鳴，充滿了大家的回憶。
後來戰爭破壞了它，這次又輪到奧運了。
ニャー
喵
這裡已經待不得了。
ニャー
喵
唰—

唰—
唰—
那真是不可思議的體驗呢。
在日本，貓和人類是一樣有靈魂的呀。
唰—
說到奧運、帕運，問題真是接二連三啊……
英靈大人連綁腿都還沒鬆開呢。
唰
ザッ
ザッ
ザッ
唰
唰
昭和十八年（一九四三年）十月二十一日，在眾所皆知的神宮外苑舉辦了一場「出征學生餞行會」。
那是個特別的場合，有兩萬五千名學生展現壯烈的意志力，
為了祖國，將腳下的土地踏得無比堅實。

有許多對日本而言無可取代的優秀年輕人，在遙遠戰場壯烈戰死，成了不歸人。
我們家的親戚之中，也有出征的年輕人呢。
據說最後一晚，他很捨不得向愛貓道別。
家裡有士兵出征的每一戶人家，都吃「陰膳」。
祈求戰場上的士兵不要挨餓。
我以前就覺得貓也會剩一些飼料下來，真是奇怪。
妳終於發現了啊，貓也在吃「陰膳」啊。
咦~貓也吃嗎？
唰—
是啊！當國家進入非常狀態時，貓狗也會這樣。噴岩漿的國家有這種特徵呀。
某一天，他們從田裡回家準備做午餐，
結果貓跳上了神棚。

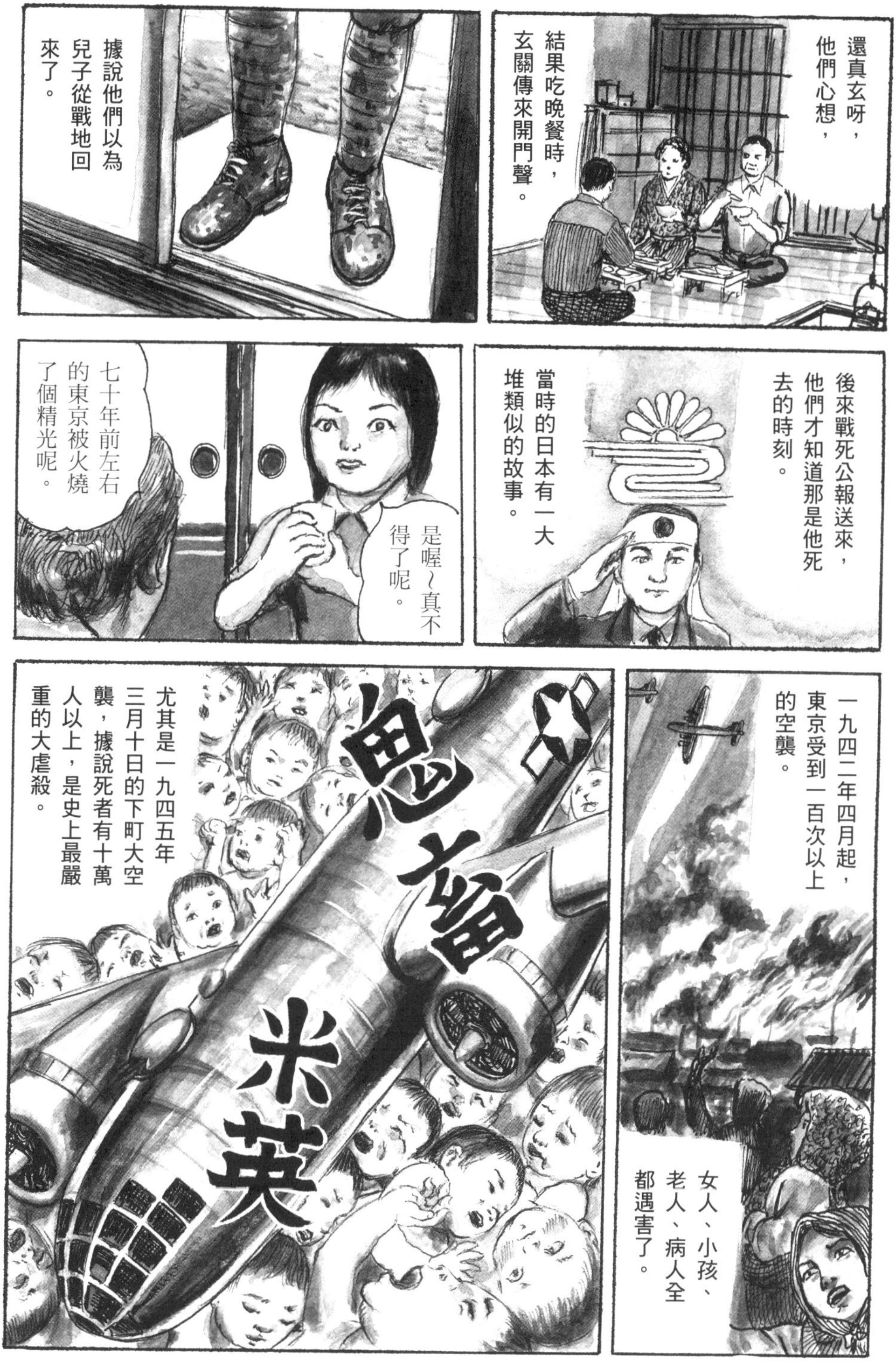

還真玄呀，
他們心想，
結果吃晚餐時，
玄關傳來開門聲。
據說他們以為兒子從戰地回來了。
後來戰死公報送來，他們才知道那是他死去的時刻。
當時的日本有一大堆類似的故事。
七十年前左右的東京被火燒了個精光呢。
是喔～真不得了呢。
一九四二年四月起，東京受到一百次以上的空襲。
女人、小孩、老人、病人全都遇害了。
鬼畜米英
尤其是一九四五年三月十日的下町大空襲，據說死者有十萬人以上，是史上最嚴重的大虐殺。

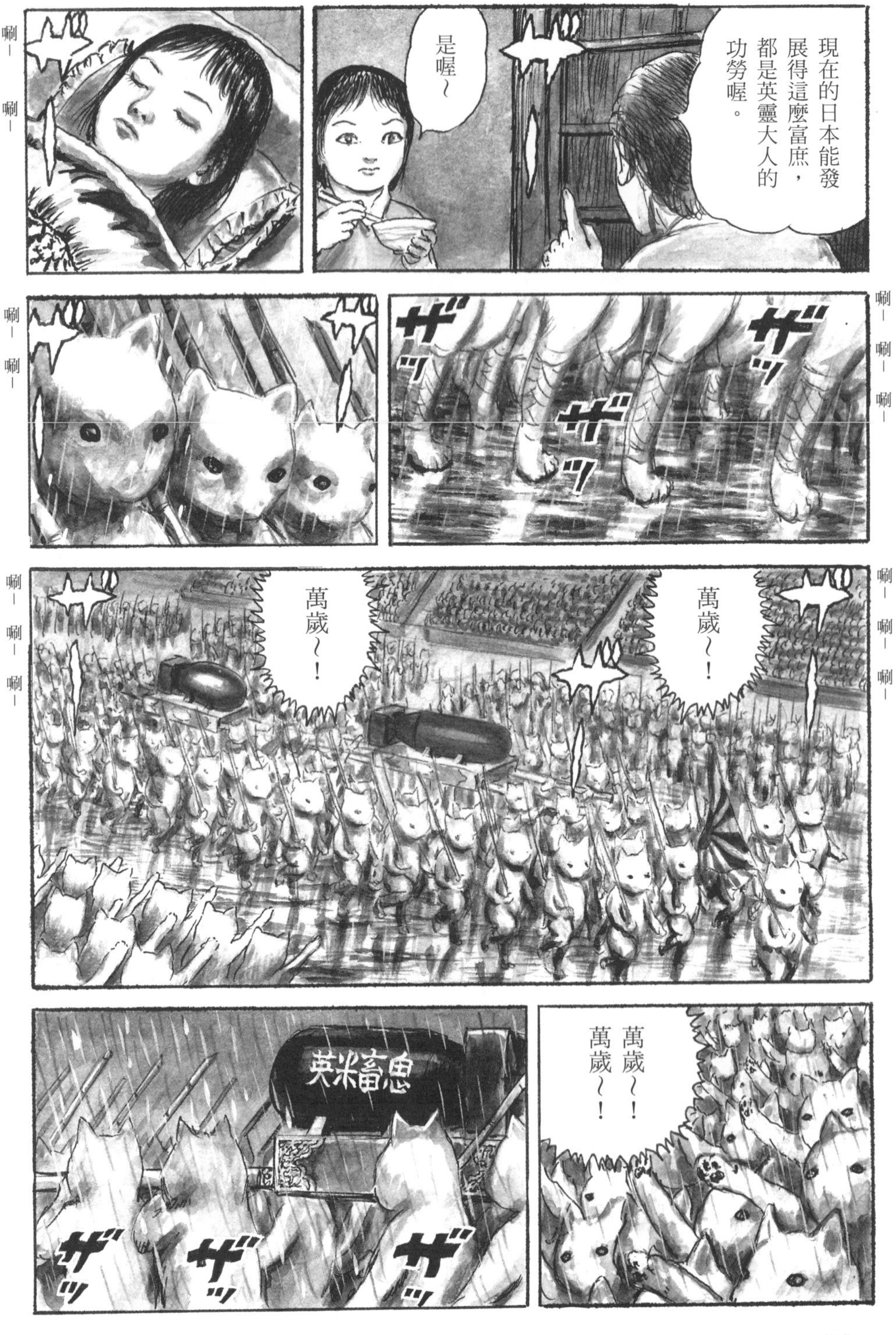
現在的日本能發展得這麼富庶，都是英靈大人的功勞喔。
是喔～
唰—唰—
唰—唰—
唰—唰—
唰—唰—
ザッ
ザッ
唰—唰—唰—
萬歲～！
萬歲～！
唰—唰—唰—
萬歲～！
萬歲～！
英米畜息
ザッ
ザッ
ザッ

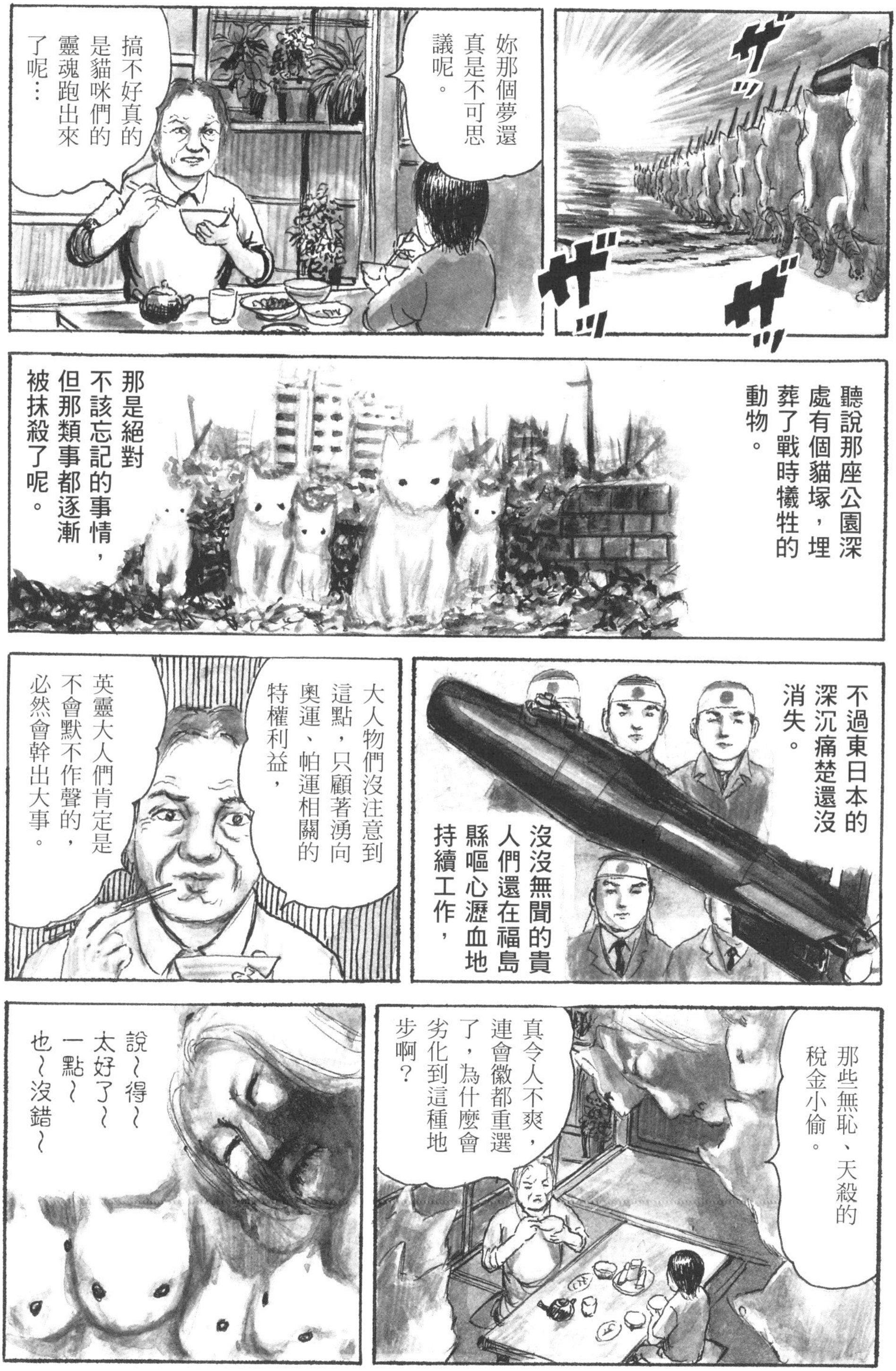
唰—唰—唰—
ザッ
ザッ
ザッ
妳那個夢還真是不可思議呢。
搞不好真的是貓咪們的靈魂跑出來了呢…
聽說那座公園深處有個貓塚，埋葬了戰時犧牲的動物。
那是絕對不該忘記的事情，但那類事都逐漸被抹殺了呢。
不過東日本的深沉痛楚還沒消失。
沒沒無聞的貴人們還在福島縣嘔心瀝血地持續工作，
大人物們沒注意到這點，只顧著湧向奧運、帕運相關的特權利益，
英靈大人們肯定是不會默不作聲的，必然會幹出大事。
那些無恥、天殺的稅金小偷。
真令人不爽，連會徽都重選了，為什麼會劣化到這種地步啊？
說～得～太好了～一點～也～沒錯～

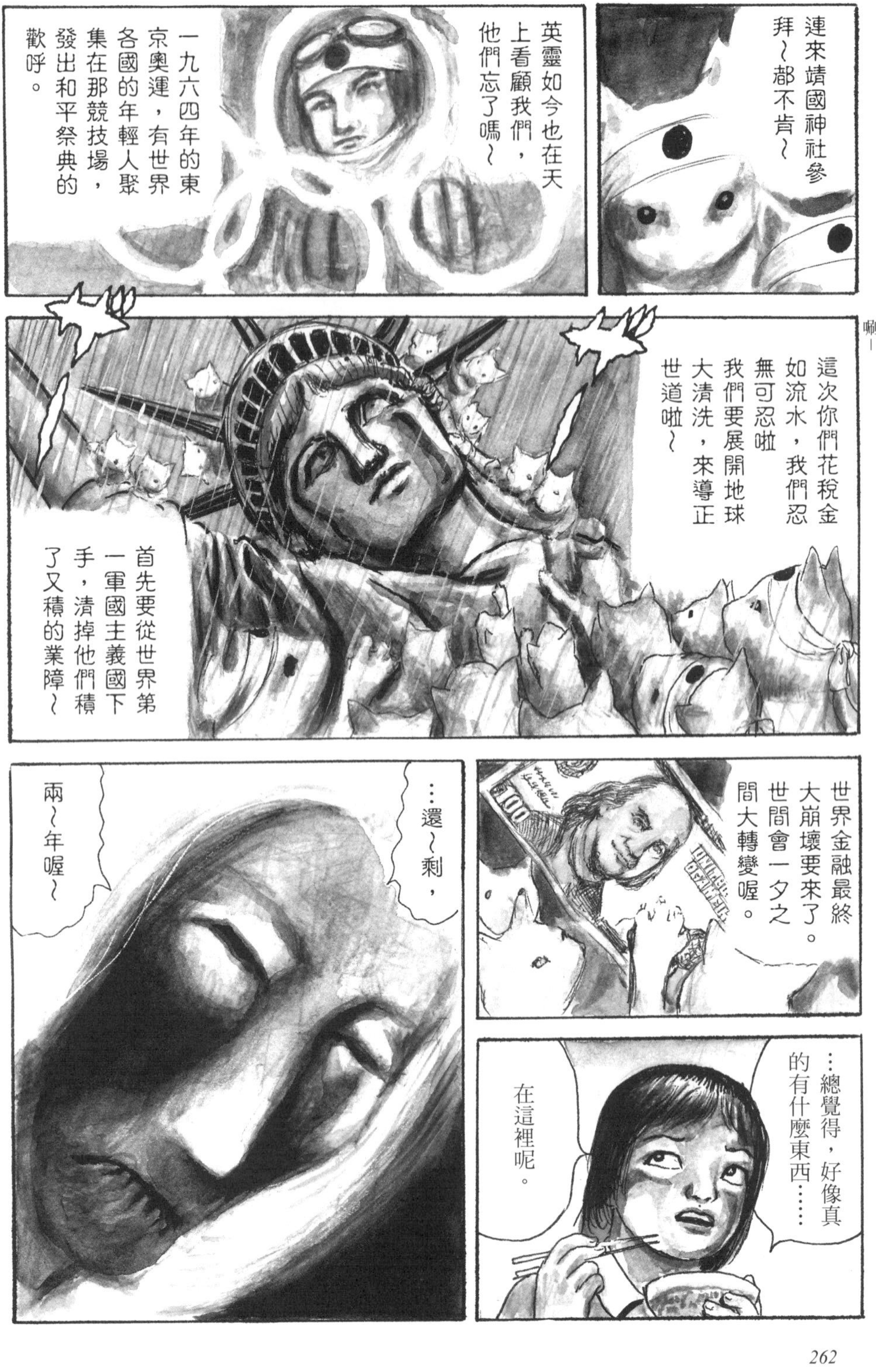
連來靖國神社參拜～都不肯～
英靈如今也在天上看顧我們，他們忘了嗎～
一九六四年的東京奧運，有世界各國的年輕人聚集在那競技場，發出和平祭典的歡呼。
唰—
唰—
這次你們花稅金如流水，我們忍無可忍啦
我們要展開地球大清洗，來導正世道啦～
首先要從世界第一軍國主義國下手，清掉他們積了又積的業障～
世界金融最終大崩壞要來了。世間會一夕之間大轉變喔。
…還～剩，
兩～年喔～
…總覺得，好像真的有什麼東西……
在這裡呢。

秘藏

ひぞう

平常不太涉足神社佛閣的人，痛苦時也會求神問佛。
喀唰
掛在脖子上的相機，
毫無抵抗地滑落到地，彷彿被風吹掉的。
相機壞掉，快門按不了了…為什麼？
果然來了嗎？怨靈、生靈來作祟了嗎…

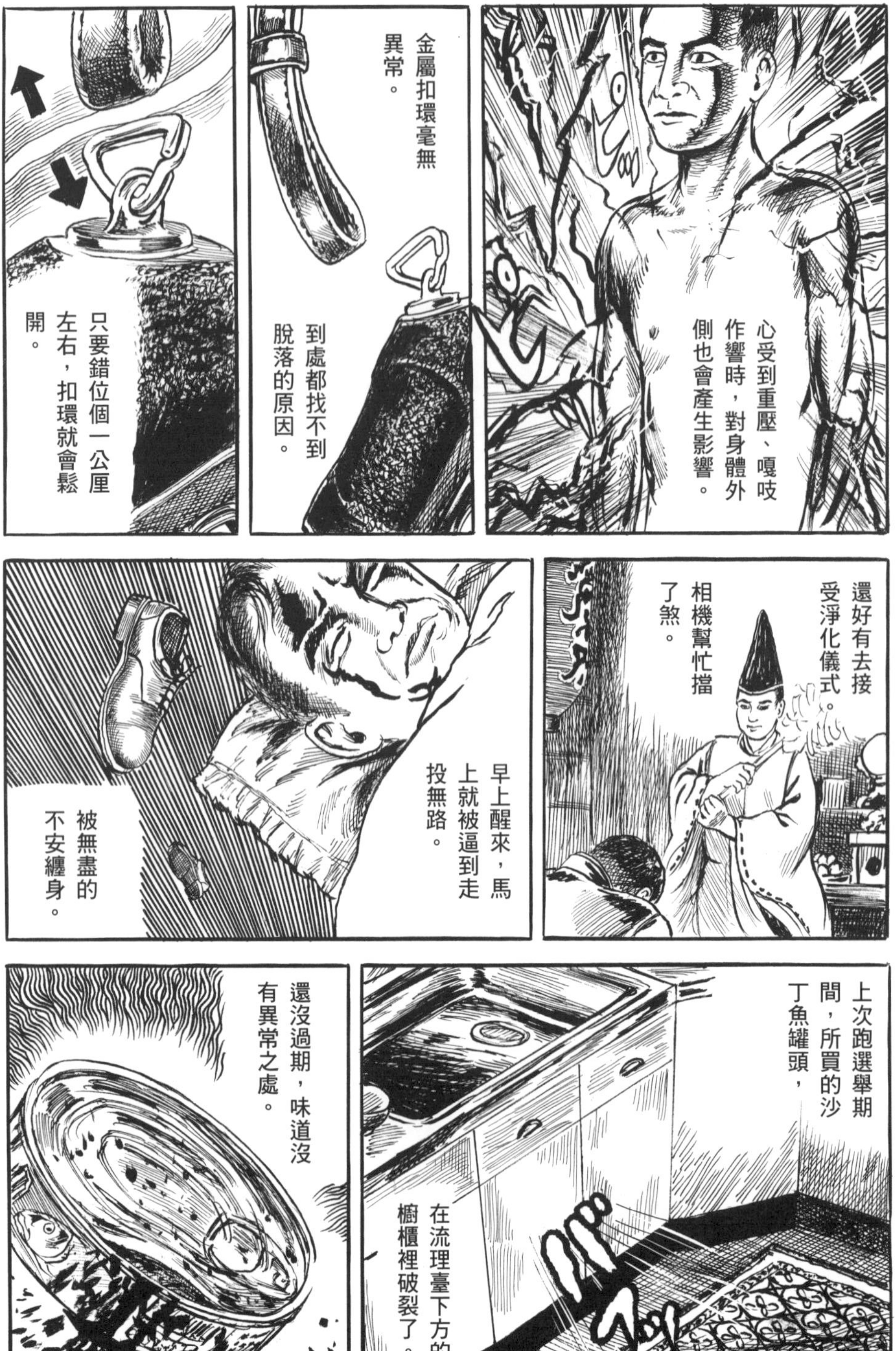

心受到重壓、嘎吱作響時，對身體外側也會產生影響。
金屬扣環毫無異常。
到處都找不到脫落的原因。
只要錯位個一公厘左右，扣環就會鬆開。
還好有去接受淨化儀式。
相機幫忙擋了煞。
早上醒來，馬上就被逼到走投無路。
被無盡的不安纏身。
上次跑選舉期間，所買的沙丁魚罐頭，
在流理臺下方的櫥櫃裡破裂了。
還沒過期，味道沒有異常之處。

自己本身懷抱的不安，和對手候選人陣營飛來的邪靈、怨靈、生靈彼此交纏，引發意想不到之事。
來自女性支持者的念尤其強烈，那不是百人、千人等級的，而是無可估量的數字。
要論寂寥，沒有什麼空間比得上沒神棚和達摩的選舉落選者事務所了。
超乎想像的寂寞透過電視畫面濃烈地傳來。
發表敗選感言後離去的背影，又是如何的呢。
他的背已經死透了。根本是死靈。黑洞。
八成自己家裡也沒有神棚佛壇吧。這麼一來，背上的死靈不就無處可去嗎？
在宇宙中，人類就像一粒沙。
若沒有謙虛之心，對未知事物不抱持敬畏，是不可能對眾人做出貢獻的。

沒有神棚，意思就像是不和地方有力人士共飲井水，從旁路過。
政治手腕再怎麼優秀，對當地人而言都不會是可用之材。
原來啊，他不知道進行地鎮祭和淨化儀式的意義是什麼。
多無知傲慢又可怕的人啊。
於是，我本次選舉並未當選，這是因為我努力還不夠。
支持者回去後，我在事務所一個人幫達摩點睛，祈禱能東山再起。
在良辰吉日將達摩和舊鈔一起送到神社供奉，就能展開新的一步了。

第十三區無黨派候選人中田太郎獲得壓倒性多數支持，早早宣布當選，成功展開第三任期。
隔壁選區的……不過他每次都很強呢。
他的政治活動以反戰和平、濟弱扶貧為目標，獲得許多人支持。
主張政治與宗教分離，
徹底拒絕宗教團體的組織票。
當選後，那一方陣營也沒有人高呼「萬歲」，去和軍國主義做連結。
明明沒有神棚，為何每次都能拿下第一高票呢。
他是不是「祕藏」著我所不知的事情呢。

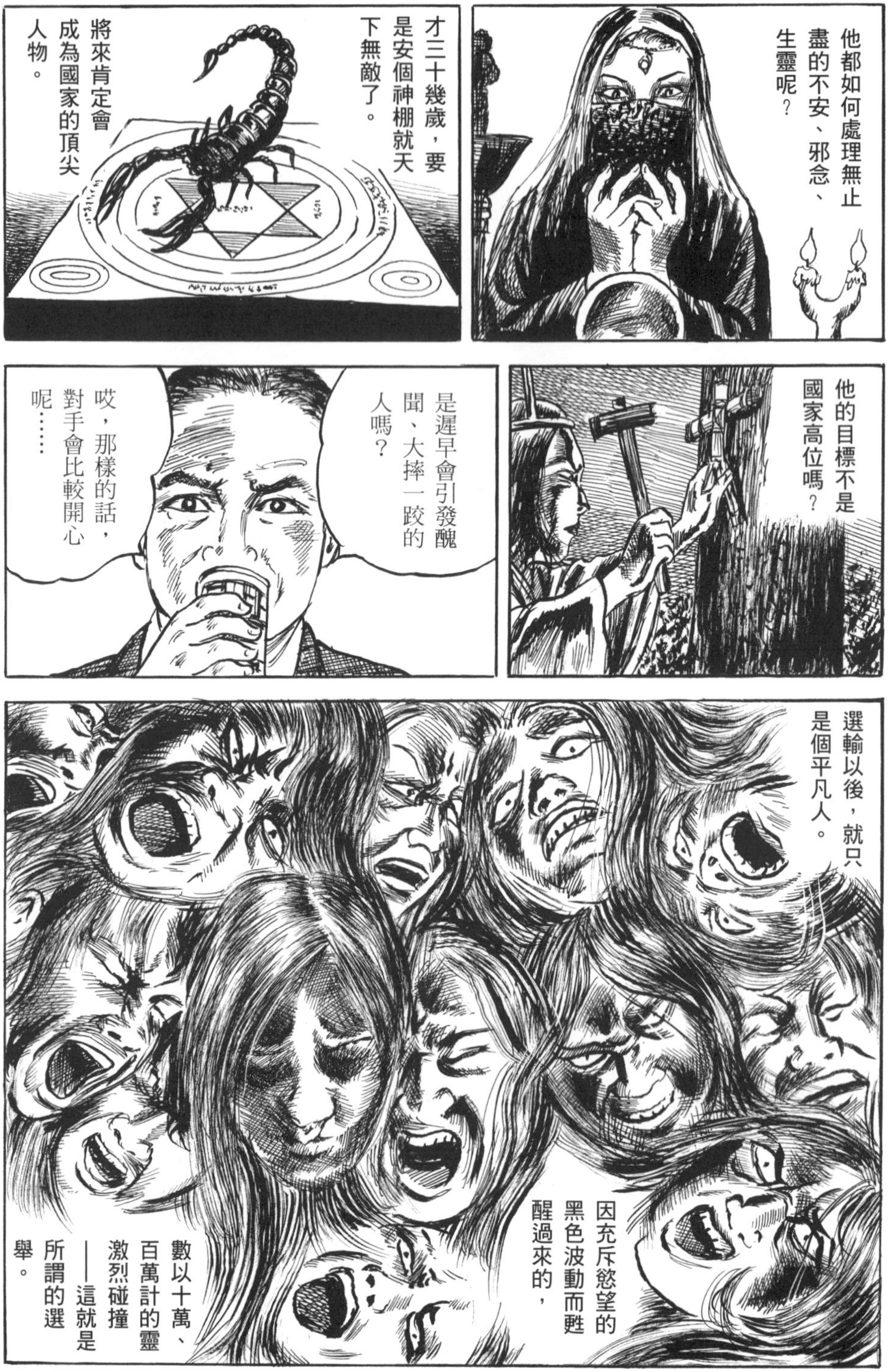
他都如何處理無止盡的不安、邪念、生靈呢？
才三十幾歲，要是安個神棚就天下無敵了。
將來肯定會成為國家的頂尖人物。
他的目標不是國家高位嗎？
是遲早會引發醜聞、大摔一跤的人嗎？
哎，那樣的話，對手會比較開心呢……
選輸以後，就只是個平凡人。
因充斥慾望的黑色波動而甦醒過來的，
數以十萬、百萬計的靈激烈碰撞——這就是所謂的選舉。

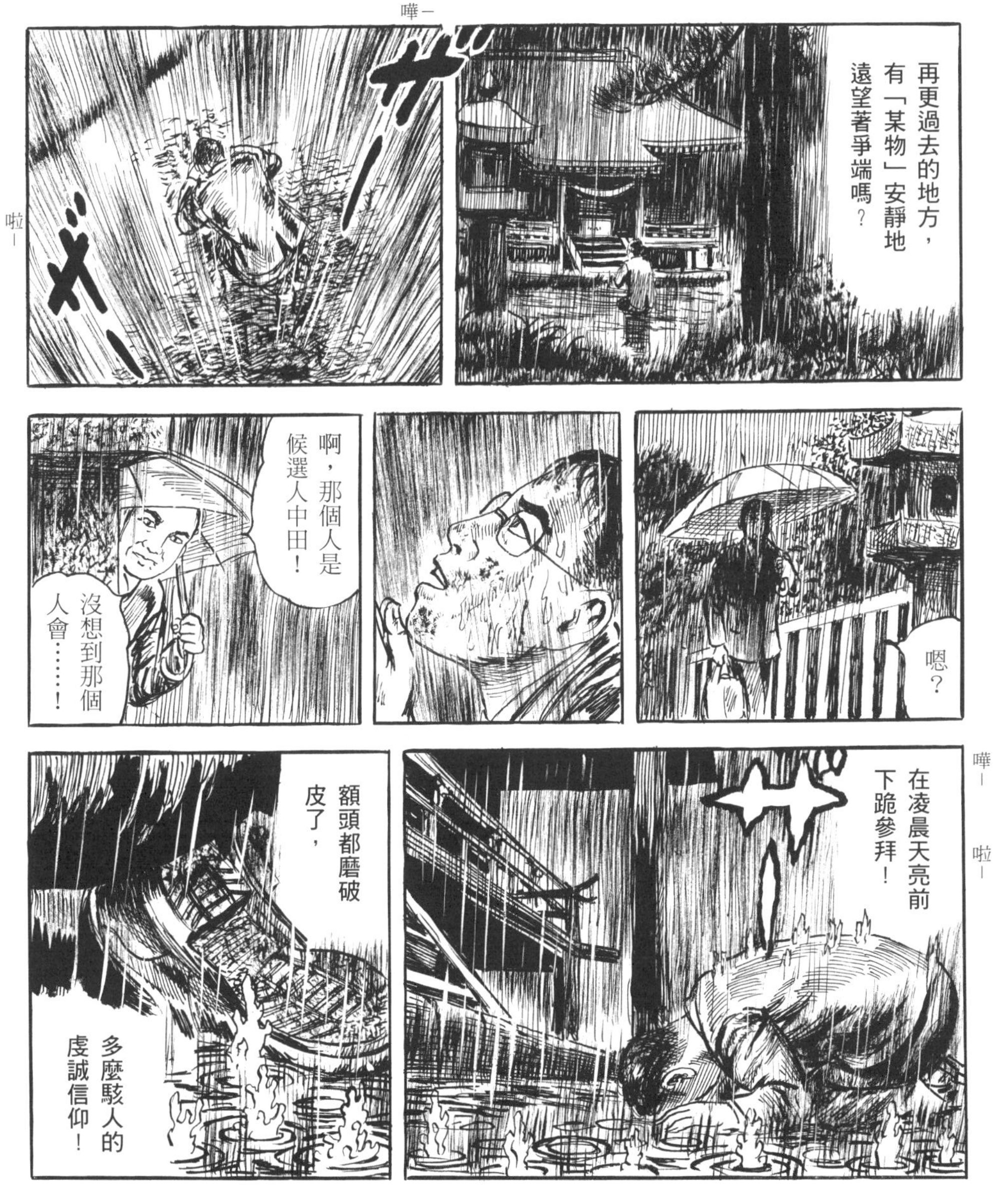
再更過去的地方，有「某物」安靜地遠望著爭端嗎？
嘩—
啦—
嗯？
啊，那個人是候選人中田！
沒想到那個人會……！
嘩—
啦—
在凌晨天亮前下跪參拜！
額頭都磨破皮了，
多麼駭人的虔誠信仰！
這件事，連家人、後援會都不知道吧。
大好機會！要是拍下他這樣子，向週刊雜誌爆料或放到網路上……

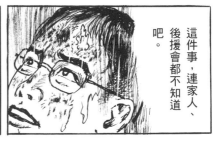

嘩啦
他將來搞不好會成為我的強敵。可是……
啊啊，我辦不到，有某股強大的力量保護著他。
……難道……
有風聲說他每年八月都會有幾天行蹤不明，
他是去參拜了嗎？
去最高機密的那座神社…
在八月的那一天，
去東京的那座神社…
嘩—
啦—
我輸了，無知傲慢的人是我啊。
他真是一個巨人啊。超前別人一、兩步的人，總是祕藏著獨到的招數。

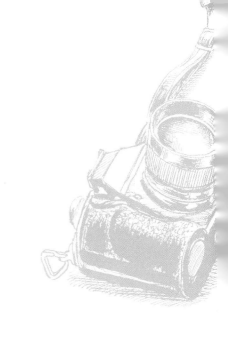

怨念球

おんねんだま

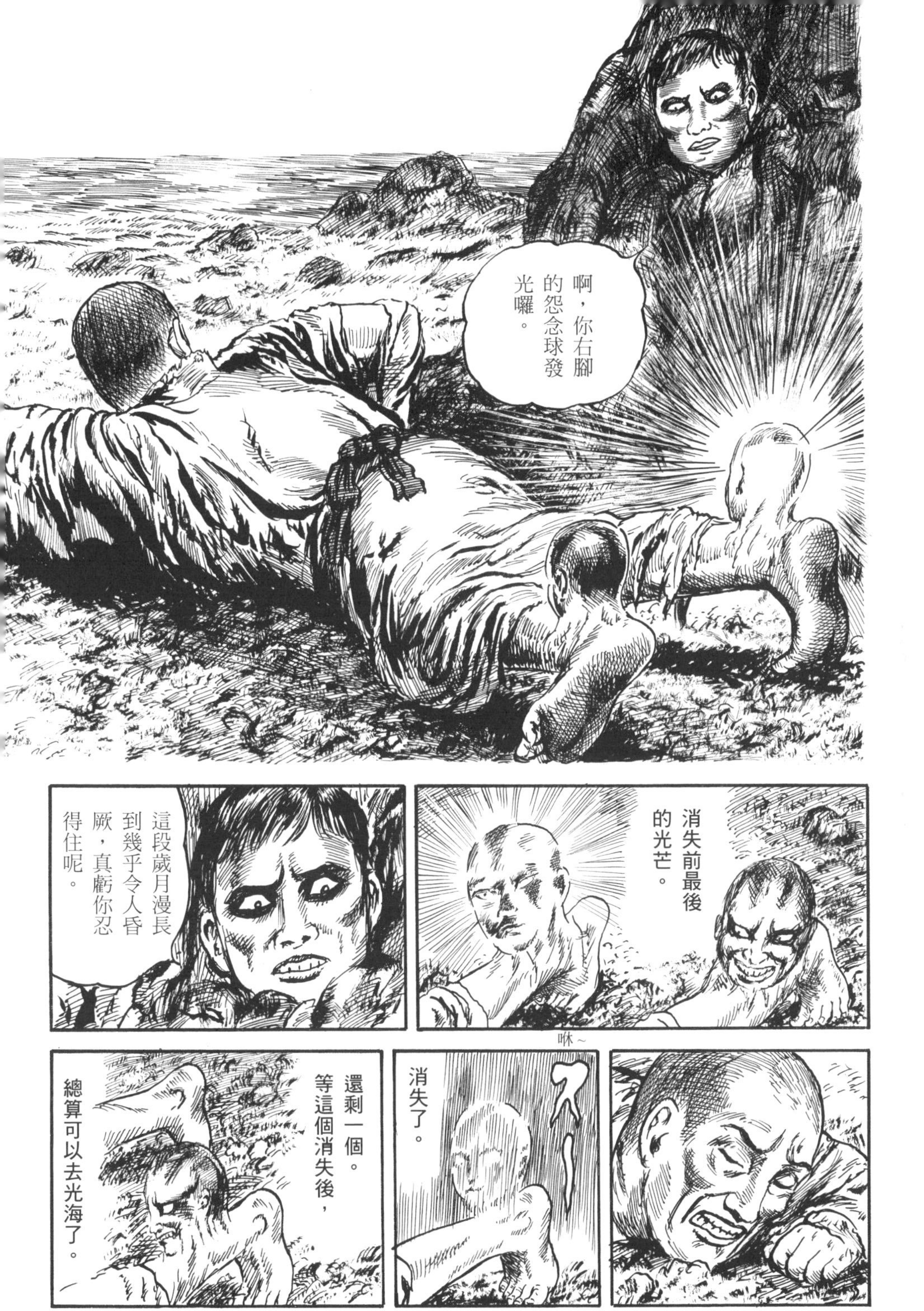
啊，你右腳的怨念球發光囉。
消失前最後的光芒。
這段歲月漫長到幾乎令人昏厥，真虧你忍得住呢。
咻～
消失了。
還剩一個。等這個消失後，
總算可以去光海了。

到時你就可以前往充滿永恆的溫暖光海，融化到裡頭了呢。
啊啊，好想趕快去，趕快解脫。
你剛掉到這裡的時候，身上附著的怨念球多得像一座小山。
你策畫投資詐欺，欺騙的人多達七十人，罪孽深重啊。
遭人怨恨的話，死後會有報應喔。

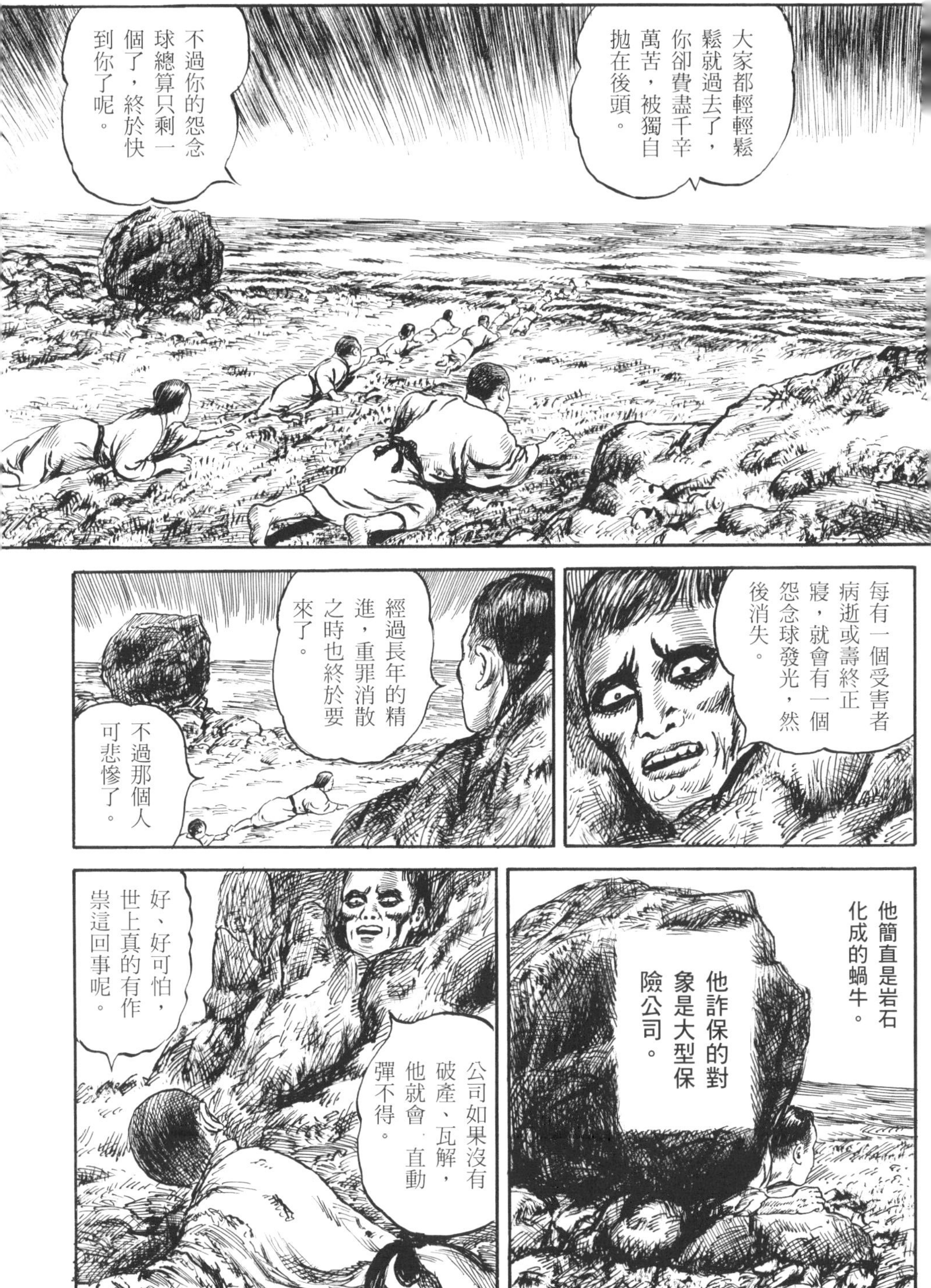
大家都輕輕鬆鬆就過去了，你卻費盡千辛萬苦，被獨自拋在後頭。
不過你的怨念球總算只剩一個了，終於快到你了呢。
每有一個受害者病逝或壽終正寢，就會有一個怨念球發光，然後消失。
經過長年的精進，重罪消散之時也終於要來了。
不過那個人可悲慘了。
他簡直是岩石化成的蝸牛。
他詐保的對象是大型保險公司。
好、好可怕，世上真的有作祟這回事呢。
公司如果沒有破產、瓦解，他就會 直動彈不得。

我快因為痛苦和寂寞而發狂時，
你會給我溫暖的鼓勵，我才有辦法走到這一步，真是感謝您啊。
看到你忍受地獄的苦惱，誠摯努力的模樣，我就被你的真心打動了。
……話說，
某某弄丟鑰匙，非常困擾，有個親切的人就拿了鐵絲給他。
某某把鐵絲弄成鉤子，
花了幾十年的工夫，好不容易才打開了鎖。
然而，門打不開。
每天推推它、拉拉它，遲早會有力氣打開門的吧。
親切的人如此建議，
某某於是每天都辛苦地推門、拉門，直到今天。真是令人痛心。
對了，你的右腳不是可以自由活動了嗎？
嚇，對啊，我完全沒發覺。

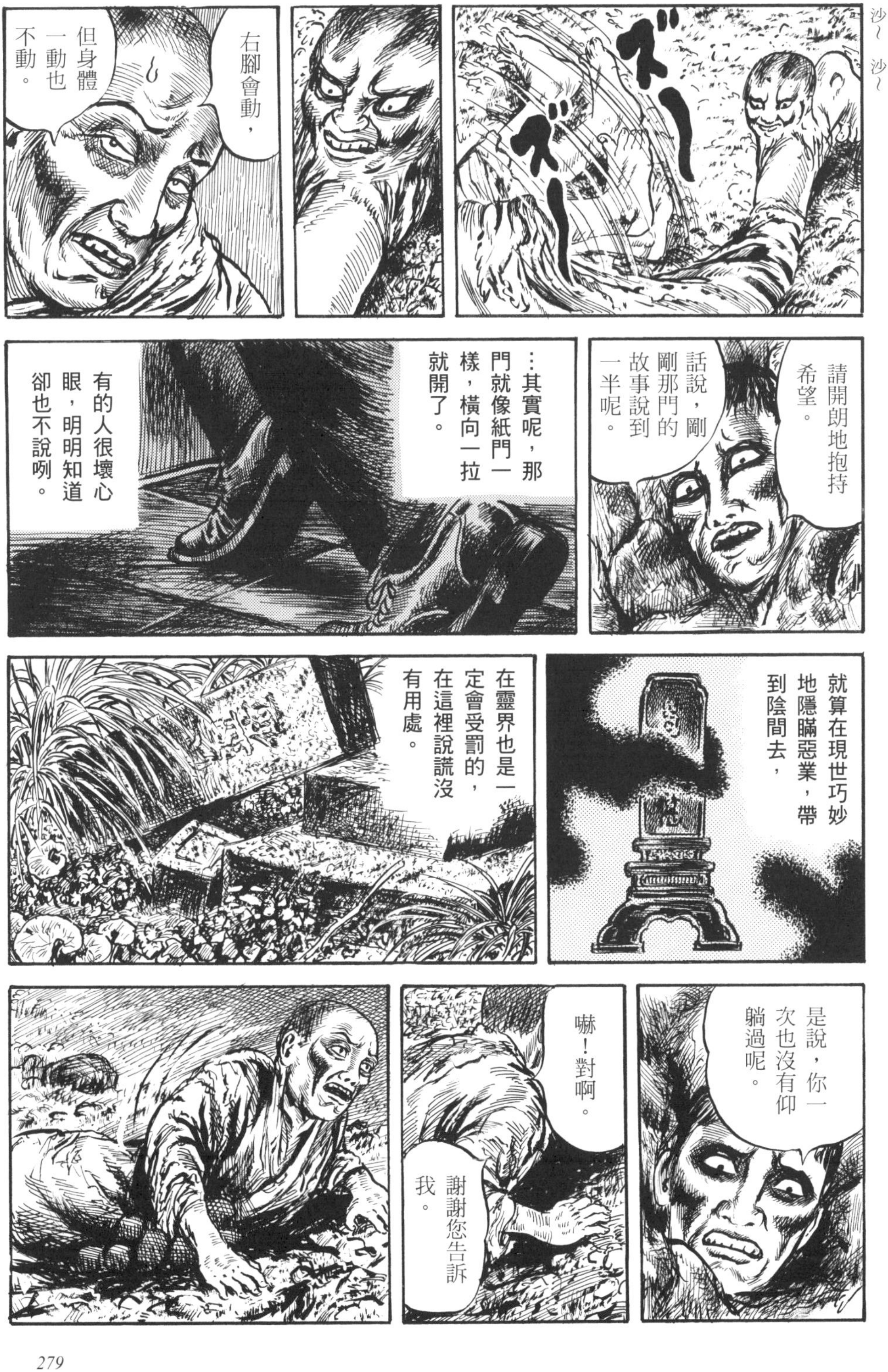
沙~ 沙~
ズー
ズー
右腳會動，
但身體一動也不動。
請開朗地抱持希望。
話說，剛剛那門的故事說到一半呢。
……其實呢，那門就像紙門一樣，橫向一拉就開了。
有的人很壞心眼，明明知道卻也不說咧。
就算在現世巧妙地隱瞞惡業，帶到陰間去，
在靈界也是一定會受罰的，在這裡說謊沒有用處。
是說，你一次也沒有仰躺過呢。
嚇！對啊。
謝謝您告訴我。

沒消失！
啊啊！
啊啊！多麼悽慘啊！
原來只是移動到其他地方呀。
我懂。令人無法吭聲的地獄絕望。
這種時候，你就會需要現世子孫的供養呢。
對了，

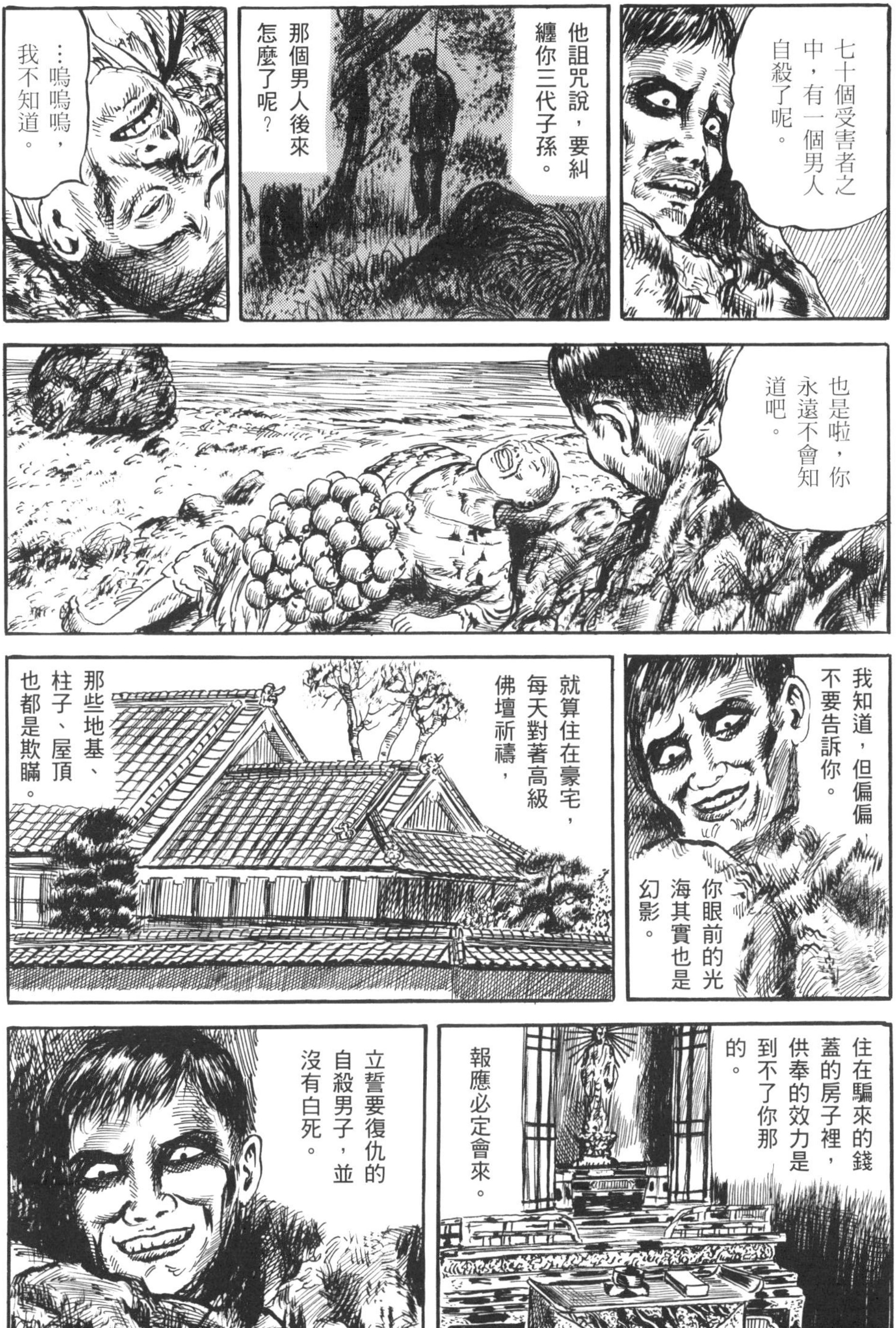
七十個受害者之中，有一個男人自殺了呢。
他詛咒說，要糾纏你三代子孫。
那個男人後來怎麼了呢？
…嗚嗚嗚，我不知道。
也是啦，你永遠不會知道吧。
我知道，但偏偏不要告訴你。
你眼前的光海其實也是幻影。
就算住在豪宅，每天對著高級佛壇祈禱，
那些地基、柱子、屋頂也都是欺瞞。
住在騙來的錢蓋的房子裡，供奉的效力是到不了你那的。
報應必定會來。
立誓要復仇的自殺男子，並沒有白死。

因為我可以像現在這樣盡情雪恨呀。
受害者當中，也有人將損失視為一種「除厄」，不斷成長。
不過我選擇了自殺復仇之路。
為了讓世人知道，陽間真的有陰魂糾纏三代之罪。
退後才是得救之道，不是前進。
我明明知情，卻硬是不告訴你。
哈哈哈
沙沙一
接下來，我要找出你的子孫，對他們作祟囉。

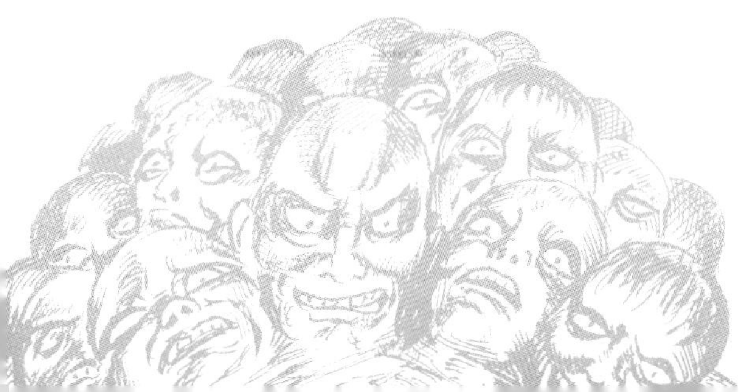

靈障國

れいしょうこく

「不安蟲」又湧現了。
國民的不安一旦變得巨大，就會化身為蟲。
那就是「不安蟲」。
沒有比不安更為恐怖的情感了。

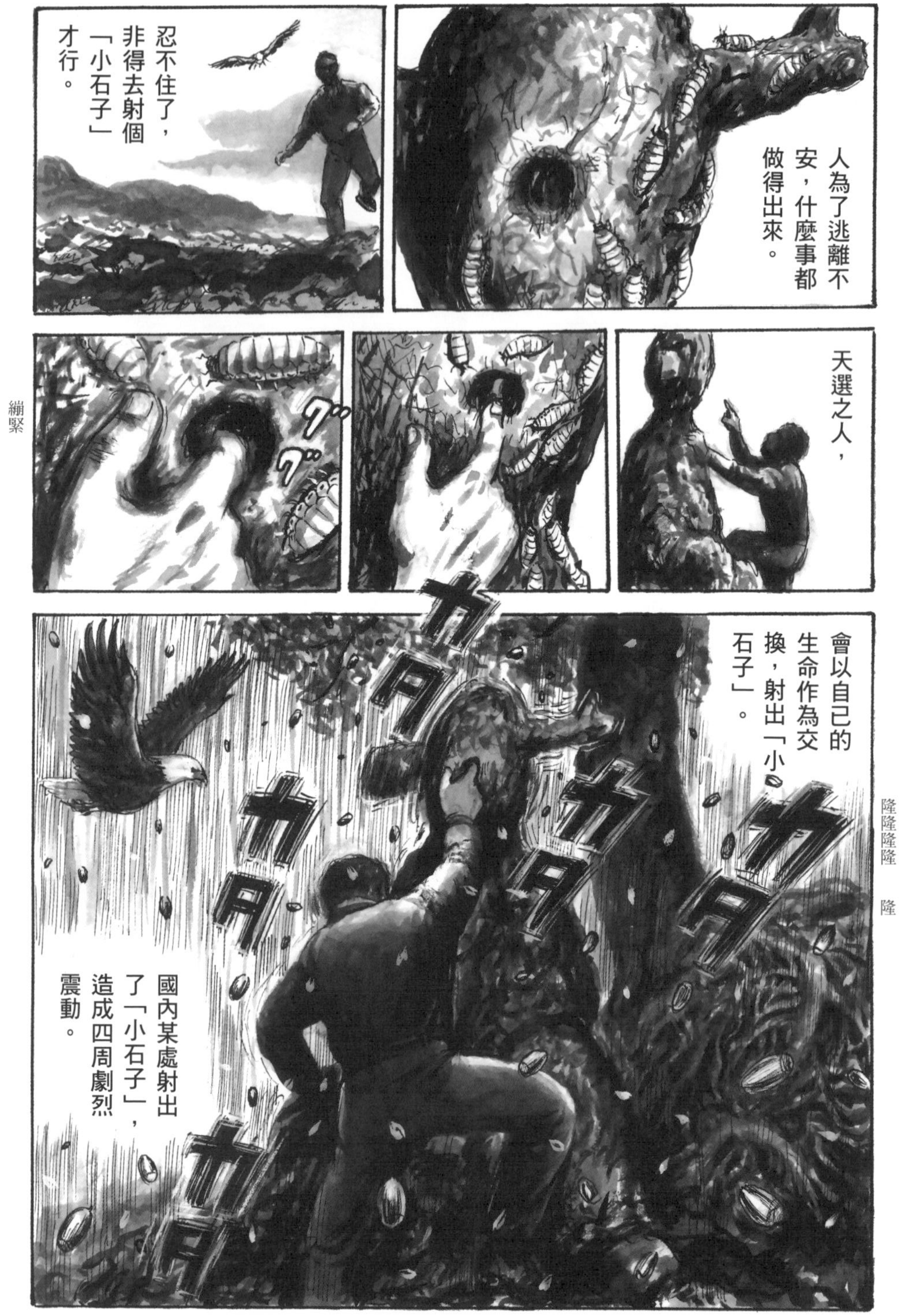
人為了逃離不安，什麼事都做得出來。
忍不住了，非得去射個「小石子」才行。
天選之人，
ググ
繃緊
會以自己的生命作為交換，射出「小石子」。
カタカタ
隆隆隆隆 隆
國內某處射出了「小石子」，造成四周劇烈震動。

隆隆
カタカタ
許多善男善女被突然飛來的「小石子」擊中，倒下。
啪啦啪啦
ボトボト
カタカタ
隆隆
說來殘酷，要驅除「不安蟲」就得讓某人做出犧牲。
這國家的所有人民，
都很信賴剛好長得很像這樹籽的「小石子」，再也無法放下它了。
近年，「不安蟲」每兩、三年就會大量冒出一次。
儘管如此，大多數人還是不願正眼看一下不安的根源。
山丘上建造的會是新式的「小石子」發射器嗎？

「不安蟲」一年變得比一年強大，
因此需要更強大的「小石子」嗎？
三年後就會知道那玩意兒的真面目了嗎？
從前從前，這國家到處都有黑色的巨大動物成群。
而且和許多原住民和平共處。
那時，拿著「小石子」的人們渡海來到這個國家後，黑色動物群和原住民都接連消失了。
他們射出「小石子」，擊倒對方，搶走土地，住了下來。

原住民和黑色動物的悲傷叫聲到現在都還沒止息。
國內到處都有幾十萬、幾千萬不甘心的呻吟。
儘管如此，還是到處都沒蓋慰靈碑、供養塔或昇魂碑。
站在原住民和黑色動物的立場，
一年舉辦一次慰靈祭

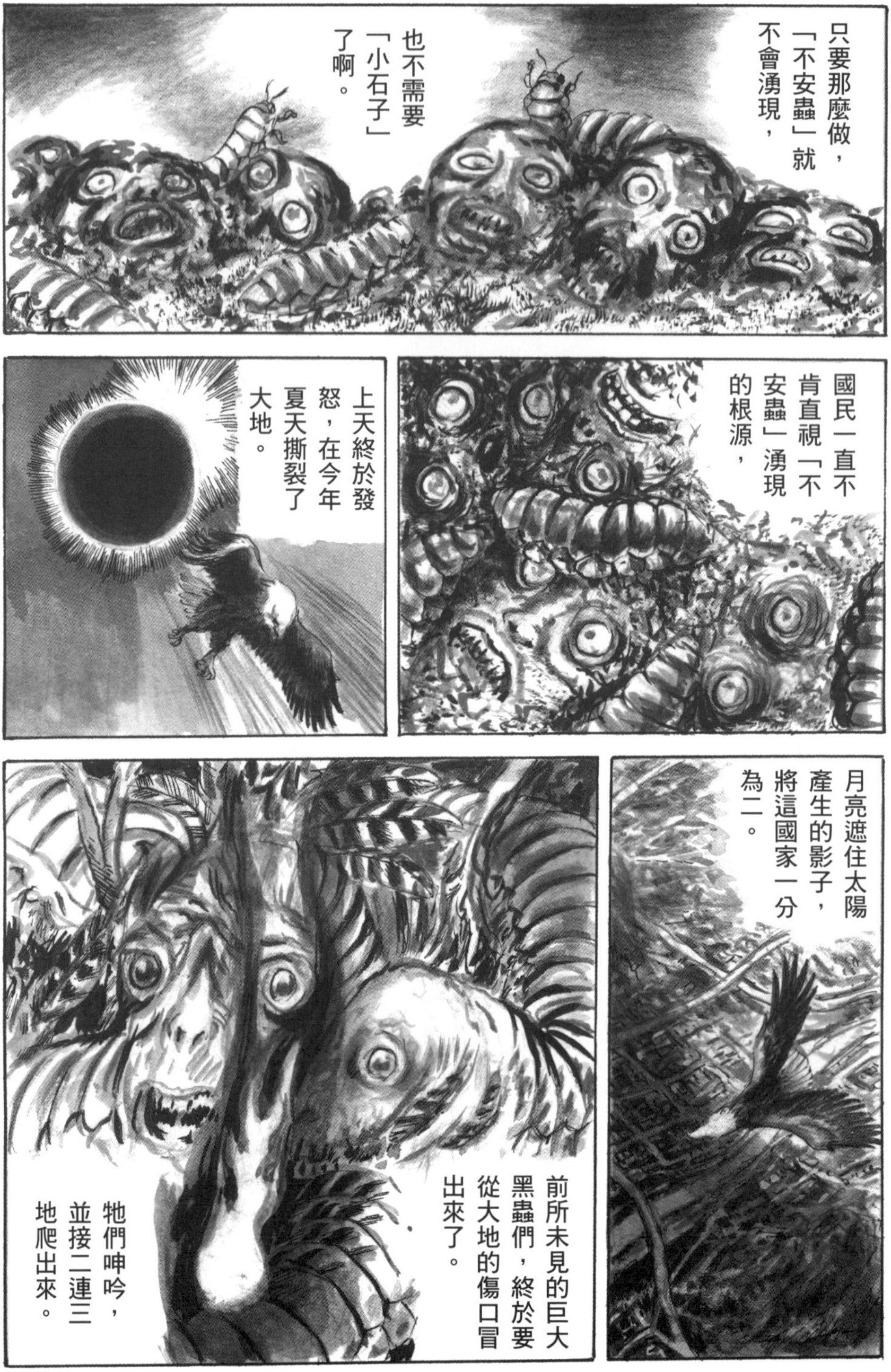
只要那麼做，「不安蟲」就不會湧現，
也不需要「小石子」了啊。
國民一直不肯直視「不安蟲」湧現的根源，
上天終於發怒，在今年夏天撕裂了大地。
月亮遮住太陽產生的影子，將這國家一分為二。
前所未見的巨大黑蟲們，終於要從大地的傷口冒出來了。
牠們呻吟，並接二連三地爬出來。

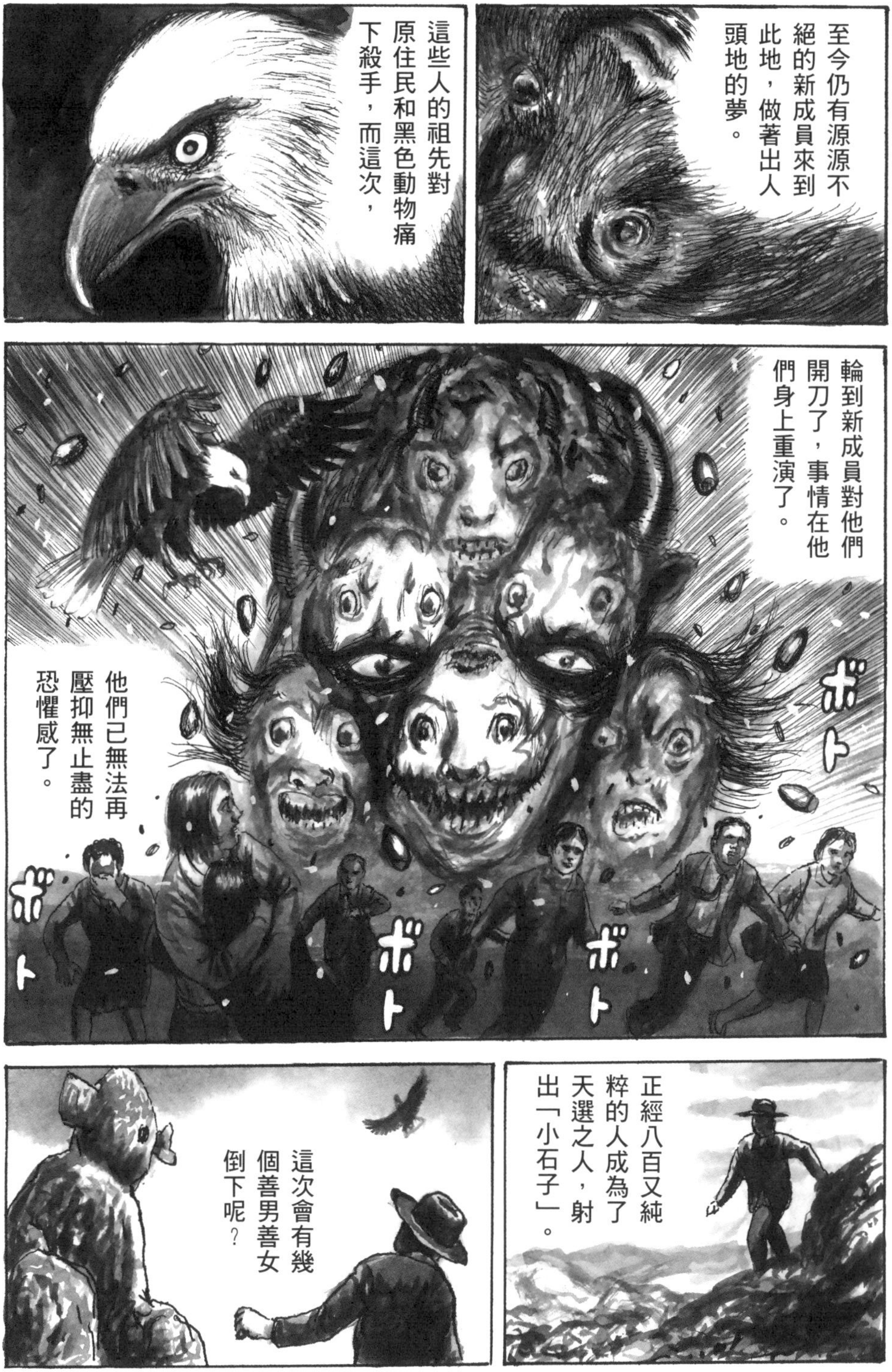
至今仍有源源不絕的新成員來到此地，做著出人頭地的夢。
這些人的祖先對原住民和黑色動物痛下殺手，而這次，
輪到新成員對他們開刀了，事情在他們身上重演了。
他們已無法再壓抑無止盡的恐懼感了。
ボト
ボト
ボト
ボト
啪啦 啪啦
啪啦 啪啦
正經八百又純粹的人成為了天選之人，射出「小石子」。
這次會有幾個善男善女倒下呢？

噠噠噠
繃緊
噠噠噠噠噠
上天發怒了，
這裡終於成為無法正確掌握人民數量的國家了。
啪
劈
嘎

犬猿弔唁

けんえんとむらい

我的情況真
的只能用犬
猿弔唁來形
容啊。

人生最後的
總結，是弔
唁的場合。
在這裡，往
生者的人生
會徹底暴露
原形。

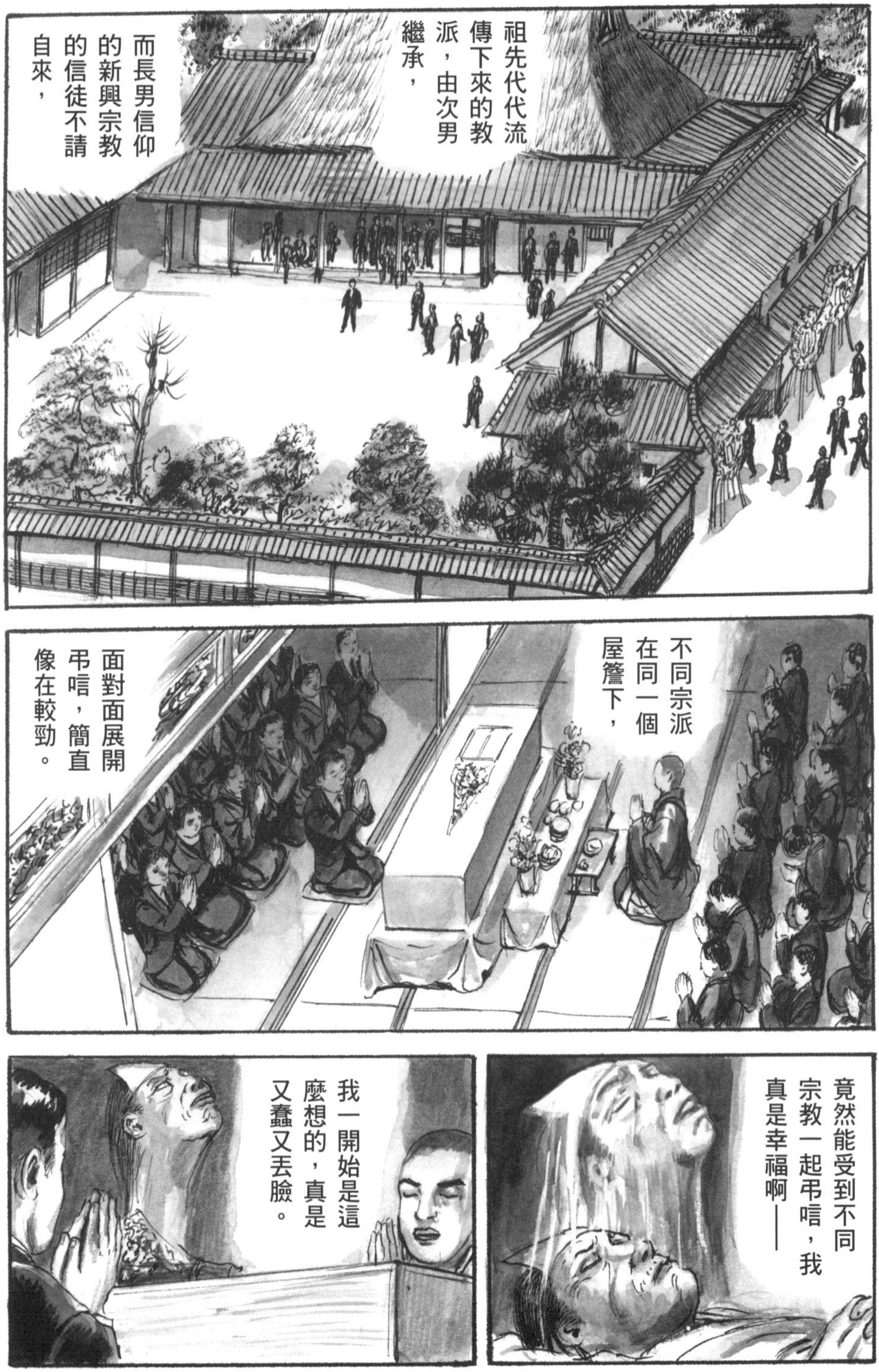
祖先代代流傳下來的教派，由次男繼承，
而長男信仰的新興宗教的信徒不請自來，
不同宗派在同一個屋簷下，
面對面展開弔唁，簡直像在較勁。
竟然能受到不同宗教一起弔唁，我真是幸福啊——
我一開始是這麼想的，真是又蠢又丟臉。

長男的新興宗教信徒臉上隱約浮現笑容。
那驕傲的贏家表情彷彿在說：笑死人了。
另一方面，繼承祖先教派的次男和親戚們，則露出難以形容的表情，像是困惑，又像無地自容。
我第一任丈夫是狗年生的。
長男出生後，我和丈夫馬上就死別了。
再婚的丈夫是猴年生的，我們很快就生了次男。
狗和猴的孩子並不會吵架，成長過程相處融洽。
能打造這麼一個好家庭，我開心極了，引以為傲。

然而，我雖然打造了好家庭，
卻打造不出「家」。
我當初應該要把「家產」這顆豆沙包分成兩半，
讓他們長大後可以分別獨立才是。
將豆沙包剖半，備妥兩棟屋子的話，我所打造的、引以為傲的家庭就會消失無蹤。
我死後，兩人顯現了狗與猴的本性，視對方為死對頭。
這房子只屬於我一個，滾出去！
你說什麼！你才馬上滾出去！

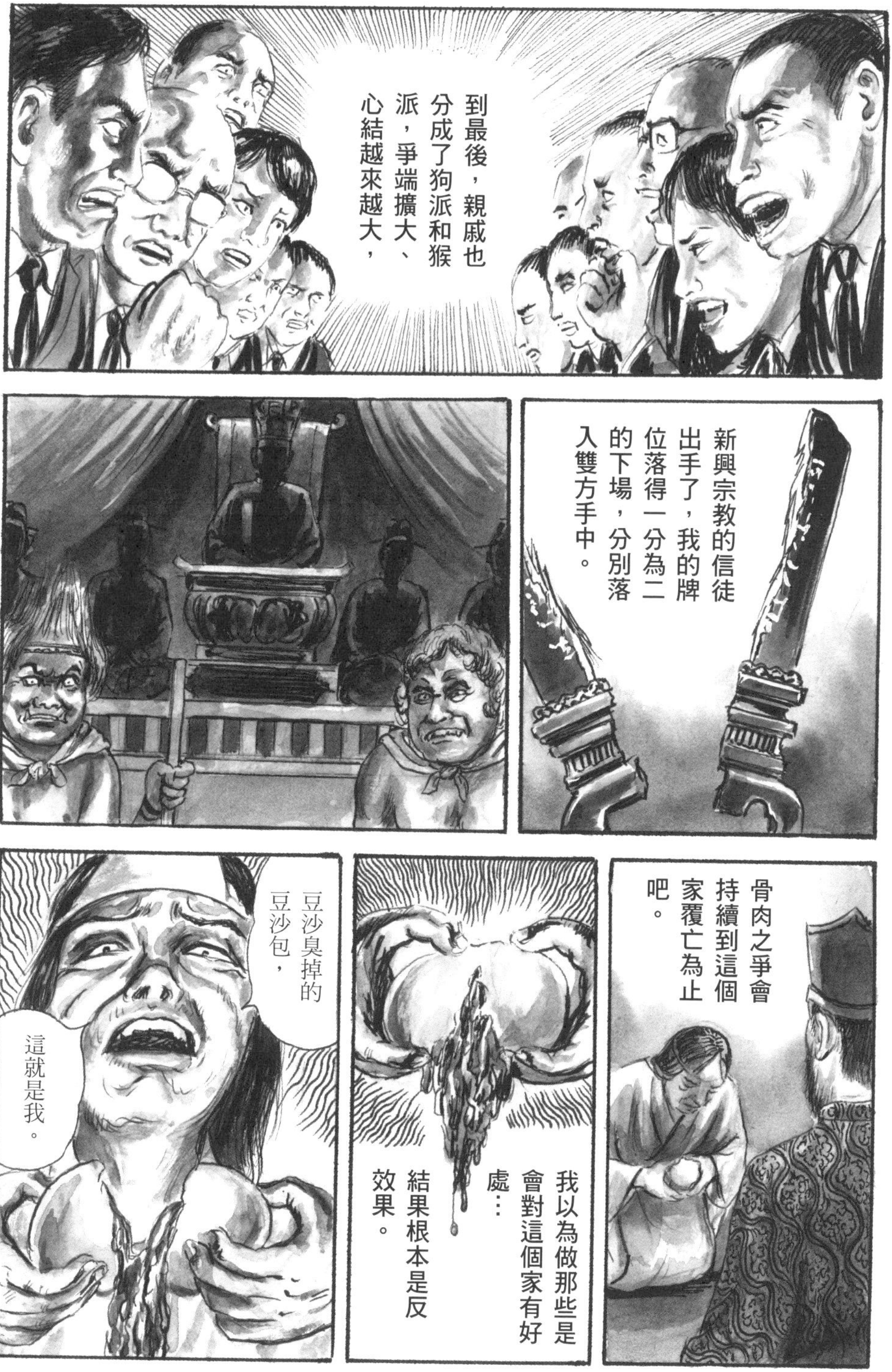
到最後，親戚也分成了狗派和猴派，爭端擴大、心結越來越大，
新興宗教的信徒出手了，我的牌位落得一分為二的下場，分別落入雙方手中。
骨肉之爭會持續到這個家覆亡為止吧。
我以為做那些是會對這個家有好處……
結果根本是反效果。
豆沙臭掉的豆沙包，
這就是我。

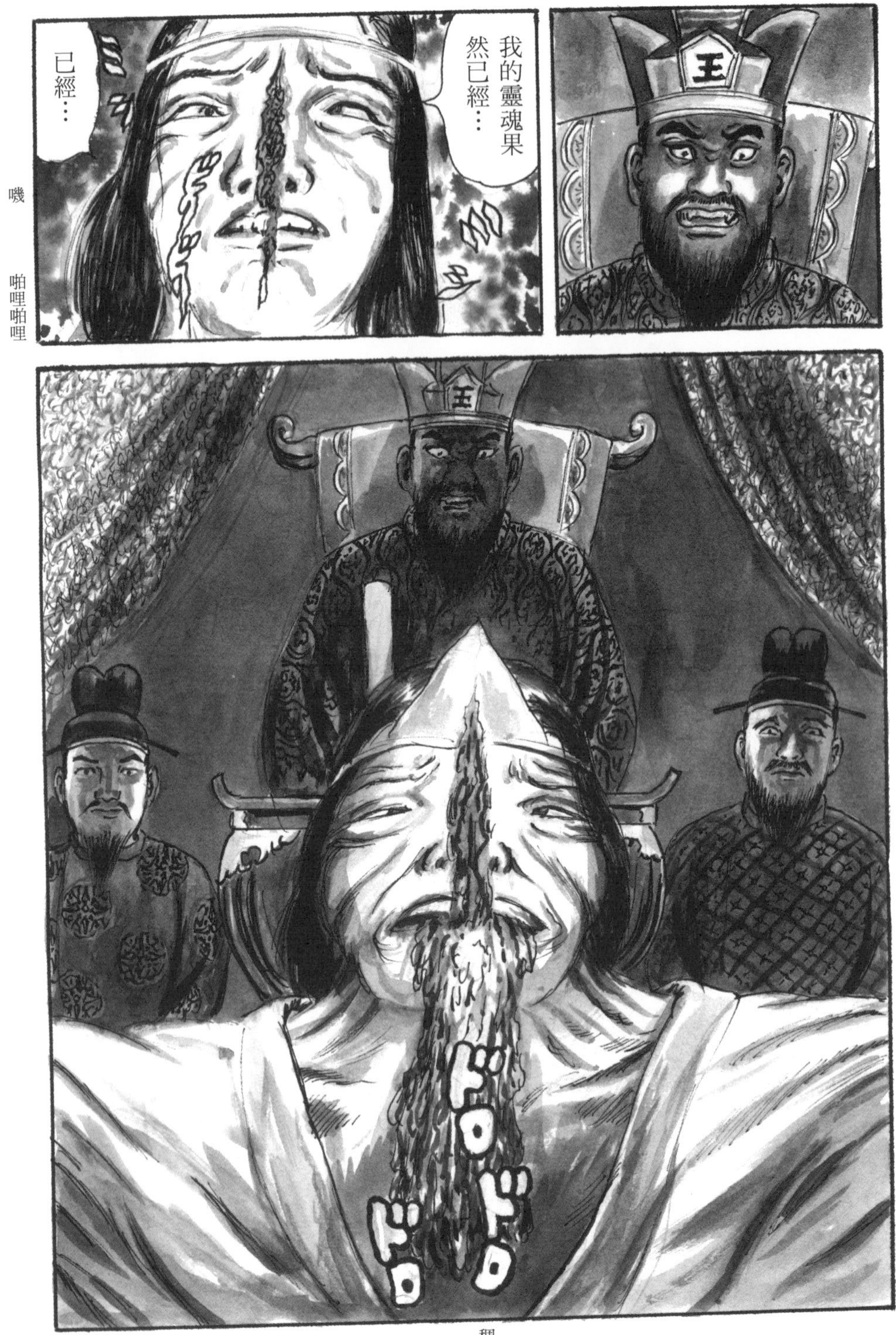
我的靈魂果然已經…
已經…
嘰
啪哩啪哩
ドロドロドロ
稠

筆頭菜（つくし）

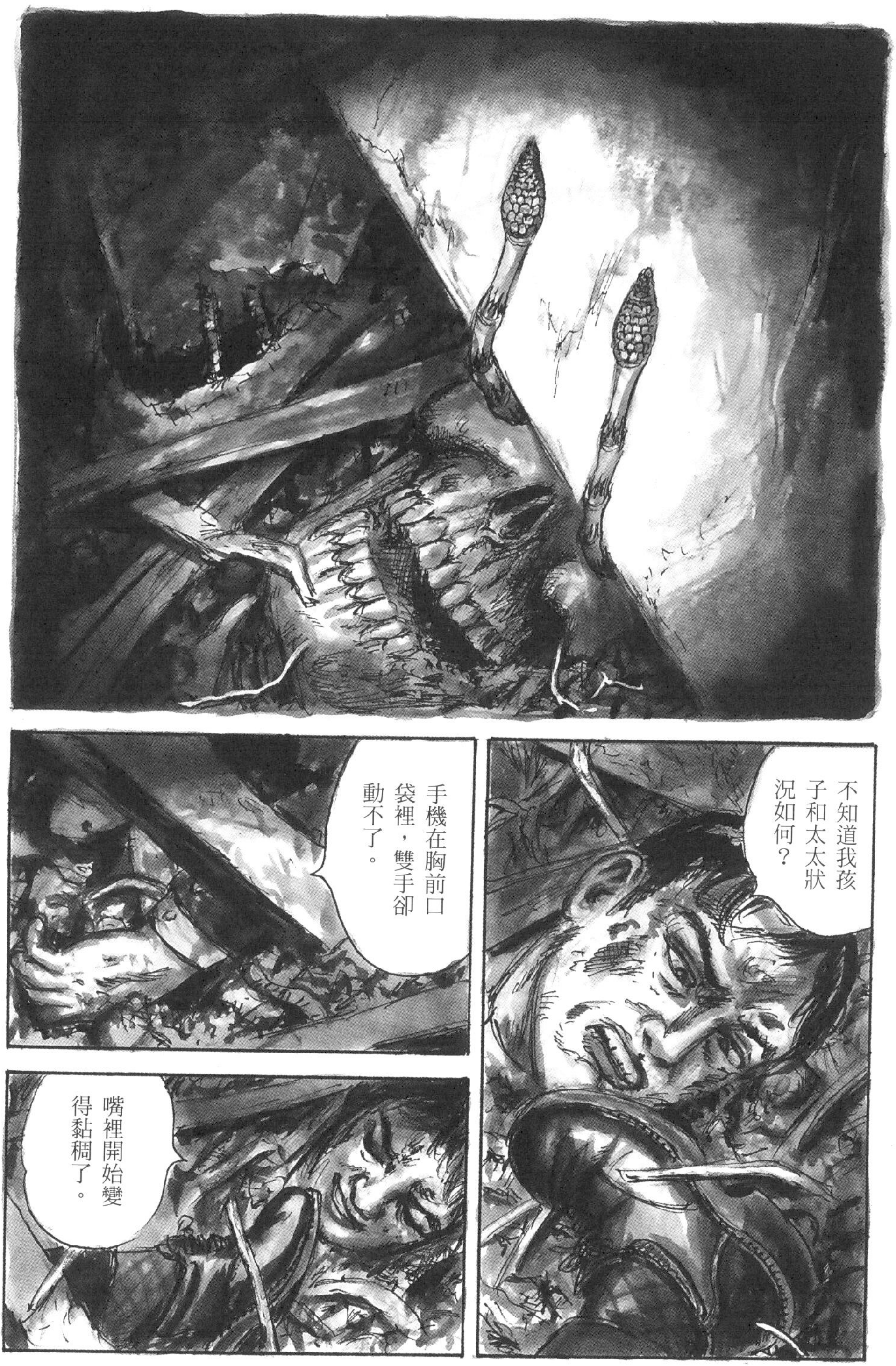
不知道我孩子和太太狀況如何？
手機在胸前口袋裡，雙手卻動不了。
嘴裡開始變得黏稠了。

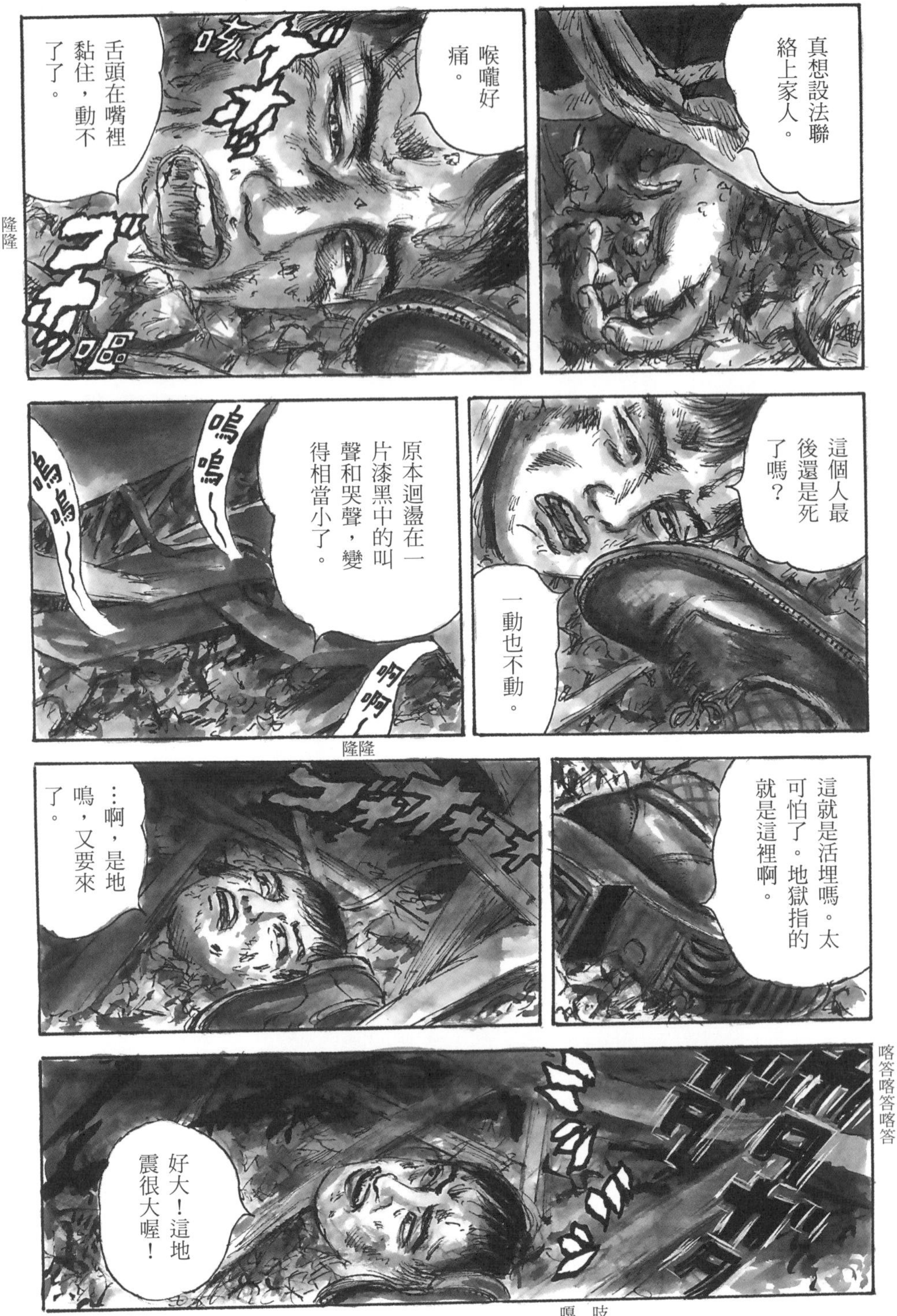

真想設法聯絡上家人。
喉嚨好痛。
舌頭在嘴裡黏住，動不了了。
隆隆
這個人最後還是死了嗎？
一動也不動。
原本迴盪在一片漆黑中的叫聲和哭聲，變得相當小了。
嗚嗚～
嗚嗚～
啊啊～
隆隆
這就是活埋嗎。太可怕了。地獄指的就是這裡啊。
…啊，是地鳴，又要來了。
喀答喀答喀答
好大！這地震很大喔！
嘎吱

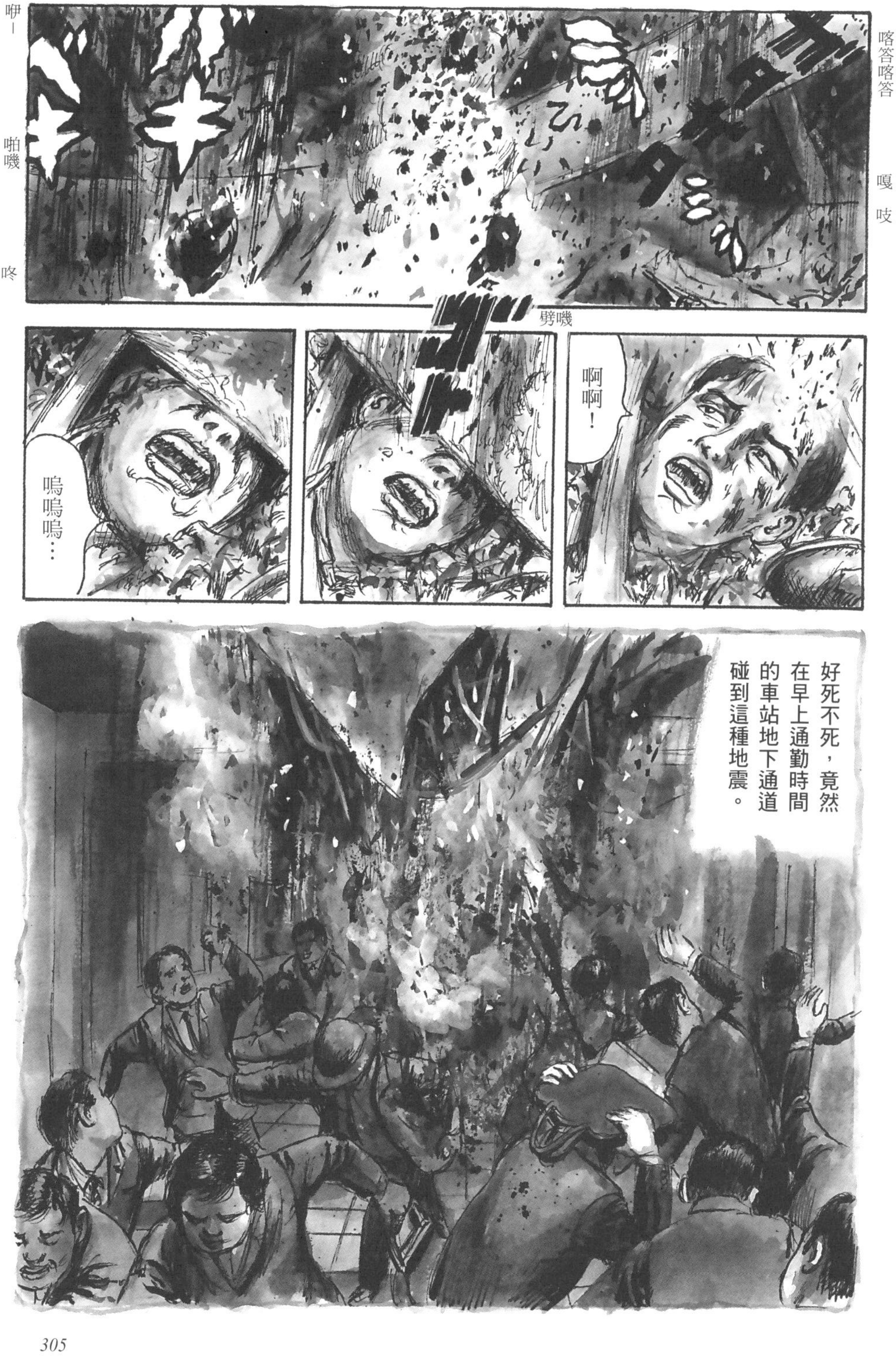
喀答喀答
嘎吱
咿—
啪嘰
咚
劈嘰
啊啊！
嗚嗚嗚…
好死不死，竟然在早上通勤時間的車站地下通道碰到這種地震。

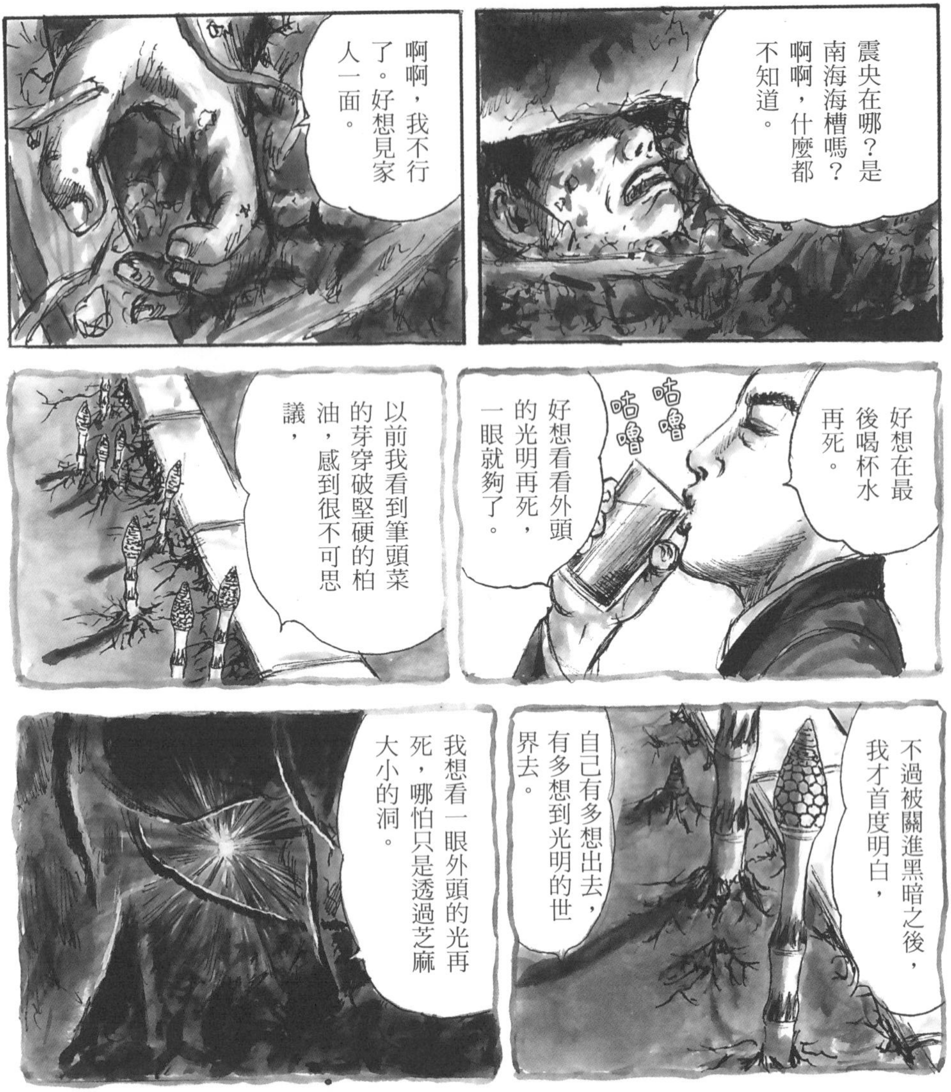
震央在哪？是南海海槽嗎？啊啊，什麼都不知道。
啊啊，我不行了。好想見家人一面。
好想在最後喝杯水再死。
咕嚕
咕嚕
好想看看外頭的光明再死，一眼就夠了。
以前我看到筆頭菜的芽穿破堅硬的柏油，感到很不可思議，
不過被關進黑暗之後，我才首度明白，
自己有多想出去，有多想到光明的世界去。
我想看一眼外頭的光再死，哪怕只是透過芝麻大小的洞。
那是什麼時候的事？
我曾透過厚紙上的小孔，
觀看日蝕。

慢慢開始缺損了。
樹葉篩落的光也受日蝕影響。
簡直像龍的鱗片。
沙沙
沙沙
看在不知日蝕為何物的古人眼中，這確實就是天變地異吧。
沙沙
他們會趴伏在地，向天祈禱，狂舞，拿小孩獻祭，集體自殺。
完全是飛龍顯現。

我以前覺得未開化真是一件可怕的事，
不過我胸前口袋雖然有文明利器，
還是無力回天，只能在沒有太陽的黑暗中逐漸死去。
隆隆——
人啊，
喀答
嘎吱
人啊，
從以前到現在都沒什麼進化，甚至可說是在退化。
啊，意識逐漸模糊了。
大家，再…會……

日落

にちぼつ

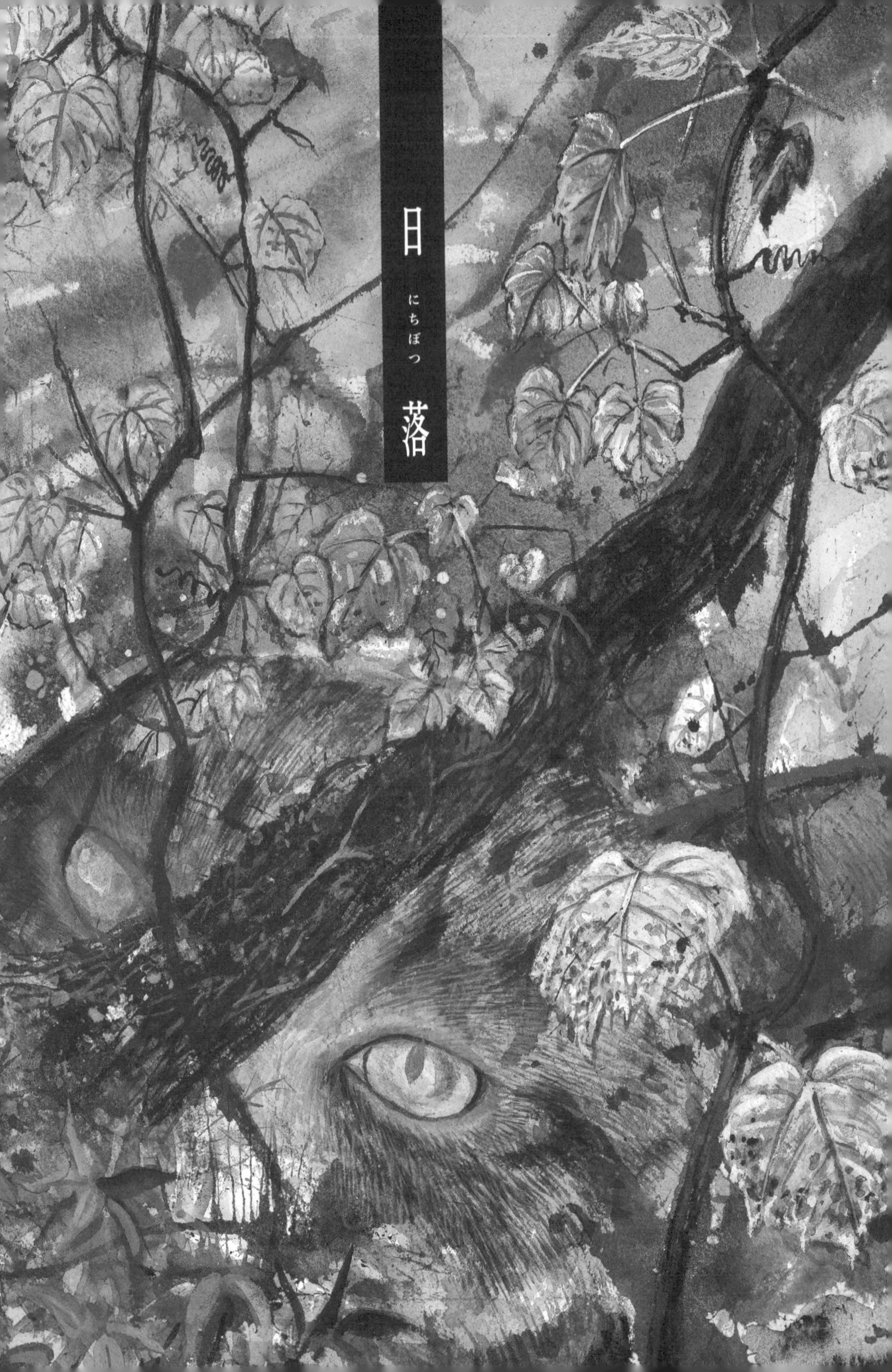

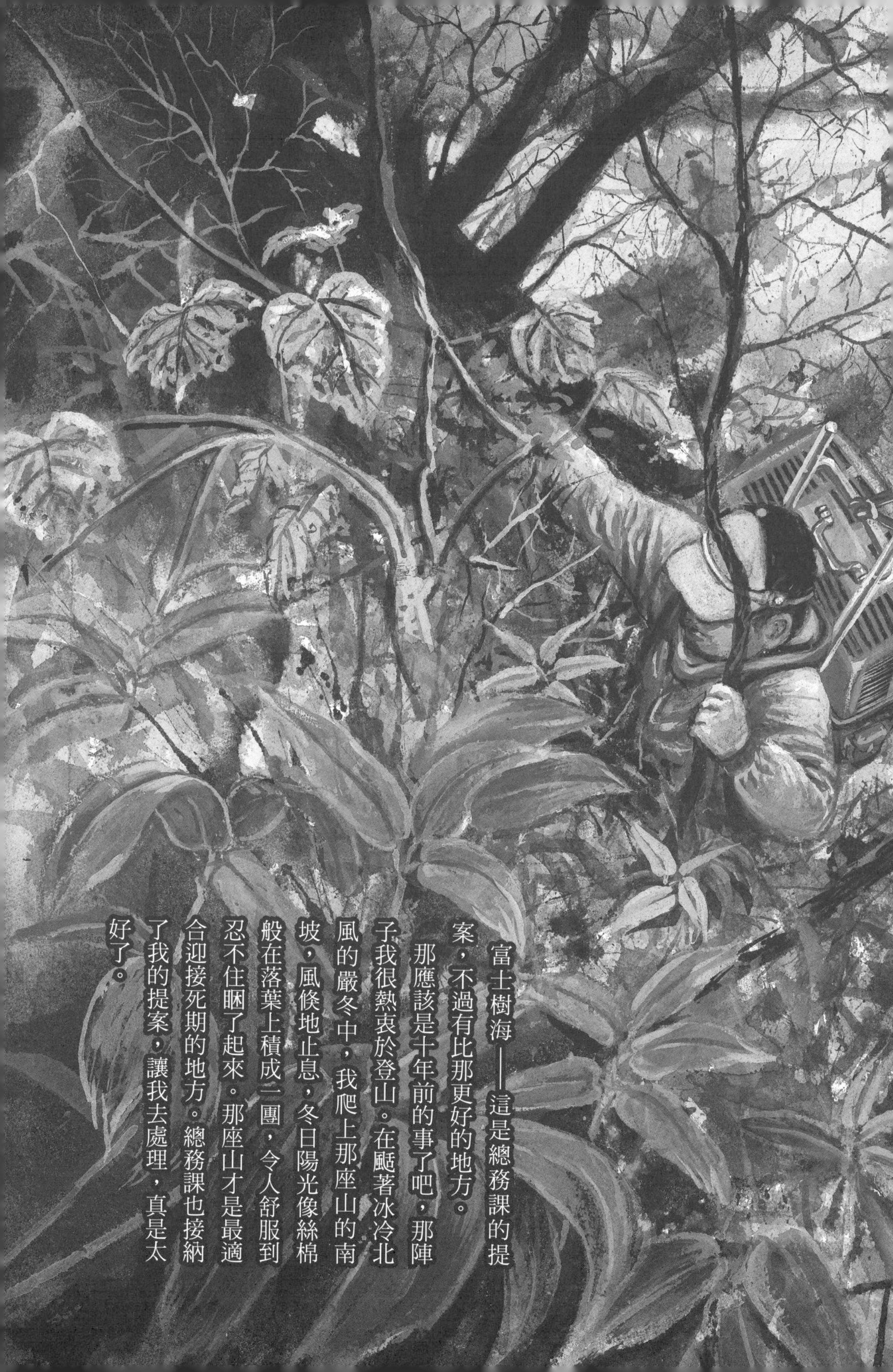
富士樹海——這是總務課的提
案，不過有比那更好的地方。
那應該是十年前的事了吧，那陣
子我很熱衷於登山。在颳著冰冷北
風的嚴冬中，我爬上那座山的南
坡，風倏地止息，冬日陽光像絲棉
般在落葉上積成一團，令人舒服到
忍不住睏了起來。那座山才是最適
合迎接死期的地方。總務課也接納
了我的提案，讓我去處理，真是太
好了。

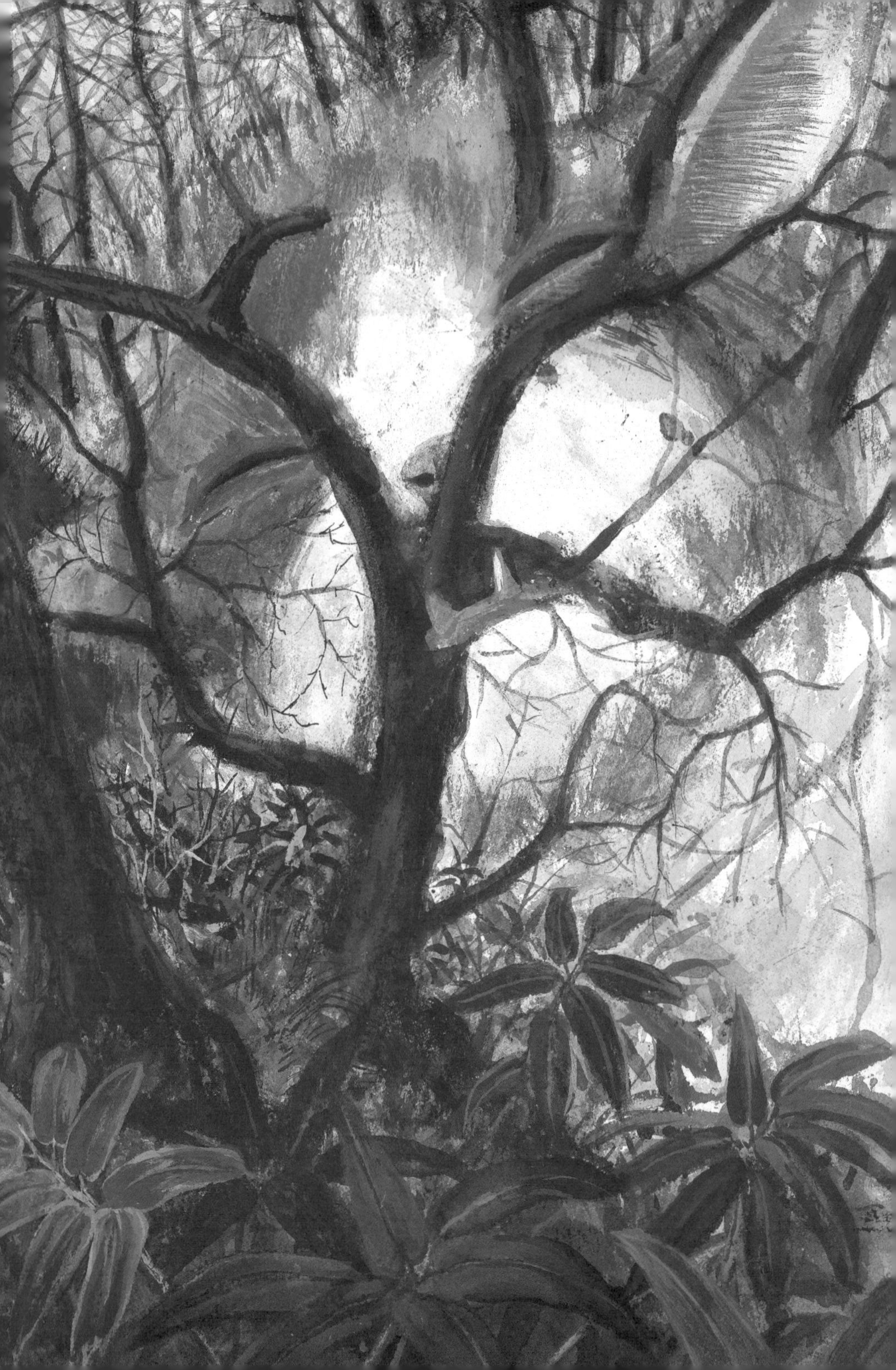

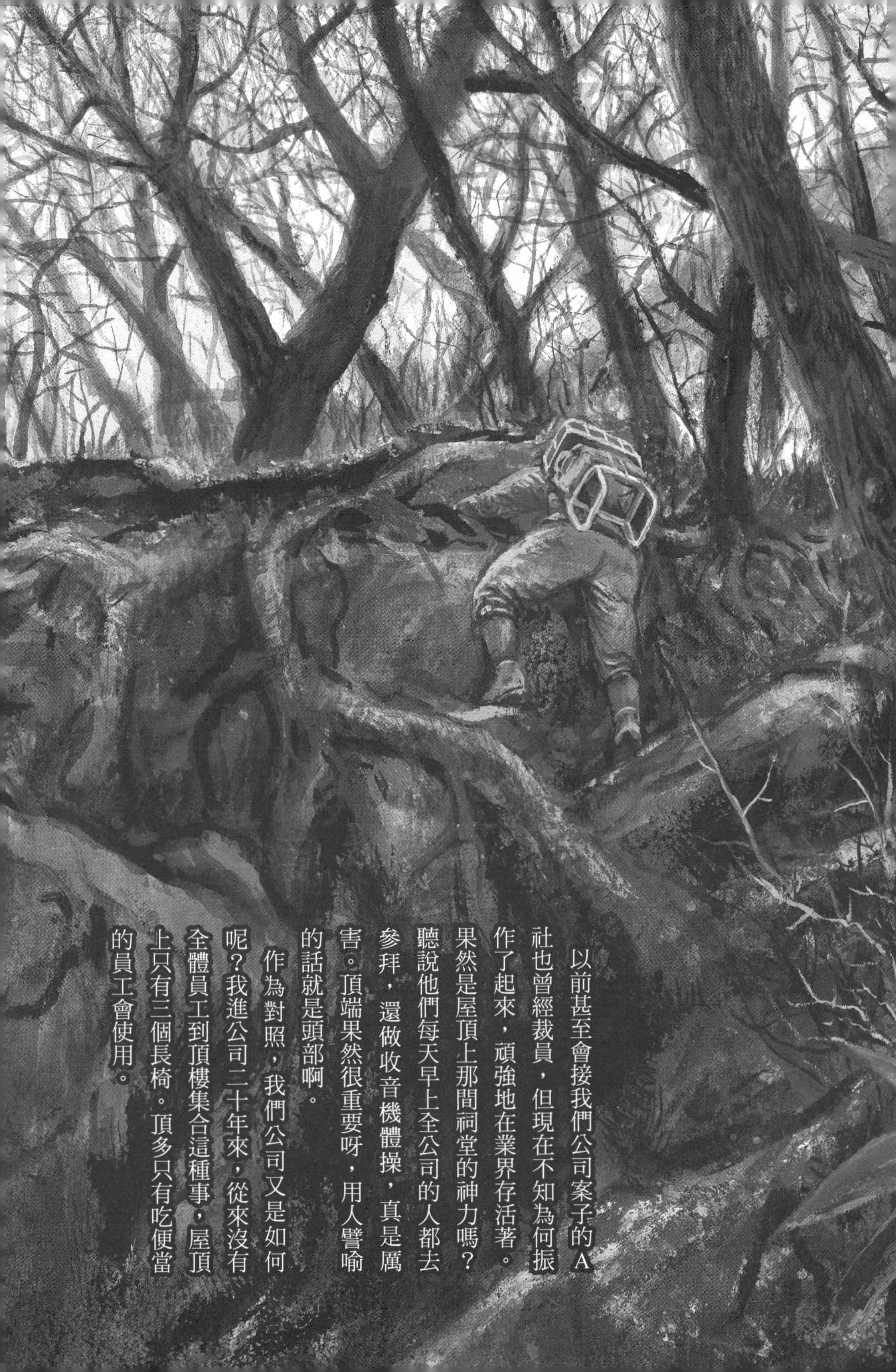

以前甚至會接我們公司案子的A社也曾經裁員，但現在不知為何振作了起來，頑強地在業界存活著。果然是屋頂上那間祠堂的神力嗎？聽說他們每天早上全公司的人都去參拜，還做收音機體操，真是厲害。頂端果然很重要呀，用人譬喻的話就是頭部啊。

作為對照，我們公司又是如何呢？我進公司二十年來，從來沒有全體員工到頂樓集合這種事，屋頂上只有三個長椅。頂多只有吃便當的員工會使用。

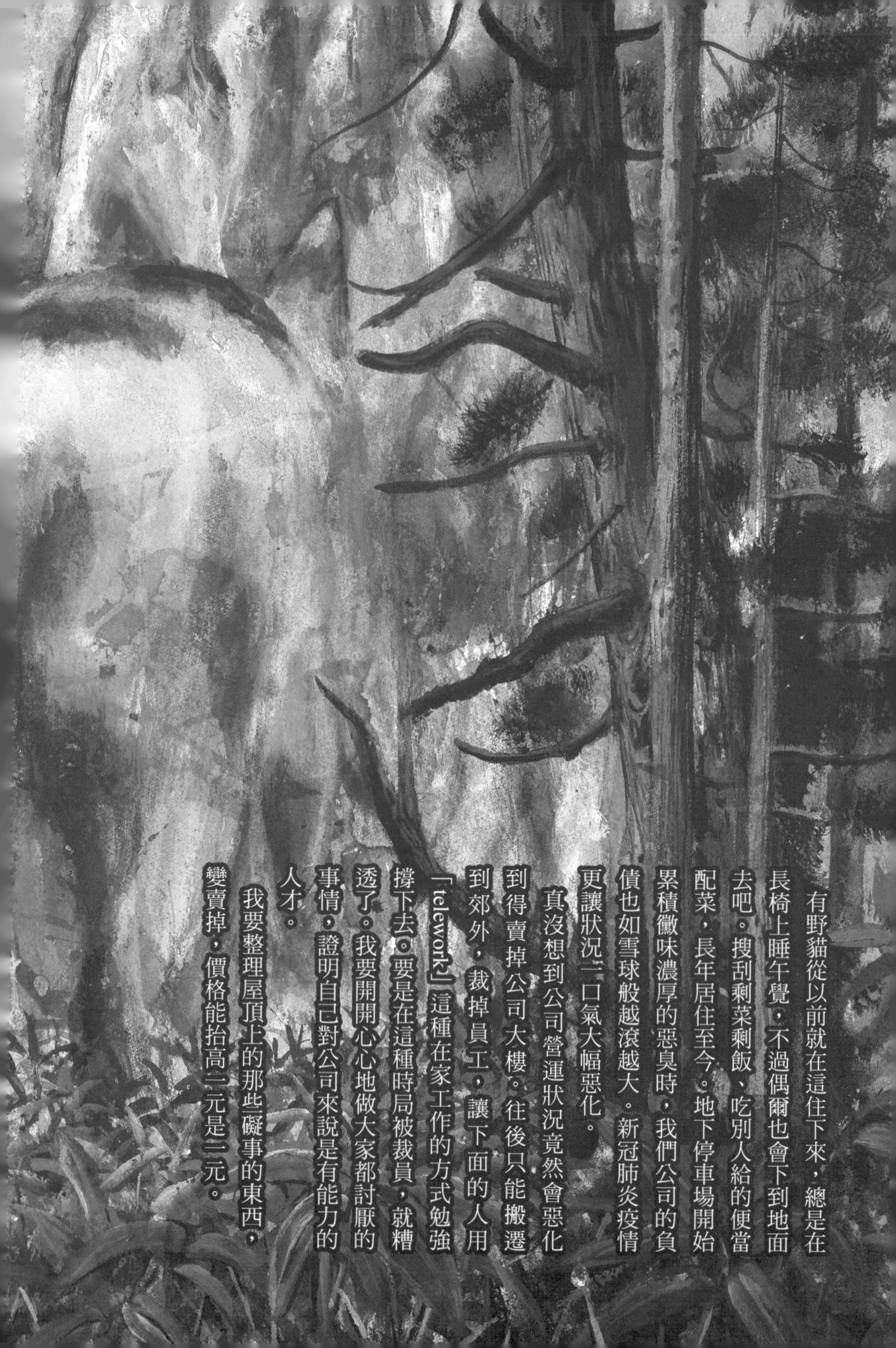

有野貓從以前就在這住下來，總是在長椅上睡午覺，不過偶爾也會下到地面去吧。搜刮剩菜剩飯、吃別人給的便當配菜，長年居住至今。地下停車場開始累積黴味濃厚的惡臭時，我們公司的負債也如雪球般越滾越大。新冠肺炎疫情更讓狀況一口氣大幅惡化。

真沒想到公司營運狀況竟然會惡化到得賣掉公司大樓。往後只能搬遷到郊外，裁掉員工，讓下面的人用「telework」這種在家工作的方式勉強撐下去。要是在這種時局被裁員，就糟透了。我要開開心心地做大家都討厭的事情，證明自己對公司來說是有能力的人才。

我要整理屋頂上的那些礙事的東西，變賣掉，價格能抬高一元是一元。

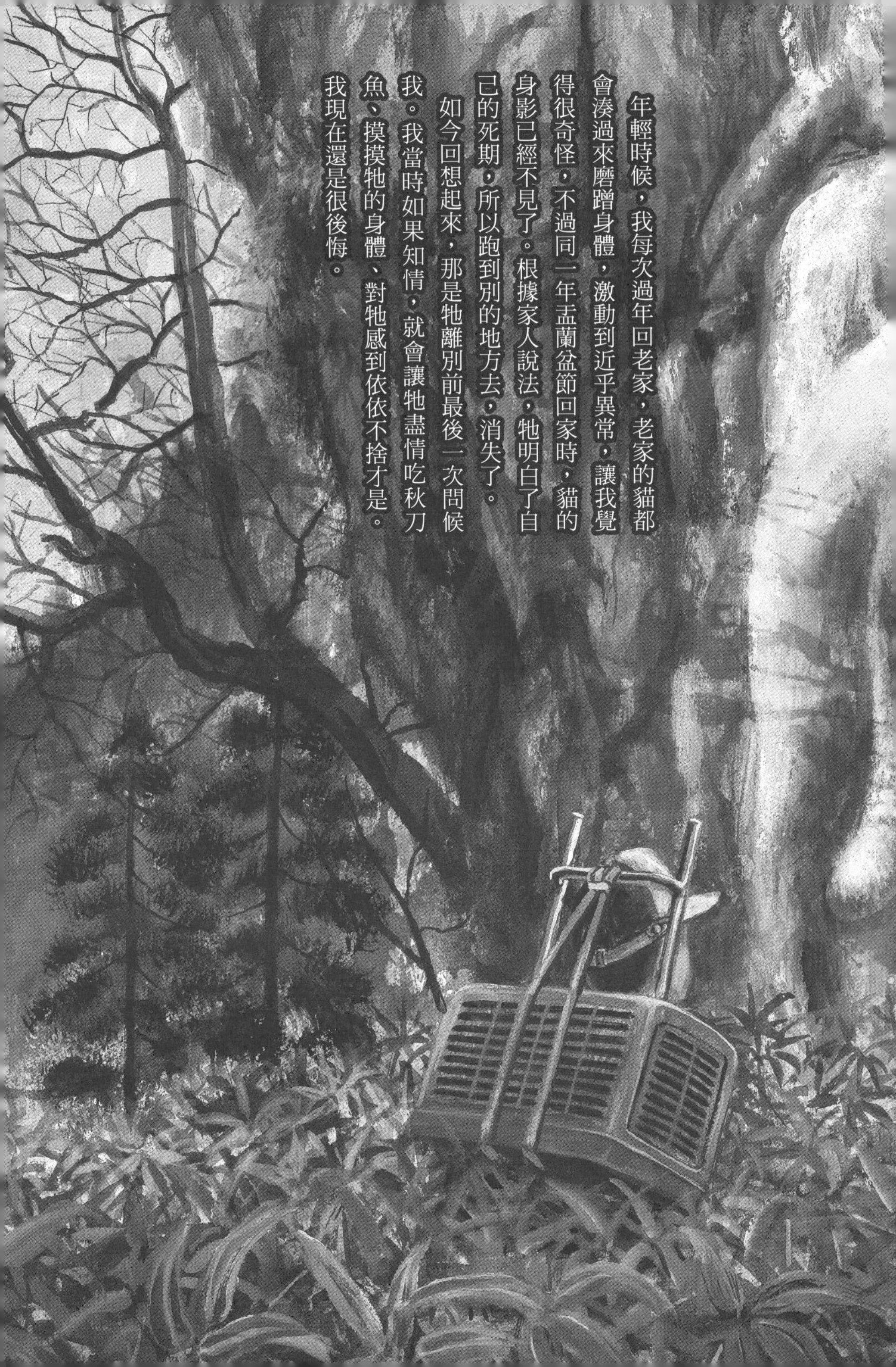
年輕時候，我每次過年回老家，老家的貓都會湊過來磨蹭身體，激動到近乎異常，讓我覺得很奇怪，不過同一年盂蘭盆節回家時，貓的身影已經不見了。根據家人說法，牠明白了自己的死期，所以跑到別的地方去，消失了。
如今回想起來，那是牠離別前最後一次問候我。我當時如果知情，就會讓牠盡情吃秋刀魚、摸摸牠的身體、對牠感到依依不捨才是。
我現在還是很後悔。

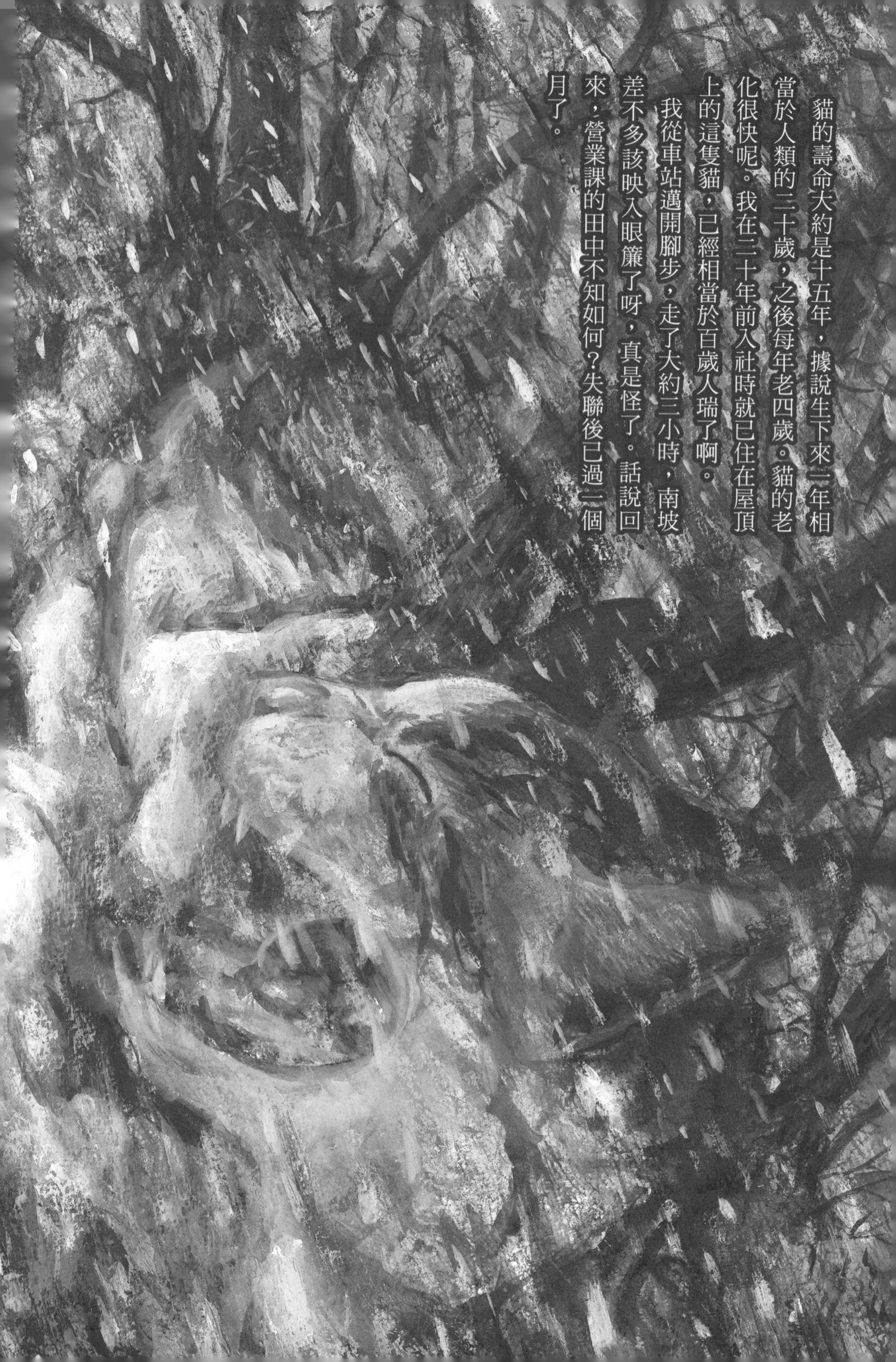

貓的壽命大約是十五年，據說生下來一年相當於人類的二十歲，之後每年老四歲。貓的老化很快呢。我在二十年前入社時就已住在屋頂上的這隻貓，已經相當於百歲人瑞了啊。

我從車站邁開腳步，走了大約三小時，南坡差不多該映入眼簾了呀，真是怪了。話說回來，營業課的田中不知如何？失聯後已過一個月了。

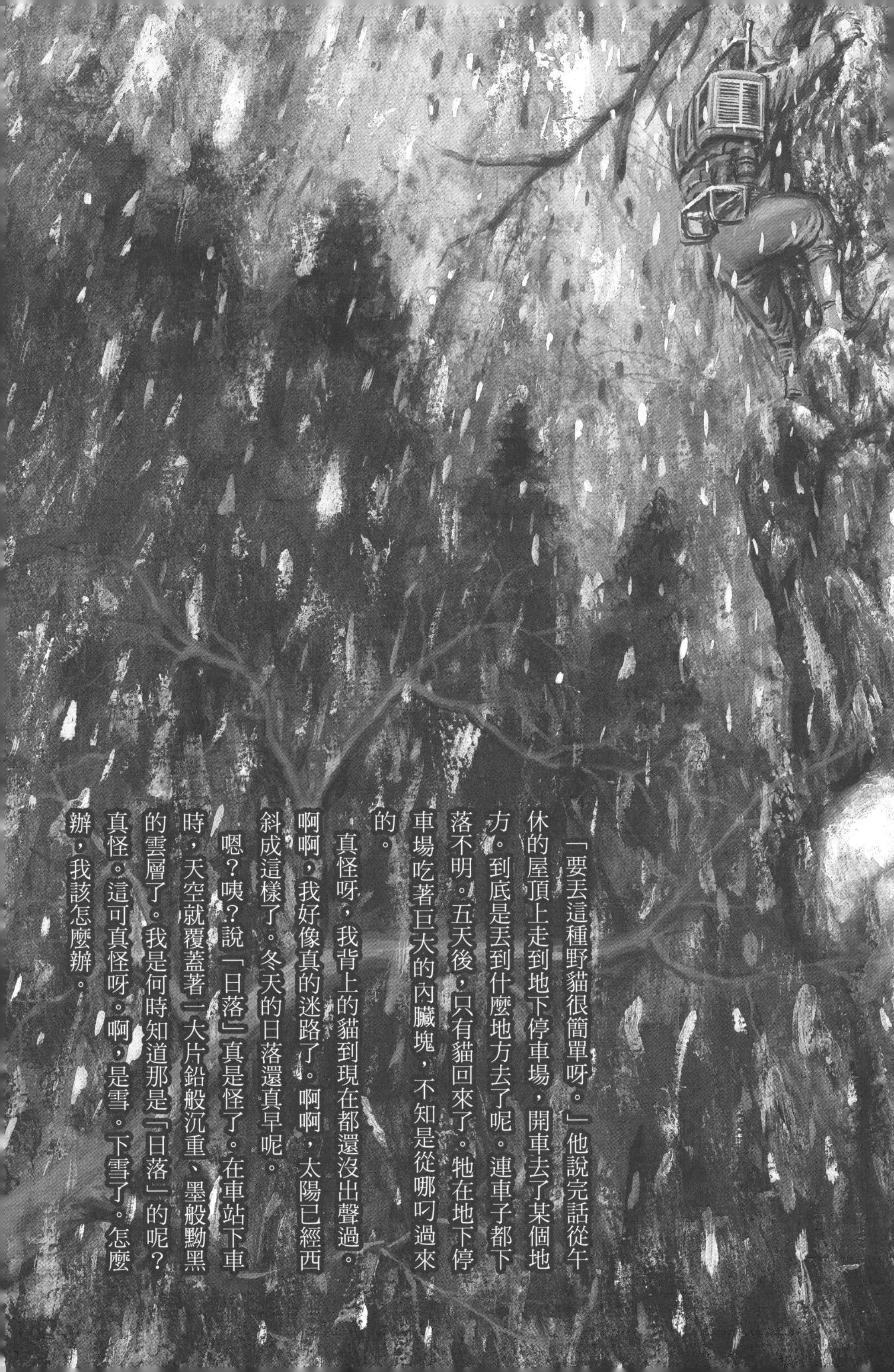

「要丟這種野貓很簡單呀。」他說完話從午休的屋頂上走到地下停車場，開車去了某個地方。到底是丟到什麼地方去了呢。連車子都下落不明。五天後，只有貓回來了。牠在地下停車場吃著巨大的內臟塊，不知是從哪叼過來的。

真怪呀，我背上的貓到現在都還沒出聲過。啊啊，我好像真的迷路了。啊啊，太陽已經西斜成這樣了。冬天的日落還真早呢。

嗯？咦？說「日落」真是怪了。在車站下車時，天空就覆蓋著一大片鉛般沉重、墨般黝黑的雲層了。我是何時知道那是「日落」的呢？真怪。這可真怪呀。啊，是雪。下雪了。怎麼辦，我該怎麼辦。

本書以《詛咒》（二〇一四年十二月出版）為本，
追加收錄以下十個短篇。

針氈……《幽》22號（二〇一四年十二月）
羽肢蝨……《幽》23號（二〇一五年六月）
螢……《幽》24號（二〇一五年十二月）
雨之貓塚……《幽》25號（二〇一六年六月）
祕藏……《幽》26號（二〇一六年十二月）
怨念球……《幽》27號（二〇一七年六月）
靈障國……《幽》28號（二〇一七年十二月）
犬猿弔唁……《幽》29號（二〇一八年六月）
筆頭菜……《幽》30號（二〇一八年十二月）
日落……未連載之新作

書籍設計：大原由衣

附錄

《詛咒．封印版》中文版後記／導讀

《詛咒．封印版》：花輪和一的人生怪談

封印

若一九七〇年代初躍於《ガロ》（《月刊漫畫GARO》）的花輪和一是揉合當代創作者的群像而成為戴著耽美、陰慘而不讓人一眼看透的晦澀，本書收錄的故事則是其觀察人間百態後，對於「業」與「慾」之闡釋，這可從評論家中野晴行與花輪和一在雜誌《怪と幽》的對談中窺探一二[1]，該雜誌的前身亦是本書《詛咒．封印版》所收錄作品之刊載出處。

何謂「封印版」，乃因角川書店早在二〇一四年底便以《呪詛》之名，集結老師於雜誌《幽》二〇〇四至二〇一四年間發表之作品出版，唯當時僅收錄二十三部短篇（其中

1 雜誌《怪と幽》vol.010，專欄單元「お化け友の会ひろば」。

二篇為單行本加繪[2]），封印版則是加錄二〇一四年後持續於《幽》刊載的剩餘九部作品與一部為封印版加筆的繪本風格短篇，總計三十三部。因此，「封印」不僅有著完整收錄老師於雜誌《幽》所有作品之完全版涵義，也有著結束長達十四年於雜誌《幽》刊載的隱含[3]。

變

然，要論老師從初始的殘虐幽魅轉變為《詛咒》中的業慾自若，且是用短短數頁的方式闡述，如此的嘗試，得要從一九七五年談起。

在《ガロ》的〈猟人〉（1972）與〈かいだん猫〉（開談貓，1973）的嘗試後（收錄於《赤夜》的四頁短篇），於一九七五年漸漸於漫畫載體沉寂而轉往承接小說雜誌插畫的同時[4]，「少年画報社」邀請老師編繪以日本妖怪為題的作品，故事篇幅同樣是僅僅四頁，但這卻是老師正式踏入連續性刊載極短篇的濫觴[5]。

之後的嘗試雖偶見於情色劇漫畫雜誌[6]，但真正集大成者，則是於雜誌《幽》刊載並收錄於本書的作品群，此時，距離前面融入妖怪民俗的〈日本妖怪おどろ草子〉已是相差近三十年，畫風也從妖美化為圓柔，中間的轉變，又要從一九八〇年代談起。

一九八〇年代，老師也漸漸從早期的成人獵奇脫離，過程裡，最為關鍵者，當屬融民俗、宗教於一的長期刊載作品《護法童子》[7]，主角圓潤的無害臉龐，卻帶出充滿妖異的陰陽奇想，也奠基了往後《水精》、《天水》、《御伽草子》，乃至於有著花輪和一版的《遠野物語》之稱的《みずほ草紙》等故事中的花輪式人物輪廓而跨出甫出道時仿自於日野日出志的圓滾皮相。

這也是為何當你從《赤夜》、《月光》再看到現在手中的《詛咒》，會有著熟悉但又帶著點陌生的迴異，無論是殘虐的呈現抑或題材的處理，在《詛咒》裡，有著更多花輪和一對於這世間業與慾的透澈，而少了些一九七〇年代作品裡的血花飛濺。

花輪和一的人生怪談

《詛咒》所收錄乃花輪和一刊載於日本怪談專門誌《幽》，專欄名為「怪談漫畫」的

2 二〇一四年版的《呪詛》加繪短篇為〈亡靈墓〉、〈自我確立煙火〉。

3 以怪談為核心的專門雜誌《幽》，於二〇〇四年創刊，二〇一八年休刊，總計三十期，及後，與妖怪專門誌《怪》併刊為《怪と幽》並持續出刊至今。花輪和一自《幽》第一期便發表短篇作品至最終期，總計發表三十部短篇。

4 一九七五年二月，適逢日本小說雜誌《幻影城》創刊，花輪和一老師受邀於雜誌上刊載一系列雜誌插畫。

5 〈日本妖怪おどろ草子〉系列，於漫畫雜誌《漫画ボン》自一九七五年一月連續刊載至六月，為各話皆為僅四頁的結構。

6 如發表於《男のゲキジョー》的〈一寸法師の冒険〉（1979）、〈しらゆうき姫〉（1980）皆為四頁短篇。

7 花輪和一第一部長期刊載作品，《護法童子》於漫畫雜誌《スーパーアクション》發表，期間自一九八三年起至一九八六年止。

短篇作品。開篇作品〈柿子〉，以友人的親身經歷為實證，因懷錶而呪怨，因採柿踏空而吊首亡於樹，沒有過多的血腥表現，但多了份對於因緣果報的冷峻，藉此來呼應書名「詛咒」為開場。緊接著的〈魂魄〉，在幸福代代相傳的背後，可能是家道中落的無奈。故事核心的「打掛」乃室町時代起，武家階級婦女之穿著服飾，再對應分格背非堂皇的武家屋敷而是鄉野木屋，則可對故事中的祖孫進行猜想，一是祖母非門當戶對地嫁娶，二乃武家沒落之後，而附於打掛的魂魄現身，雖是祖母歸因於職人精魂而帶入付喪神的概念，但或許也是沒落武家的祖先亡靈，終於看破生前榮華而將打掛放諸水流，亡魂升天之豁然。

〈泡水〉，以日本民俗傳說的「予言獣」為變形[8]，預告村中可能發生的洪災，唯在花輪和一筆下，化成老人樣貌，以撿拾河中石頭的怪異為警告而非口言喻明。〈禊蟲〉，以地主死後怨念化成蟲形在故居遊蕩，帶入日本自奈良時代起便有的農民哀歌，也呼應了女孩述說地主故居裡藏有金銀珠寶的傳說，其背後所隱喻的乃源於剝削自佃農的財富，而在原文裡，女孩用「気の毒な虫」（可憐蟲）為同情抑或諷刺。

〈迷宮〉，表象觀之，以讓女人迷失方向的妖怪在其身上作祟為貫穿，但透過女主自言自語的自白，更像是十年前的不知名緣由讓其徹底迷失自我，陷入深層的精神痛苦之中，而花輪和一老師則將此枷鎖具象化為類似「子泣き爺」（子泣爺）之模樣，象徵婦女背負的痛苦隨行而沉重。

〈作祟〉與〈巢窠〉，皆以嬰靈為主體，前者以早夭嬰靈在三途川堆疊石頭為開場，帶入僅能生得死胎的女子與尼姑的談話，把生不得健康嬰孩的「業」歸咎於先祖的罪孽，至於女主對於尼姑生子的驚訝，是否為花輪和一對於日本宗教的觀察與疑惑，值得深層推敲。後者從母親於山中小川發現自己的死去嬰孩開始，就圖像論，是以日本民間信仰的「水子」（みずこ）切入，其衍生的「水子供養」則是撫慰流產、墮胎等早夭嬰幼兒的儀式，以避免作祟，因此，將此短篇視為前篇〈作祟〉的延伸亦無不可[9]。

〈真實〉與〈昏暗〉，則皆以山崖為點，人墜為事，前者以兩個跳崖自殺者的角度切入，一心跳崖的男子以走馬燈的方式回憶身前，尋找人與人之間信任與否的「真實」，另一名也想跳崖的女子則因看到跳崖後的「真實」慘狀而卻步，花輪和一以兩個真實，描述生與死。後者發表於雜誌《幽》的第九期，該期的怪談主題為「山」，首頁分格亦是描繪一人正攀爬看似崎嶇的山巖，而途中所見的松樹則象徵著其在日本民俗中的神聖與淨化，看似在描述地獄至極樂的轉化，實則是對於自身罪孽的沉思並以松樹的出現作為借帶以期盼得到救贖[10]。

8 日本的洪災傳說可與河童、大蛇相關（《旅と伝説》1928），而「予言」則多與「予言獸」相連，此部可從長野栄俊等人所著的《予言獣大図鑑》（2023）得到彙整，因此，〈泡水〉一篇，將花輪和一筆下的河精諭示視為妖怪抑或預言獸的變形，亦無不可。

9 《由水子到嬰靈：現代臺日社會中早夭胎兒祭祀之比較研究初探》，陳宣聿，二〇一八。

10 《松と日本人》，有岡利幸，二〇一二。

〈詛咒佛〉與〈蛆蟲佛〉，前者以佛襯托詛咒的合理，後者以佛作為信奉的謬斥，無論前後，佛成了行為自我的催化，將自身的不幸，投射到佛的信與不信，藉以犀利批判人們對於信仰的生與滅。

若前述作品是花輪和一對於他業的觀察與提醒，後面數篇則是花輪和一將自身成長遭遇（母親再婚、繼父家暴）與自業的黏合，如〈指甲情〉、〈詛咒考〉、〈亡靈墓〉等，以父、母、子、女為圍繞，或嚮往、或怨懟、或憤恨。然對於「靈」的邊界，花輪和一也有著屬於他的思想，如〈盂蘭盆蟲〉、〈芝族珠〉、〈靈動說〉、〈自我確立煙火〉，但隱含間亦可發現花輪和一將題材漸漸帶入對於日本社會、事件的批判。

如〈怨念球〉，看似典型的因果報應題材，實以社會詐欺為主幹，受騙者的怨念隨著詐欺者死去而於地獄化成球體糾纏，在此，老師借帶佛教「三世因果」的概念，將第一世所行的惡、所生的怨與業，接續影響下一代、下下一代以作為警世。

〈靈障國〉，發表於二〇一七年的短篇，適逢安倍晉三拜相後，第二次提前解散眾議院而進行的改選年，作品中以「不安蟲」為日本當時面臨的內憂外患問題被選舉而放大之暗示，而花輪和一定居的北海道，在當年也發生讓日本社會引起萬分關注的議題，那便是中資大量收購北海道林地、水源地一事，老師以〈靈障國〉為表徵，用畫筆繪出他對日本政經與時局的洞見。

〈犬猿弔唁〉，以日本俗諺「犬猿の仲」的犬與猿（意指關係不佳的彼此），形塑出新舊宗教信仰、傳承的衝突，對於希冀於彼此能在同一屋簷下和睦相處的父親（國家與政權的暗示），早在爭執與怨懟中，失去了家的意義，如同腐爛的豆沙內餡，突有表相光華，並以亡靈在閻王面前的懺悔直面花輪和一觀察下的日本現況。

〈筆頭菜〉，花輪和一老師於雜誌《幽》發表的最終回作品，以地震受難者的角度切入，而發表於二〇一八年底的〈筆頭菜〉，此年，正是造成北海道重大經濟損失及人員傷亡的「平成三十年北海道胆振東部地震」，為此，老師以生於春天的筆頭菜象徵死亡後的新生抑或北海道地震後的重生。而最後一句「大家，再…會……」（みんな、さ…よな…、），或許也有著花輪和一老師對於十四年來於雜誌《幽》刊載作品乃至雜誌休刊之緬懷。

以業與慾為廓跨入社會政經題材的檻，雖未明繪，實則隱喻，如此的轉變，可從花輪和一於《ビッグコミックオリジナル》二〇一七年一月增刊號發表新連載的《風水ペット》得到印證，時值二〇一六年十二月，這也是為何看到《詛咒》後半（本書收錄作品刊載期間 2004-2018），會漸漸感受到看似魍魎怪誕實則探討更多日本自身的思考，或許早在雜誌《幽》後期，老師已再次裂變，從小我的業詮釋到社會的孽。

MANGA 016
詛咒・封印版
呪詛・封印版

作　　　者　花輪和一
譯　　　者　黃鴻硯
導　　　讀　怪奇閣
美　　　術　林佳瑩
內 頁 排 版　藍天圖物宣字社
校　　　對　魏秋綢
社長暨總編輯　湯皓全
出　　　版　鯨嶼文化有限公司
地　　　址　231 新北市新店區民權路 108-3 號 6 樓
電　　　話　(02) 22181417
傳　　　真　(02) 86672166
電 子 信 箱　balaena.islet@bookrep.com.tw

發　　　行　遠足文化事業股份有限公司【讀書共和國出版集團】
地　　　址　231 新北市新店區民權路 108-2 號 9 樓
電　　　話　(02) 22181417
傳　　　真　(02) 86671065
電 子 信 箱　service@bookrep.com.tw
客 服 專 線　0800-221-029
法 律 顧 問　華洋法律事務所　蘇文生律師
印　　　刷　勁達印刷有限公司
初　　　版　2024 年 7 月
初 版 二 刷　2024 年 8 月

定價 420 元
ISBN 978-626-7243-73-2
EISBN 978-626-7243-72-5（PDF）
EISBN 978-626-7243-71-8（EPUB）

JUSO FUIMBAN

封印版